F 1849 .S3 B33 v.9

Bacardi y Moreau, Emilio,
1844-1922.

Cronicas de Santiago de
Cuba

CRONICAS
DE
SANTIAGO DE CUBA

TOMO IX

CRONICAS DE SANTIAGO DE CUBA

SEGUNDA EDICION

TOMO IX

Recopiladas por

EMILIO BACARDI Y MOREAU

Reeditadas por

AMALIA BACARDI CAPE

Segunda edición, 1973
Depósito legal: M. 27.467-1972
ISBN 84-400-6593-0 tomo IX rústica
ISBN 84-399-0408-8 rústica, obra completa
Impreso en España por Breogán, I. G., S. A.
C/. Brújula, s/n. - Torrejón de Ardoz - Madrid
Printed in Spain

CRONICAS DE SANTIAGO DE CUBA

SEPTIEMBRE 1896

«DIEGO VELÁZQUEZ

Ha entrado el cañonero *Diego Velázquez,* destinado a este puerto.

«CONCHITA»

Se hace a la mar el día 1.° el remolcador *Conchita,* armado en guerra, para la vigilancia de las costas de esta provincia.

Monta en la proa una ametralladora y su tripulación la componen 30 hombres.

NOTA OFICIAL

(Día 1).—*La Bandera Española* publicó lo siguiente:

«Fuerzas de la Brigada de Guantánamo encontraron ayer 31 en Palmarito al enemigo, con el que sostuvieron fuego, causándole dos muertos, uno identificado llamado León Ríos, apoderándose de tres fusiles Remington, dos de ellos nuevos, dos cananas y cartuchos.»

PLANTA ELÉCTRICA

(Día 1).—Los señores Dubois y Boulanger han sido autorizados por el Gobierno General para abrir a la explotación una planta eléctrica, para el alumbrado privado de esta ciudad.

Ataque e incendio de Dimas

(Día 2).—A las nueve de la noche, las fuerzas del general Antonio Maceo atacan e incendian el poblado de Dimas. Duró la acción tres horas y el cañonero *Flecha* cooperó a la defensa del poblado haciendo fuego de cañón sobre los cubanos, que se lo devolvieron muy nutrido.

Consejo de guerra

En la mañana del mismo día se constituyó en la Cárcel de esta ciudad, bajo la presidencia del teniente coronel D. Juan J. Molina y Pérez, el consejo de guerra ordinario que vio y falló la causa seguida por el capitán D. Sandalio Pérez Sanz, juez instructor de la Comandancia General, contra los guerrilleros José Moreno, José Muñiz, Vicente García, Francisco González y Medardo Monradas, por abandono de servicio y lesiones.

Incendio

El propio día 2, a las once y media de la noche, hubo un conato de incendio en la casa marcada con el núm. 19 de la calle de San Carlos, debido a un descuido de la cocinera de la misma, que dejó un hornillo encendido.

El fuego fue sofocado por los vecinos y varios bomberos que se encontraban próximos al lugar del suceso, gracias a haber encontrado abundancia de agua en las llaves.

Nota oficial

(Día 2).—Publicó *La Bandera Española:*

«El Comandante Militar de Palma Soriano con fuerzas de Guerrillas y Voluntarios a sus órdenes en reconocimiento por la «Concepción» y «Hatillo», batió a una partida enemiga haciendo prisionero con armas y herido grave al titulado alférez Demetrio Rodríguez, y matándole el caballo. Por nuestra parte, un caballo muerto.

Fallecimiento

(Día 3).—Muere D.ª Agustina García.

Alarma en la plaza

(Día 4).—Con motivo de circular noticias alarmantes sobre levantamientos y posibles ataques a esta plaza, se ponen sobre las armas, esta noche, los batallones de Voluntarios y de Bomberos y los marineros de los barcos de guerra; estableciéndose fuertes retenes.

Billetes de Banco

A bordo del vapor *Manuel L. Villaverde* llega en la mañana del 5, consignada a la sucursal del Banco Español, una caja conteniendo $260.000 en billetes de banco, en la siguiente forma: 200.000 de 5 centavos, 100.000 de 50 centavos, 100.000 de 1 peso y 10.000 de 10 pesos.

En libertad

Son puestos en libertad el día 5 los súbditos ingleses Robert Ramsley y John M. Kensey, marineros de la goleta *Honor,* que fueron aprisionados al día siguiente de haber desembarcado de dicha goleta la expedición de Antonio Maceo y Flor Crombet.

«Conchita»

Por orden del general de Marina, ha sido desarmado y entregado a sus dueños el remolcador *Conchita.*

Teatro de Variedades

(Día 5).—Abre sus puertas el teatro de Variedades, situado en la calle de San Juan Nepomuceno y Jagüey, casa donde estuvo «La Favorita». Se puso en escena la piecesita «Los Hambrientos», hubo juegos de manos y otras diversiones.

Mayarí

(Día 5).—Ataque a Mayarí Abajo por las fuerzas de Torres y Cartagena, que incendian varias casas. Los españoles tuvieron seis muertos y el mismo número de heridos.

MAYARÍ

(Día 5).—Dijo la prensa española que a las ocho y media de la mañana de este día, 400 insurrectos mandados por el cabecilla Matías Vega Alemán, invadieron las calles del barrio de Braguetudo, Mayarí, rodeándolo completamente para impedir que nadie huyera e incendiando algunas casas; no pudiendo entregarse al saqueo general porque el capitán de voluntarios D. Moisés del Valle con 80 de éstos batió bizarramente a los rebeldes. La caballería insurrecta se apoderó de una trinchera a la entrada del pueblo y desde allí hizo muchos disparos, matando a tres voluntarios, pero viéndose precisados a marcharse en completa derrota con 40 ó 50 bajas.

LOS ARROYOS

(Día 6).—En la mañana de este día, fuerzas libertadoras mandadas por el general Antonio Maceo, a su paso por el pueblo de Los Arroyos, lo hostilizan mientras dura el tránsito de dichas fuerzas y la captura del ganado perteneciente al destacamento. Las tropas españolas que defendieron dicho poblado, al mando del coronel D. Rafael del Alamo, del Regimiento Infantería de Wad-Ras, según el parte oficial, sólo tuvieron dos muertos, otros tantos heridos e igual número de contusos... porque no salieron fuera de sus parapetos. Una hora y un cuarto duraron las hostilidades. Los españoles supusieron a los cubanos 28 muertos que arrojaron en una poceta de Río Hondo.

«DIEGO VELÁZQUEZ»

(Día 6).—En la mañana de este día se efectúa en este puerto la bendición de la bandera de combate del cañonero *Diego Velázquez,* regalada al mismo por suscripción pública iniciada por una comisión de señoras presidida por la Ilma. Sra. D.ª Dolores de León, de Ramos, esposa del presidente de la Audiencia. El barco estaba atracado al costado Sur del Muelle Real, junto a tierra, empavesado, y en ese acto pronunció un discurso alusivo al mismo y de tonos patriótico-religiosos el Dr. D. Felipe Fuero y Jiménez, provisor y vicario general del Arzobispado.

A la bandera acompañaba una dedicatoria redactada en los siguientes términos:

Fallecimiento

(Día 9).—Muere la anciana y bondadosa señora D.ª Nicasia García, viuda de Barrera.

Bestard

D. Agustín Bestard y de las Cuevas, corresponsal del *Diario de la Marina,* de la Habana, que fue preso al desembarcar en dicha ciudad y trasladado en calidad de detenido a la cárcel de ésta, es puesto en libertad el día 13.

Su detención obedeció a las noticias que sobre el juego envió a dicho diario.

Nombramientos

Son nombrados:

D. Antonio Manrique y Mañés, juez.

D. Armando de Zayas, oficial de la Secretaría de Gobierno de la Audiencia.

D. Miguel Rodríguez Berriz, magistrado de la misma.

D. Antonio López Oliva, teniente fiscal de la misma.

D. Fernando Barrueco y Rosell, catedrático interino del Instituto de Segunda Enseñanza.

Ahorcados

(Día 10).—Dice la prensa de la capital que los lecheros que se dirigían a Cárdenas, en número de once, fueron cogidos y ahorcados por la partida de «El Jorobado».

Para Firmeza

Sale para las minas de Firmeza, a donde ha sido destinado, el Primer Batallón del Regimiento Infantería de Asia.

Las fuerzas del de Toledo, que se encuentran protegiendo dichas minas, vendrán a guarnecer esta plaza.

Planta eléctrica

El día 12 llegan a esta ciudad los señores Dubois y Boulanger, representantes en la Habana de importantes casas francesas, y a quienes se ha autorizado para establecer una planta eléctrica para el alumbrado privado de esta población. Con ellos viene el ingeniero D. Juan Pérez Menor.

Planta eléctrica

(Día 16).—En los salones de la Cámara de Comercio de esta ciudad se celebra, en la noche de este día, una reunión en la cual el señor Boulanger explicó detenidamente el sistema de planta eléctrica que se propone establecer, bastante para mil luces de 16 bujías de intensidad, y cuyo costo total ascenderá a la suma de 32.000 pesos.

Sentó luego las bases para la constitución de la sociedad y para su explotación, que será por acciones de 500 pesos cada una pagaderas en cuatro plazos quedándose desde luego los señores Boulanger y Pérez Menor con el 25 por 100 del importe total, explotando ellos el negocio durante dos años, abonando el 1 por 100 de interés mensual a los accionistas, y si bajo estas bases la sociedad acordase prorrogar el plazo por cinco años, transcurridos éstos, regalarán a la sociedad el importe del 25 por 100 con que en ella estaban interesados.

A propuesta del señor Boulanger, se nombró una comisión que ha de entenderse en todo lo relativo a la organización de la sociedad hasta su constitución definitiva, con atribuciones para modificar el proyecto presentado, quedando constituida por los señores D. Manuel Barrueco, D. Antonio Serra, D. Lorenzo Abascal, D. Francisco Echemendía, D. Gabriel B. Molinas, D. José Marimón, D. José Vías y D. José Taquechel.

Tropas que llegan

(Día 18).—En la mañana de hoy ancló en la Playa del Este, bahía de Caimanera, el trasatlántico *León XIII,* que condujo para esta provincia, directamente de la península, dos mil hombres, cuya distribución ha sido la siguiente:

419 para el batallón del *Príncipe.*

Un coronel, 10 oficiales y 373 soldados para el de *Asia.*

10 oficiales y 378 soldados para el de *Constitución.*

10 oficiales y 420 soldados para el de *Andalucía.*

10 oficiales y 367 soldados para el de *Sicilia.*

1.898, que es el total de la expedición llegada a las órdenes del coronel D. Arturo Alsina.

En virtud de órdenes superiores esas fuerzas salieron para sus destinos en la misma mañana, trasbordando a los siguientes vapores:

Tomás Brooks, las del *Príncipe* para esta plaza.
Villaverde, las de *Asia* y *Constitución* íd. íd.
Benito Esténger, las de *Andalucía* íd. íd.
Avilés, las de *Sicilia* que van a Gibara.

OBSEQUIOS

(Día 19).—A las tropos llegadas hoy a esta ciudad se les obsequia con un rancho extraordinario, que se les sirve en la Plaza de Armas, en 28 grandes mesas, amenizando el acto la música del Regimiento de Cuba.

A las nueve de la noche el Círculo Español ofrece a la oficialidad un lunch.

Al día siguiente salen a campaña dichas fuerzas.

BILLETES DE BANCO

Se recibe una circular del Gobierno General obligando sea recibido el billete del Banco Español de la Isla de Cuba para toda clase de impuestos «menos en pago de los derechos arancelarios de las aduanas».

ATESTADOS DE POBREZA

Siguen aumentando en las oficinas del Ayuntamiento los atestados de pobreza para adquirir gratis raciones y medicinas.

TEMBLOR DE TIERRA

A las cuatro de la madrugada del día 20 se experimenta un temblor de tierra.

ALARCÓN

(Día 20).—Fallecimiento del Ilmo. Sr. D. José de Alarcón y Jimeno, fiscal de S. M. en esta Excma. Audiencia Territorial.

DEPORTADOS

En la misma fecha salen de la Habana, en el vapor correo *Santo Domingo,* deportados a los presidios de Africa, D. Alfredo

Zayas y Alfonso y los demás señores detenidos a principios de este mes.

Camagüey

(Día 23).—Salieron del campamento de Piedras 60 guerrilleros a las órdenes del teniente coronel Velarde, con objeto de practicar un reconocimiento hacia Jicoteita, cayendo en una emboscada. Después de veinte minutos de combate, los guerrilleros huyeron en completa dispersión y quedaron prisioneros el teniente coronel Velarde y siete de aquéllos. Conducidos al campamento del general Serafín Sánchez, éste ordenó la libertad de Velarde y le devolvió sus armas. También dispuso la libertad de los siete guerrilleros. Confesaron los españoles haber tenido ocho muertos y once heridos e ignorar las bajas de los cubanos.

Fusilamiento

(Día 23).—En Guanabacoa fue pasado por las armas el soldado Francisco Rubio García, natural de Madrid, de 32 años de edad, y perteneciente a la cuarta compañía del Batallón Provisional de la Habana, por haber dado muerte al sargento Susano Ortiz.

Nota oficial

Dijo la prensa española:

«El día 23 de septiembre llegó el coronel Lara a Güinía de Miranda, y por algunos sitieros tuvo noticias de que Quintín Banderas había acampado el día anterior por las Güiras y Veguitas y que durante tres o cuatro días habían estado llegando partidas pequeñas a Veguitas de diferentes puntos y con diferentes órdenes.

En consecuencia de ello, poco después de amanecer fraccionó el coronel Lara la columna en tres partes: una de Granada y Alava con la guerrilla de este cuerpo, al mando del comandante D. José Masutí, se dirigió por la falda de la cordillera de Veguita a entrar al monte de San Rafael hasta su asiento; otra parte, compuesta de fuerzas de Vizcaya, al mando del capitán Rojo y la guerrilla de este cuerpo, partiendo de la loma del Cobre se dirigió a San Rafael por la derecha y a cubierto, para no ser visto del enemigo al ser atacado por el comandante Masuti, adelantando por aquella parte con el fin de cortar la retirada hacia el asiento de San Rafael, y el grueso de la columna, bajo las órdenes del valiente coronel Lara, quedó instalada en el asiento de Veguitas, colocando la pieza de artillería emplazada en la loma del Cobre.

Puestas las fuerzas en movimiento, el enemigo, que había tomado posiciones en las Güiras, asiento del antiguo fuerte de Veguitas, y entrada del camino de San Rafael, rompió el fuego sobre la fuerza.

En tal actitud, con gran oportunidad el comandante Masuti, desplegando su fuerza, atacó con decisión al enemigo, arrojándole del antiguo fuerte; los insurrectos de allí desalojados, retrocedieron hasta la entrada de San Rafael reforzando a los que ya ocupaban aquella posición, desde la cual rompieron el fuego por descargas y muy rápido; el comandante Masuti continuó su avance de posición en posición, arrollando al enemigo a la entrada del monte de San Rafael y precipitándose al interior con pérdidas considerables.

La fuerza de Vizcaya que avanzaba por la derecha en combinación con la anterior, tuvo fuego con avanzadas enemigas que fueron dispersadas, dependiendo de esto el no poderles cortar la retirada, porque advertidos por el fuego se retiraron por escalones con bastante orden, desapareciendo todos hasta el asiento del monte, desde el cual se fraccionaron en muchas partes, imposibilitando su persecución.

El Coronel, mientras esta operación se llevaba a cabo desde el asiento de Veguitas, libraba una reñida acción con una fracción numerosa enemiga, que atrincherada en los Güiros, se defendía con tenacidad.

La posición era formidable; apoyada en un bosque espesísimo y cerrando el empinado camino que desde Veguitas conduce a Picos Blancos, su elevación dominaba el campo donde las fuerzas se desarrollaban, batiendo el flanco izquierdo a la sección del Coronel.

Desde allí rompió el fuego por descargas con buen orden y dirección acertada; ocupadas por las fuerzas varias lomas, desde ellas mandó el Coronel batir la posición enemiga, en tanto que la guerrilla de Alava y una compañía de Vizcaya avanzaban de frente protegida también por la pieza de artillería que desde la loma del Cobre dirigió seis certeros disparos, cayendo uno de ellos en el centro de los defensores de las trincheras, que les causó grandes estragos.

Las bajas de las Güiras tuvieron tiempo de retirarlas por la facilidad que a sus defensores daba su elevación y retirada hacia Picos Blancos.

A las cuatro de la tarde la victoria era de nuestras tropas; el enemigo, disperso, maltrecho en fracciones, había huido.»

Montezuelo

(Día 24).—A las nueve de la noche, la aguerrida hueste del general Antonio Maceo ataca al campamento español del coronel D. Francisco San Martín —que con una columna construía fortificaciones en Loma China, Montezuelo o Jagua— empleando el glorioso caudillo, por primera vez, el cañón neumático que había recibido y con el que arrojó bombas de nitroglicerina sobre el enemigo. Este replicó furiosamente con su artillería, durante el bombardeo recíproco hasta las dos de la madrugada del 25. Continuó el combate vigorosamente por ambas partes hasta la una de la tarde, en que los españoles volvieron a sus trincheras de Loma China. Tuvieron los cubanos 68 bajas, y los españoles, según su confesión, un muerto, cuatro oficiales y 50 de tropa heridos.

Zubizarreta

(Día 24).—La Reina Regente indulta de la pena de muerte a D. Octavio Zubizarreta, condenado en consejo de guerra y aprobada la sentencia por Weyler, en causa por contrabando de armas para los rebeldes.

Recogida de muchachos

El Gobernador Regional ordena la recogida de los muchachos que molesten al vecindario, imponiéndose una multa a los padres.

Los cambistas

Los cambistas pretenden recibir y cambiar los billetes de banco por plata a la par; pero cuando ellos lo dan, bien en pago o en cambio, entonces resulta que lo tipan como oro.

Prueba oficial

El día 25 se coloca el primer pilote del malecón que ha de comenzar a construirse en el puerto, efectuándose a la vez la prueba del martinete, que dio buen resultado.

Presencian la prueba oficial el Gobernador Regional, varios militares y numeroso público.

Escandell

Con objeto de conducir un convoy a los fuertes del Escandell y practicar reconocimientos por las lomas de Villalón, Florida, Caridad y La Piedra, sale de esta ciudad el 25 una columna al mando del general Toral.

Dicha columna sostiene fuego con los insurrectos.

Tumbas de Estorino

(Día 27).—El general Antonio Maceo entabla sangriento combate, en Tumbas de Estorino, con una columna española comandada por el general de brigada D. Cayetano Melguizo y el coronel D. Cándido Hernández de Velasco, que operaba en combinación con otra columna mandada por el coronel D. Eduardo Francés. Simultáneamente se riñeron los dos combates, el de Tumbas de Estorino, dirigido personalmente por el inmortal adalid santiaguero, y el de La Manaja, por el coronel Juan E. Ducasse, obedeciendo órdenes del general Maceo y secundado eficazmente por el teniente coronel Arencibia y el comandante Fleites. En ambos combates se luchó cuerpo a cuerpo y se hizo derroche de valor por los dos adversarios. Jugó la artillería por ambas partes y muy poco faltó para que los cubanos, en Tumbas de Estorino, capturaran un cañón español, pero dejaron fuera de combate a todos los oficiales y sirvientes de esa pieza, inutilizaron a éste y lograron capturar la cureña, el material y la dotación de proyectiles. Con la otra pieza que les quedaba continuaron defendiéndose desesperadamente los de España. La gloriosa bandera de la Invasión estuvo a punto de ser tomada por el enemigo, que dio muerte al abanderado Ramón Ibonet, pero fue salvada «gracias a los esfuerzos de los ayudantes Nodarse, Portela y Bacardí (1) que pudieron recogerla con riesgo de sus vidas» (2). Duraron los dos combates desde la una hasta las cinco de la tarde, en que un furioso y torrencial aguacero les impuso inmediato término. Tuvieron los cubanos, en Tumbas de Estorino, ocho muertos y 26

(1) Emilio Bacardí Lay, hijo del ilustre autor de esta obra, que silencia este hecho y que nosotros consignamos.—*Barrera.*

(2) El general Miró, en su interesante obra repetidas veces citada.

heridos, entre los primeros el ayudante Ramón Ibonet y el comandante Julio Vázquez, y entre los últimos, el coronel Martín Torres y el teniente coronel Julián Gallo. En Manaja consistieron las bajas cubanas en seis muertos y 21 heridos. También murieron, en Tumbas de Estorino, nueve paisanos que conducían municiones a las líneas de fuego (1). El parte oficial español dijo que en la acción de Manaja tuvo la columna del coronel Francés muertos, el comandante Izquierdo, el capitán Cabañas y 86 de tropa heridos. El mamotreco español silencia las bajas que tuvo en el combate de Tumbas de Estorino la columna del general Melguizo, y que debieron ser infinitamente mayores que las de Manaja.

POLICÍA

Se hace cargo de la Celaduría de Bahía D. Manuel Jordán.

FALLECIMIENTOS

D.ª Isabel Ruiz, viuda de Valdor.
D.ª Antonia Bravo de Castillo.
D.ª Antonia Serrano de Carbó.
Srta. D.ª Gertrudis Preval y Rodríguez.
Srta. D.ª Rosa Camps.
D. Pedro Yera y Rodríguez, exconcejal.
D. Mateo Asanza y Odio.
D. José Perozo.
D.ª Lucía Poveda de Schumann.
Srta. D.ª Caridad Asencio y Dueñas, poetisa.
D. Pedro Sabatela.
Dr. D. Ramiro de Irízar y Domínguez, director y catedrático del Instituto de Segunda Enseñanza, secretario del Círculo Español, diputado provincial y secretario de sesiones de la Diputación Provincial.
D. Pablo Jústiz, periodista.

OCTUBRE 1896

GÓMEZ Y FUENTES

Toma posesión del cargo de alcalde corregidor el señor don Pascual Gómez y Fuentes, por orden del Gobernador Regional,

(1) Datos tomados del general Miró, en su obra ya citada.

y a virtud de renuncia que hace de dicho cargo el propietario D. Antonio Balart y Cros.

Ceja del Negro

(Día 4).—El día anterior, a las seis de la mañana, salió de la ciudad de Pinar del Río una columna compuesta de la séptima y octava compañías del Primer Batallón del Regimiento Infantería de Cantabria núm. 39, al mando del capitán de la séptima don Marcos Rueda Clué. El objetivo de dicha fuerza consistía en llegar al Guao, dos leguas y media distante de la capital provincial, donde se estaba construyendo un fuerte, a orillas del río, en las estribaciones de la Sierra de los Organos, para impedir el paso del cabecilla mulato «antes de que pueda regresar a sus guaridas donde las incontrastables fuerzas españolas han de ir a acosarle» (1). Sabía el alto mando español que el incomparable caudillo cubano retornaba de su gloriosa marcha emprendida desde la sierra hasta la costa, al través de la línea militar de Viñales, al embarcadero de S. Cayetano, y que a despecho del Ejército y la Marina de España, había protegido y recibido felizmente el desembarco de la expedición que pisó tierra cubana acaudillada por el general Ríus Rivera, maniobrando para ello dentro de una comarca hostil a las armas de Cuba y castigando de paso a los guerrilleros y voluntarios de las zonas de Viñales y otras limítrofes. Por eso dispuso Weyler la rápida construcción de otras varias obras de fortificación que cerraran el paso al gran general mambí y lanzó para acorralarlo las columnas de los generales Suárez Inclán y Melguizo y también la del coronel Francés. Creyó el Marqués de Tenerife encerrar entre vallas y cercas de mampostería y alambre al terrible León de Oriente como se encierra una mísera bestezuela de circo.

A las siete de la mañana de hoy 4, la octava compañía de Cantabria, que ocupaba el punto más avanzado en tanto la séptima realizaba las obras militares, fue atacada bruscamente por parte de las fuerzas del general Maceo, y como las descargas se oían en la ciudad de Pinar del Río, inmediatamente salió de dicha plaza

(1) «La Acción del Guao y Ceja del Negro».—Relación de estos combates contra Maceo por un testigo.—Habana, «La Moderna Poesía», 1896. La sola enunciación del título de ese panfleto es un puro disparate, pues parece que se trata de una sola acción y no de dos, ya que el sustantivo acción se halla en singular, más después en el subtítulo explicactivo se dice «esos combates», de donde se infiere que fueron dos y no uno como en el título se consignó.

otra columna integrada por el Primer Batallón del Regimiento Infantería de Asturias núm. 41, dos compañías del Primero de San Quintín núm. 47 y la guerrilla del Regimiento Infantería de Marina con la misión de socorrer a las dos compañías de Cantabria atacadas, en tanto llegaba otra columna más potente, dirigida por el general de brigada D. Francisco Fernández Bernal, que debía dar jaque mate al adalid Maceo y su legión brillante. La columna de auxilio salida de Pinar del Río estaba al mando del teniente coronel D. Marcelino Granados y fue acometida rudamente por las fuerzas cubanas, a la vez que estrechaban a las compañías de Cantabria que hicieron desesperados esfuerzos para operar su conjunción con la tropa de Granados, como lo lograron, comprendiendo que esa era su única salvación. Las once de la mañana serían cuando las dos columnas, salvada y salvadora, comenzaron a iniciar su movimiento de retroceso a Pinar del Río, a la desbandada, rotas y maltrechas, abandonando muertos y heridos, no obstante sentir nutrido fuego por el opuesto rumbo que le anunciaba la llegada a la escena del general Bernal con su columna (1). Hizo caso omiso del nuevo refuerzo el teniente coronel Granados y prosiguió su retirada-fuga hasta Pinar del Río, a donde pudo llegar a las diez de la noche en completa dispersión.

Al avanzar la vanguardia del general Bernal mientras los otros de su bando huían buscando amparo en las trincheras de la plaza vecina, fue agredida su columna con todo el arrojo propio de las huestes del inmenso soldado oriental, y Bernal, que vio su tropa descuadernada, avanzó resueltamente con dos cañones dispuesto a reñir la victoria en recia disputa contra el colosal e indómito general mambí, que se sobrepuso y excedió, si esto cabe, al repeler, terrible y fulgurante, la fiera acometida del valeroso general hispano. Los soldados del coronel Vidal Ducasse, «abriéndose paso por dentro del monte, cayeron sobre la artillería española que apuntaba contra los tiradores emboscados en el encinar de la *Ceja,* y tal fue el ímpetu de aquel rebato que la dotación de artillería quedó deshecha, muertos también los mulos, capturada la cureña, rotos los tirantes que sujetaban el cañón, y hubo forcejeo entre cuatro peones insurrectos y varios infantes españoles sobre el cañón ya inútil. Lograron llevárselo los españoles, cargándolo a cuestas, pero dejaron la cureña y las ruedas en poder de los mambises» (2). Dejemos la palabra al ilustre escritor, de

(1) «Oyendo fuego de cañón al otro lado de la línea».—Parte oficial de Weyler publicado por la prensa española.

(2) El general Miró en su obra citada.

quien hemos tomado el párrafo transcripto y no pocos datos de su obra brillante. Actor y autor en la homérica campaña de la Invasión, compañero inseparable y fiel subalterno del inmortal Maceo, nadie como él ha podido ni puede relatar mejor los variados incidentes de esta memorable batalla y de todas las libradas durante la marcha invasora, como ha sabido hacerlo con su mágica pluma de la que han brotado páginas brillantes de riquísimos y poéticos matices y en las que se encuentra magníficamente encuadrado el relato escrupuloso de la verdad histórica.

«El coronel Ducasse, sin advertir el lance del cañón, en el que estaban enredados cuatro hombres de su regimiento, y atendiendo únicamente al ademán de Maceo que le señalaba el flanco más débil del enemigo, metió carga tras carga, para quitar el estorbo de un retén, lográndolo con su certera puntería, y con otra batida eficaz entró de lleno sobre la impedimenta de Bernal, barriéndola en todas direcciones. Bagajes, acémilas, caballos de monta, parihuelas, carretones, guardianes fueron esparcidos en un santiamén y apresados los enseres que ofrecían provecho. ¡Batahola indescriptible! Con el espanto de los tiros y el aspecto de los invasores que infundían pavor, se entregaron a discreción los defensores de la impedimenta, corrieron algunas acémilas hacia el lugar donde se debatía el lance del cañón y el más empeñado de la fusilería entre la tropa de Bernal y la escolta de Maceo, que también luchó a brazo partido repartiendo tajos a cambio de pinchazos de bayoneta; los mulos, con la carga intacta, llegaron hasta allí, como buscando salvación entre los suyos, y a vuelta de un altercado furioso, cuando los mulos estaban en salvo con la codiciada carga, el general Ríus, con imperturbable serenidad, cruzó el trecho más arriesgado y capturó con sus propias manos las dos acémilas del Cuartel General español, objeto de fuerte disputa hasta aquellos momentos.»

Los españoles abandonaron el lugar del combate y se retiraron definitivamente a la Loma de Murguía, al amparo del fuerte que la coronaba, rodeado de fosos y otras obras de atrincheramiento, y desde allí el general Bernal empezó a hacer disparos de artillería que duraron desde las tres hasta las cinco de la tarde. El cañón neumático de los cubanos entró entonces en funciones y replicó al fuego español desde la Loma del Corcho. Antes, en el bregar de la furiosa lucha, los españoles mataron a los siete sirvientes de dicha pieza y a sus mulos, pero por fin pudo ser emplazado en el sitio, dirigido por el capitán José Ramón Villalón. Mientras mayor y más grande es la victoria, en la misma proporción se halla el esfuerzo realizado y no fue sin dolorosas pérdidas que los cubanos alcanzaron la resonante victoria de Ceja del Negro —que iguala, por lo menos, o excede a la de Peralejo— y así, pues, en todos los combates de este día hubo en las filas libertadoras 42 muertos y 185 heridos combatientes, y 43 hombres inválidos pacíficos, mujeres y niños, que iban en la impedimenta protegidos por la fuerza contra los desmanes criminales de los guerrilleros y voluntarios de Viñales, víctimas del ciego furor de las balas enemigas. Allí cayó para siempre el valiente oficial Antonio Tarafa, de Guane, a quien Maceo tenía reservado *in pectore* para su exaltación al generalato, y gravemente herido el capitán Gerardo Portela. Las bajas de los españoles, según ellos mismos, fueron: en la acción del Guau, 12 muertos y 85 heridos, y en la de Ceja de Negro, 20 muertos y 65 heridos; en total, 32 muertos y 150 heridos. Entre sus muertos figuraban el teniente coronel de Infantería D. Juan Nieto Gallardo, ayudante de campo del general Bernal; el de la misma clase D. Joaquín Romero, primer jefe del Primer Batallón del Regimiento Infantería de San Marcial núm. 44, y el teniente de Artillería D. Román Rodríguez, y entre sus heridos el teniente coronel de Ingenieros don Julián Chacel y García, el capitán de Artillería D. Eduardo Quintana, el primer teniente de la misma arma D. Luciano Casal, los de igual clase de Infantería D. Emilio Ruiz, D. Nicolás Alquir, D. Ricardo Moreno y el señor González; los segundos tenientes D. Juan Calvo Susín, del Primer Batallón del Regimiento Infantería de San Quintín núm. 47; D. José Borrero Vázquez, de Ingenieros Zapadores-Minadores, y D. Dionisio Pérez, de la octava compañía del Primer Batallón del Regimiento Infantería de Cantabria núm. 39. Indudablemente que las bajas españolas en esta tremenda jornada fueron muchísimo más numerosas. El jefe de Estado Mayor General del Cuerpo de Ejército de Pinar del Río, general José Miró Argenter, consigna en su obra interesantísima tantas veces citada, que al caer de la tarde se hallaron por los cubanos, en un rancho, 26 soldados heridos y moribundos; que algo más distante se hicieron dos soldados prisioneros ilesos, a quienes se les perdonó la vida, y que por uno de ellos se supo que todavía andaban por el campo, vagabundas y extraviadas, varias secciones de tropa y que habían visto desfilar una pavorosa procesión de 19 carretas atestadas de heridos. Anota también el general Miró que se ocuparon por los cubanos 98 fusiles Maüser, 14.000 cápsulas y gran diversidad de otros armamentos y efectos, y como un terrible y macabro detalle gráfico que permite afirmar que las bajas españolas fueron mayores del número por ellos confesado, que «la columna de Granados dejó 62 cadáveres en el espacio de una caballería de tierra». Según el mismo general mambí, se consumieron por los cubanos 50.000 cartuchos y las fuerzas tuvieron que ser municionadas tres veces. El total de la legión cubana que combatió en este día se componía de 800 hombres, número que los partes españoles exageraron monstruosamente hasta 4.000 para mejor disimular su derrota. El efectivo de la tropa española fue:

Columna de Bernal (800 de tropa regular y 200 guerrilleros y voluntarios)	1.000
Columna del teniente coronel Granados (aproximadamente)	450
Las dos compañías de Cantabria (íd.)	150
Total (íd.)	1.600

La frente augusta del egregio caudillo santiaguero otra vez más había sido coronada con el laurel de la victoria. Antonio Maceo acababa de demostrar a la faz del mundo entero que con sus indomables soldados era capaz de realizar todas las grandes proezas de los remotos tiempos heroicos de la Grecia legendaria. ¡La mente humana se abisma al pensar lo que hubiera hecho Maceo si hubiera podido disponer siquiera de la mitad de los grandes recursos de que dispuso Weyler!

Proclama de Granados

«Orden General de la Columna del día 5 de octubre de 1896. Soldados: No llenaré mi imperioso deber de conciencia si pasara en silencio el orgullo que ha despertado en mi ánimo vuestra conducta de ayer; habéis tenido enfrente todo el grueso de las partidas insurrectas de la provincia de Pinar del Río, es decir, lo más escogido de la insurrección cubana, y sin embargo, con la tercera parte de número fuísteis capaces de batirlos y tomarles ventajosas posiciones, despreciando el mortífero fuego que vomitaban, y los tiros de la artillería que hicísteis enmudecer con los disparos de nuestros fusiles. Jornada como la de ayer constituye una página de gloria para enriquecer el abultado volumen que guarda el Ejército Español; así podéis escribirlo a las familias que al otro lado del mar siguen con tanto interés y cariñoso afán las vicisitudes que estáis atravesando. Yo conservaré toda mi vida el recuerdo de la valerosa conducta observada por vosotros en el día de ayer, que acreditó una vez más la reputación de los batallones de Asturias, de Marina y de Zapadores, y en cuanto a los que pertenecéis a Cantabria y San Quintín, al reuniros con los cuerpos de que formáis parte, decidles, aquí tenéis unos reclutas que han puesto el pabellón del regimiento a la altura en que lo mantienen sus veteranos camaradas.—De los jefes y oficiales cúmpleme manifestar lo satisfechísimo que me ha dejado su conducta.—A todos por igual os felicita vuestro jefe.—*Marcelino Granados.*»

PROCLAMA DE BERNAL

«Orden General de la Columna en Viñales del día 5 de octubre de 1896.—Soldados: Podéis estar orgullosos. Habéis sabido vencer a un enemigo que nos superaba seis veces en número. Muy sensibles bajas nos ha costado; pero hemos visto regarse el campo de muertos de ellos y retirar a cientos de heridos, huyendo en distintas direcciones. De vuestro heroísmo en la jornada he dado cuenta al general en jefe y al comandante en jefe de este Cuerpo de Ejército, para que repercuta en todos los ámbitos de nuestra amada España y os rinda un tributo de admiración. Jefes, oficiales y soldados todos, llenos de un admirable y entusiasta valor, habéis demostrado una vez más que al Ejército Español le acompaña siempre la victoria; sirviéndole de mucha satisfacción el haberos mandado en esta última a vuestro general.—*Bernal.*»

PRISIONES

Son reducidos a prisión el depositario-recaudador y el contador del Ayuntamiento, D. Octavio de Mena y Zabala y don Eduardo Miranda y Cotilla.

ROSELL

D. Buenaventura Rosell y Carrión renuncia su cargo de concejal «acompañando para ello certificado médico».

GARÍ

D. Rafael Garí renuncia también su cargo de concejal.

Galalón

(Días 8 y 9).—Una columna española, mandada por el general de brigada D. Ramón Echagüe y Méndez-Vigo, ocupa las lomas de Catalina con el propósito de tomar las alturas de Guayabitos y el campamento de Galalón, a las once de la mañana de este día. Con cuatrocientos hombres solamente, el general Antonio Maceo atacó briosamente a la fuerte y numerosa columna española y el combate duraba con furia todavía a las tres de la tarde, hora en que las nubes descargaron copiosa ducha sobre los tenaces adversarios cual si quisieran calmar el bélico ardor que los devoraba. Poco antes de la puesta del sol, cesó la lluvia y fue ésta la señal para que ambos enemigos reanudaran la pelea. La noche interpuso su espeso manto de tinieblas e hizo suspender la función, pero el heroico caudillo oriental empezó a enviar proyectiles de cañón sobre el campamento de Echagüe, acompañados de descargas de fusilería. En las primeras horas del siguiente día, la tropa española emprendió la retirada en dirección a San Diego de los Baños, con larga impedimenta de heridos, hostilizada incesantemente por retaguardia y flancos hasta las nueve de la mañana. Las fuerzas cubanas quedaron a la vista de dicho pueblo, donde encontró abrigo el general Echagüe, sin que pudiera salir a trabar nuevo combate. En las filas mambisas hubo ocho muertos y 37 heridos, y en las españolas, según Weyler, 15 soldados muertos, los tenientes coroneles D. Joaquín Rodríguez y Menden, del primer Batallón del Regimiento Infantería de Aragón núm. 21, y D. Joaquín Romero Marchent, del primero de Arapiles número 9, el primer teniente de este último cuerpo D. Juan Valero, los segundos del de Aragón D. Manuel Latorre y D. Eustaquio Llorca y 93 de tropa heridos, más cinco de la misma clase contusos de bala. Las fuerzas españolas se componían de los batallones de Aragón, Arapiles, Infante, Otumba, caballería y la guerrilla de San Diego de los Baños, los cuales excedían en mucho, por su número a los 400 cubanos de que sólo pudo disponer el general Maceo, pero que bastaron para infligir seria derrota a la columna de Echagüe Entre las bajas cubanas, bastante sensibles, figuraban el comandante Julio Morales, jefe de la escolta del general Maceo, muerto, y heridos el coronel Juan E. Ducasse, el capitán Faustino Guerra y el ayudante Nicolás Sauvanell.

Cascorro

La prensa española dice que el general de división D. Adolfo Jiménez Castellanos y de Tapia, comandante general de la División de Puerto Príncipe, con fecha 9 del presente octubre, participa al General en Jefe que desde el 22 de septiembre último hasta el 6 de octubre, la guarnición del poblado de Cascorro, compuesta de 170 hombres del Regimiento Infantería de María Cristina número 63, mandada por el capitán D. Francisco Neila y Ciria, comandante de armas de dicho poblado, había sufrido un riguroso asedio por parte de 4.000 rebeldes hasta el 6 de este mes de octubre en que lo hizo levantar la columna de auxilio. Que los insurrectos estaban mandados por Máximo Gómez, Calixto García, Avelino Rosas, Lope Recio y otros, que hicieron 219 disparos de artillería con dos cañones que poseen contra los tres fuertes que defienden el poblado, cayendo dentro del recinto de los fuertes tres docenas de granadas que reventaron, teniendo dichas granadas 0,24 metros de longitud por 0,27 de circunferencia. Que el 22 de septiembre el capitán Neila recibió un parlamentario que le entregó un pliego concebido en estos términos:

«Al comandante del fuerte de Cascorro.—Vuestro valor y vuestra resistencia y la de la gente a vuestras órdenes me inspiran simpatías y respeto. Basta ya, pues no tenéis deber a mayores sacrificios. Rendíos como queráis, que mi palabra responde a vuestro honor.—Ya estáis más alto que el general Castellanos.—*El general Gómez.*»

Que la contestación dada a este mensaje fue la siguiente:

«Regimiento Infantería de María Cristina núm. 63.—Comandancia de Armas de Cascorro. Al admitir parlamento, sólo fue en la creencia de que desvanecidas vuestras ilusiones y aprovechando la magnanimidad de nuestro Gobierno, tratabais de presentaros a indulto. En nuestro sacrificio estriba precisamente nuestro deber: en ese concepto tomad el partido que tengáis por conveniente. Rendirnos jamás.—Cascorro, 25 de septiembre de 1896. El Capitán, Comandante de Armas, *Francisco Neila.*»

Mediaron otras comunicaciones en igual sentido, siendo las últimas las dos siguientes:

«Al Comandante del puesto de Cascorro.—Vuestra temeraria actitud continuando el sacrificio, indica el desconocimiento absoluto de las circunstancias que le rodean. Respetando mi palabra de hacer llegar al general Castellanos carta suya pidiéndole los auxilios que necesita, demostrado queda que la actitud mía está basada solamente en mis deseos de evitar que con planes nuevos haya nuevos y mayores derramamientos de sangre. De la carta que me envíe, devolveré a usted recibo del general Castellanos.—*El general Gómez.*»

«Al comandante de la fuerza enemiga.—Al contestar su primer parlamento, le expresé mis propósitos, en los que no variaré un momento. Auxilios no necesito de ninguna clase y pedirlos sería mentir, lo que no acostumbro.—Es la última vez que admito parlamentarios; en la inteligencia de que al que se aproxime lo recibiré a tiros, rogándole no me ponga en la necesidad de matar mujeres.—Cascorro, 2 de octubre de 1896.—El capitán, *Francisco Neila.*»

Que el general Jiménez Castellanos salió de Minas, el día 4 de octubre, con una fuerte columna de 1.800 hombres de Infantería y 300 guerrilleros montados, dos piezas de Artillería, 50 acémilas de transporte y abundantes municiones. De Minas al ingenio *Oriente* tuvo ocho encuentros con el enemigo, al que arrolló con facilidad; el 5, en tres leguas escasas, tuvo que combatir a los rebeldes en ocho ventajosas posiciones para poder seguir; que a las dos de la tarde, después de tomarles la penúltima posición, tuvo que darle descanso a las tropas, que fueron atacadas, a las cuatro, resueltamente por los insurrectos que fueron rechazados, y penetrando por fin la columna en Cascorro. Que el 6, bajo el fuego enemigo, fue preciso construir un fortín para reemplazar una casa fortificada destruida por los disparos del enemigo. Todos los otros fuertes fueron reparados por estar acribillados a balazos y se completó y abasteció la guarnición del poblado, que había tenido cuatro muertos y once heridos. Que el 7 inició su retorno a Puerto Príncipe la columna, en cuyo camino la esperaba el enemigo; pero que el general Jiménez Castellanos simuló que tomaba al de Guáimaro, por medio de una hábil maniobra, y a un cuarto de legua dobló a la izquierda hacia San Miguel, situando la retarguardia en la bifurcación de los caminos a dicho punto, donde trabó conbate la vanguardia de las partidas de Máximo Gómez con dicha retaguardia; retirándose los rebeldes a situarse en «El Desmayo», y acampando la columna en San Isidro, dos leguas de San Miguel. Que al día siguiente 8, la columna libró combate con los insurrectos, durante cuatro horas, siendo completamente dispersadas las partidas de Máximo Gómez; debiendo haber tenido más de 300 bajas, y que las de la columna en todos los combates de ida y regreso fueron cinco soldados muertos, tres jefes, tres oficiales y 51 de tropa heridos y 19 caballos muertos. Finalmente que en la defensa de Cascorro, su guarnición consumió 18.380 cartuchos de fusil, y que la columna gastó en los combates sostenidos durante sus marchas 53.411 cartuchos también de fusil y 49 de cañón.

También se deshizo en elogios, la prensa española, al soldado Eloy Gonzalo, porque desarmado, a favor de las sombras de la noche y atado a una larga cuerda cuyo extremo quedaba en uno de los fuertes, salió del mismo con una lata de petróleo y penetrando por la parte posterior de una casa desde la cual causaban mucho daño los rebeldes a dicho fuerte, la incendió y luego pudo retornar al fuerte, todo ello con grave exposición de su vida.

CÁRCEL

Los presos del cuarto de distinción de la cárcel número tres, se comunican con la casa vecina de la calle de las Enramadas, recibiendo, con un hilo, mensajes del exterior y otros efectos. Descubierto el hilo se cubre la ventana con una tela metálica imposibilitando esa comunicación.

BACARDÍ

Sujeto a las resultas del procedimiento que instruía el capitán de Infantera D. Sandalio Pérez Sanz, juez instructor de la Comandancia General, venía sufriendo prisión, en la cárcel de esta ciudad, D. EMILIO BACARDI MOREAU, desde el 31 de mayo último, por considerársele complicado en la revolución —como efectivamente lo estaba—; mas no le fue posible a dicho juez encontrar pruebas de la culpabilidad del Sr. BACARDI por haber sido éstas extraídas de su domicilio en la forma que ya explicamos en la nota relativa a la detención del mismo patriota y al registro de su domicilio. En su vista, el juez Pérez Sanz elevó el sumario instruido a la superior autoridad militar de este Distrito, que lo era el general Linares, quien oyendo el parecer de su auditor, remitió dicho sumario al general Weyler, suprema autoridad militar de la Isla, en 21 de julio de este mismo año. Este, de acuerdo con su auditor, devolvió el sumario a Linares, y le dijo, con fecha 6 del presente mes de octubre, que solicitaba del Gobernador General —que lo era el mismo Weyler— la deportación a Chafarinas del señor BACARDI, y que se lo manifestaba a él —Linares— para que lo pusiera a disposición del Excmo. Sr. Gobernador General.

El 15 de dicho octubre, Linares ofició al gobernador regional Denis, trasladándole el oficio que haba recibido y poniendo al señor BACARDI a disposición del Gobernador General. El 19 de este mismo mes, se dieron las órdenes oportunas para la salida por cordillera ordinaria del Sr. BACARDI, y a las 10 de la noche del propio día, el alcaide de la Cárcel D. Zacarías Marrero de la Fe, hizo entrega del Sr. BACARDI al policía D. Manuel Jordán para que a su vez lo entregara a la pareja de la Guerdia Civil que había de prestar el servicio de cordillera en el vapor *Manuel L. Villaverde,* donde fue embarcado el preso con destino transitorio a la Habana. De allí fue conducido a Cádiz (1).

Bombardeo de Artemisa

(Día 22).—A las nueve de la noche, el cornetín de órdenes tocó silencio dentro de la plaza de Artemisa —centro de la trocha militar de Mariel-Majana— y seguidamente la brillante legión capitaneada por el insigne Maceo rompió fuego de artillería sobre dicho punto, el más fuerte de toda la renombrada línea. No poca fue la sorpresa de su comandante general, el de división D. Juan Arolas y Esplugues, que seguramente no esperaba ser atacado de modo semejante. Todas las bombas disparadas por el cañón neumático, dirigidas por el capitán José Ramón Villalón caían en el centro de la plaza, y eran coreadas con gran vocerío y multiplicados toques de cornetas reveladores de que el pánico había hecho presa en los defensores de Artemisa, más dispuestos al sueño que al combate. Los españoles al fin replicaron con fuego de fusilería y luego de cañón, apercibiéndose para resistir el asalto que creyeron no tardaría. Pronto la infantería cubana envió un diluvio de plomo sobre las trincheras de la plaza, en tanto el gran mariscal cubano tenía listas sus tropas por si Arolas intentaba salir a combatir fuera del recinto atrincherado. A la una de la madrugada el general Maceo dio orden de cesar el fuego y dispuso la retirada, desengañado de que el general Arolas no tenía a bien mo-

(1) Consignado por nosotros. Trabajo y no poco nos ha costado obtener de la dignísima señora viuda del ilustre autor, el permiso necesario para introducir en esta obra lo anteriormente escrito, omitido por el Sr. BACARDI, no obstante poseer completa toda la documentación oficial que hemos extractado. Ante nuestros ruegos insistentes, la fiel compañera del patriota insigne, ha consentido en la publicación aquí del breve extracto que hemos hecho, si bien con la expresa condición de que omitiéramos muchos detalles e incidentes relacionados con la prisión y la deportación del Sr. BACARDI.—*Barrera.*

verse de su centro. Los cubanos solamente enviaron a los de Artemisa 18 proyectiles de cañón, aunque los españoles dijeron que 25 ó 30, y también djeron que a la noche siguiente los cubanos repitieron la función en el Mariel, hecho este que desmiente el general Miró (1) como asimismo los desperfectos causados en este último pueblo y los cinco muertos habidos en su vecindario, todo lo cual donde acaeció fue en Artemisa. Las bajas confesadas por Weyler, en esta última plaza, consistieron en un herido de tropa. Los mambises no tuvieron ninguna.

Coronado

(Día 23).—A causa de un artículo publicado el día anterior por el diario *La Discusión,* de la capital, con el epígrafe de *La Tutela Provisional,* en el que se abogaba por la intervención de las repúblicas hispanoamericanas para la pacificación de esta Isla; el gobernador Porrúa, con aprobación de Weyler, suprimió a dicho periódico; no pudiendo prender a su director D. Manuel María Coronado, por haber desaparecido, pero sí a D. Antonio Escobar que es el autor del citado artículo.

Soroa

(Días 24 y 25).—Después de algunas escaramuzas en los días 22 y 23, el general Antonio Maceo atacó, en el campamento de Brazo Noga, a la columna del general D. Enrique Segura Campoy, que se proponía ir en socorro del primer Batallón del Regimiento Infantería de Zamora núm. 8, asediado en el asiento del cafetal «Soroa», mientras protegía las obras de fortificación que se realizaban en aquel paraje. Desde las nueve de la mañana hasta las seis de la tarde, el caudillo de Oriente dirigió incesantes acometidas sobre el campamento español de Brazo Nogal, y durante la noche también hostilizó duramente a los obreros que trabajaban en Soroa. Se distinguió notablemente el capitán Manuel de la O, *Mano Frita,* que «logró flanquear la posición de uno de los destacamentos de la reserva, y siguiendo la embestida de frente, hasta la cúspide de la loma, le arrebató, entre otros trofeos la bandera del regimiento. La O, más largo que una espingarda, envolvióse con el trapo para hacerse más visible, y retó a los españoles a que fueran por él: los retó con el machete, con la voz. con el ademán provocativo y con la bandera de Zamora. Dijo Maceo a los

(1) Miró, obra citada.

que tenía más próximos: «Vean el cuadro de arriba». Ya la O ha hecho uno de las suyas» (1). El combate continuó al siguiente día 25, terminando a las once de la mañana sin que ninguno de los dos adversarios lograra vencer al otro. Las bajas cubanas fueron 11 muertos y 56 heridos. Weyler dijo oficialmente que la columna española tuvo «21 de tropa y teniente Morrell del batallón de Mérida, muertos, 110 heridos, entre ellos el capitán de Mallorca señor Torrente, los capitanes de Mérida señores Alonso Giro, Rodríguez, Rodríguez Bringas, tenientes del mismo cuerpo Velasco y Rabasa, y además 47 contusos». Muy sensibles fueron las bajas cubanas, pues entre ellas figuraba el coronel Francisco Frexes Mercadé, auditor de Guerra, muerto, los tenientes coroneles Julián Gallo y Manuel Lazo, los ayudantes del general Maceo Alberto Nodarse y Manuel Piedra, el teniente Isidro Díaz, ayudante del general Miró, el comandante Aldana, jefe de la escolta del general Maceo, y el capitán Romero, heridos. El terrible caudillo oriental abandonó el campo donde se ventiló la acción el día 26, para emprender nueva jornada de gloria.

Fusilamientos

(Día 27).—Son fusilados en Matanzas los prisioneros de guerra Armando Prado Mayorga y Carlos Hernández Alvarez.

Guáimaro

(Día 27).—El pueblo de Guáimaro, sitiado desde el día 17 del actual por los cubanos, a las órdenes de los generales Máximo Gómez y Calixto García, se rinde en este día al ser tomada la iglesia, y al siguiente 28 el fuerte de Reus. La guarnición estaba compuesta de 160 hombres del Regimiento Infantería de Tarragona número 67. Resultaron heridos, según el parte oficial de Weyler, el comandante del destacamento Martínez Abello, 1 capitán, dos oficiales más y 18 de tropa heridos y 7 muertos de esta última clase. Aunque Weyler no lo publicó, los demás quedaron prisioneros.

Incendio

(Día 28).—A las once menos veinte minutos de la noche, ocurre en esta ciudad el incendio de la tienda de ropas «La Linda

(1) El general Miró, en su obra citada.

Cubana», situada en la calle del Gallo, número 22, de la propiedad del Sr. Rubirosa.

IMPRESOS

Cosas, por el Marqués de Liédena. Este señor era comisario de guerra de segunda clase.

FALLECIMIENTOS

D. Ramón Bringas y Castaño.
Dr. D. José de la Cruz Chacón.
D. Juan Bautista Palú.
D.ª Adolfina Blanchard, viuda de Canler.
D.ª Luisa García y Ruiz de Medina.
D.ª Elvira Callejas de Sánchez.
D. José Ors y Pagés.

NOMBRAMIENTO

D. Ignacio Vaillant y Téllez Girón es nombrado oficial quinto de la Administración de Hacienda.

NOVIEMBRE 1896

INCENDIO

(Día 1.º).—Cerca de las doce de la noche, ocurre en esta ciudad un conato de incendio en la panadería «La Estrella», sita en la calle de Santo Tomás baja, esquina a la de la Habana.

VOLUNTARIOS

La segunda compañía movilizada de Voluntarios, en operaciones por Casa de la Ensenada, en las cercanías del puerto, tiene un pequeño encuentro con una partida insurrecta.

«LA BANDERA ESPAÑOLA»

(Día 2).—El periódico diario *La Bandera Española,* propiedad y órgano del «Círculo Español», de esta ciudad, es arrendado a D. Elpidio Martínez.

Mac Kinley

(Día 4).—Es elegido presidente de los Estados Unidos Mr. William Mac Kinley, enemigo de España.

La Misericordia

(Día 6).—Se verifican, en la iglesia de Santa Lucía, las solemnes honras fúnebres que dedica la Archicofradía del Smo. Cristo de la Misericordia a los cofrades fallecidos.

Este año, con el producto de una cuestación a la que contribuyó el público en general, se distribuyeron a los pobres numerosas y abundantes raciones de sopa, pan y chocolate.

Al siguiente día 7, se verificó una misa solemne por las almas de los pobres desamparados y también se repartió limosna, en metálico, a un número de pobres más reducido.

Columnas combinadas

El día 7 regresan a S. Luis las columnas combinadas a las órdenes del coronel Vara de Rey, después de reconocer Hondón, Banabacoa, Ceiba Jurrá, Mapocal, Isabelita, Santa Isabel y Adelaida. Sostuvieron fuego durante tres días de operaciones. Quemaron 80 bohíos y destruyeron sitierías.

Sanidad Militar

(Día 7).—El Subinspector General de Sanidad Militar en esta Isla, informa que en esta fecha existían en los hospitales y enfermerías de la misma los enfermos militares siguientes:

De fiebre amarilla	1.058
De disentería	253
De paludismo	2.014
De tifoidea	110
De tuberculosis	51
De otras enfermedades	9.416
Heridos . . . . , , ,	855
Total	13.657

La mortalidad es de 3,14 por 1.000 con relación al contingente de tropas.

Sólo hay un médico por cada 160 enfermos.

Weyler, a campaña

(Día 9).—A la una y media de la madrugada salió de la Habana, en el transporte *Legazpi,* el general Weyler, con rumbo a Mariel, acompañado del general D. Isidro Aguilar, subinspector de Artillería; de los tenientes coroneles de E. M. Garamendi y y Escribano, del coronel Escario, del médico Dr. Martínez, de sus ayudantes, y de D. Luis Morote, corresponsal de *El Liberal,* de Madrid. Weyler va a ponerse al frente del ejército que opera contra Maceo. A las seis de la mañana llegó al Mariel el transporte, y a las siete transbordaron Weyler y su comitiva al cañonero *Reina María Cristina,* donde fueron a recibirlo el general Arolas y el alcalde corregidor del Mariel. Luego este barco atracó al muelle, desembarcando Weyler y su E. M., y, atravesando el pueblo, se dirigieron a la célebre trocha militar. Las tropas todas estaban formadas en la carretera, y tributaron los honores correspondientes al general en jefe, que les pasó revista. Ocupaban una extensión de un kilómetro. A las nueve y media se puso en marcha Weyler con la columna que mandaba directa y personalmente, integrada por los batallones de América, Castilla, Reina, Barcelona y Puerto Rico, seis cañones y 400 hombres del Regimiento Caballería del Príncipe. Esta columna constituía una división, subdividida en dos brigadas, y su total efectivo era de 6.000 plazas. Mandaba la primera brigada el coronel Hernández de Velazco, y la segunda, el general Aguilar. La retaguardia estaba mandada por el coronel Pintos. Así organizada la división de Weyler, marchó rumbo a las lomas.

De la Habana salieron también, posteriormente, 300 bomberos de color movilizados, al mando de su coronel D. Antonio González Mora, pero éstos no pasaron del Mariel.

«El Rosario»

(Día 9).—El general Maceo y sus fuerzas, en la sitiería de «El Rosario», son atacados por una columna española, al mando del general Echagüe, que sirve de vanguardia al grueso de las tropas que manda Weyler personalmente. El famoso caudillo oriental, con 230 hombres, libró el combate, que duró hasta el atardecer, hora en que Weyler se unió a Echagüe. Los cubanos sufrieron ocho bajas. Según Weyler, la columna de Echagüe tuvo «seis de tropa muertos, y heridos, el general Echagüe, seis oficiales y 54 de tropa». Hirió a este general en una pierna el teniente coronel Carlos González Clavell, ayudante del general Maceo, que le disparó con su rifle.

Junta de Defensa

(Día 9).—En este día se constituyó la Junta Nacional de Defensa de la Isla de Cuba en la Habana, y dirigió el cablegrama siguiente:

«Presidente Consejo de Ministros.—Madrid.—Constituida la Junta Nacional de Defensa de la Isla de Cuba, bajo la presidencia del Excmo. Sr. Gobernador y Capitán General, tiene el honor de saludar a V. E. y de ofrecerle su modesto auxilio e incondicional apoyo para el triunfo de las aspiraciones nacionales y del país, que confían hoy en el triunfo de nuestras armas sobre la odiosa rebelión que devasta la isla y compromete la civilización que alcanzó a la sombra de la bandera de España.»

He aquí su composición: Presidente, Excmo. Sr. D. Valeriano Weyler y Nicolau, marqués de Tenerife. Vocales: D. Julio de Apezteguía, marqués de Apezteguía; D. Prudencio Rabell, don José María Gálvez, D. Leopoldo Carvajal, marqués de Pinar del Río; D. Segundo Alvarez, D. Rafael Montoro, D. Antonio Quesada y Soto, D. Nicolás Rivero y Muñiz y D. José Antolín del Cueto y Pazos.

Dos Bocas

En la noche del 10 se presentó una partida insurrecta en el poblado de Dos Bocas, y pegó fuego a las quintas de los señores Brooks, Douglas, Mitchel y a Quinta Quisqueya, de D. Juan E. Ravelo. No permitieron sacar muebles, efectos ni las ropas de los criados que guardaban las fincas. Tirotearon al fuerte mientras daban candela.

«El Rubí»

(Día 10).—El incomparable guerrero Antonio Maceo sale al encuentro de otra división española, mandada por el general González Muñoz, que avanzaba sobre las lomas de «El Rubí», en combinación con la del general en jefe Weyler, en tanto que el general Ríus Rivera entretenía a Weyler en «El Rosario». Con furia se atacaron los combatientes de uno y otro bando, «a quemarropa; los españoles, sobre la meseta donde estuvo el batey del cafetal; los insurrectos, allí mismo; unos y otros, frente a frente, enardecidos por igual. Maceo disparó el revólver sobre el capitán de la vanguardia española, que trataba de flanquear por la izquierda; se le cogió el caballo, el cual sirvió para conducir un herido de la escolta de Maceo. Un oficial, llamado Arcadio Cabrera, ayudante del general Miró, montó con el herido en el caballo del capitán español, pero tuvo que soltarlo, al caerle la compañía más avanzada, deseosa de recuperar el caballo de su jefe. Cabrera, gran tirador, sereno y valeroso, se echó el rifle a la cara, y descargó los catorce tiros sobre los ávidos perseguidores. Cosa singular: el herido se salvó arrastrándose por la ladera del monte. Los cuatro puntales de la antigua fábrica de «El Rubí» quedaron acribillados y teñidos de sangre.

Al lado de Maceo combatían el brigadier Bermúdez, el brigadier Pedro Díaz, el general Miró, la escolta del Cuartel General, los ayudantes de campo y el teniente coronel Bacallao, todos de frente al camino que traían los españoles, disputándose el acceso de la altura, mientras la gente de Pedro Delgado, apostada en uno de los declives del monte, metía plomo sin consideración sobre la masa central de González Muñoz, que a su vez redoblaba el esfuerzo para ganar los cuatro horcones de «El Rubí», poco menos que derribados por la furia del aquilón. Una granada chocó contra uno de los horcones, e hizo pedazos el tronco de un oficial de Infantería, Eulogio Aguilera, hijo de Bayamo, que militó en la guerra del 68. ¡Cuán lejos de su cuna venía a morir el soldado de Céspedes! Temblaba el follaje de los árboles como si fuese vareado por los pescadores de frutas; caían naranjas, limones, icacos, zapotes y racimos de cocos, mezclados con la hojarasca, y de la tierra saltaban burbujas como si fuese pellizcada por un agente extraño»... (1). El general Maceo, cuando ya fue imposible la defensa de «El Rubí», se dirigió a El Rosario para auxiliar al general Ríus Rivera, que luchaba contra la división de Weyler. A las cuatro de la tarde terminó la batalla, y a esa hora fue que pudieron unirse Weyler y González Muñoz. Las bajas de los cubanos fueron 10 en los dos combates del Rubí y del Rosario. Dijo la Prensa española que la brigada del general Suárez Inclán (de la

(1) No hemos podido menos que transcribir ese hermoso fragmento del general Miró, fiel pintura del terrible combate.

división de González Muñoz) «tuvo cuarenta bajas, entre ellas seis soldados muertos y cuatro oficiales heridos; sólo el batallón de Baleares tuvo 28 bajas». De las bajas que sufrió la división de Weyler ni él ni nadie dijo nada. Aunque luchando en opuesto bando, combatieron en «El Rubí» dos santiagueros: Maceo y González Muñoz.

Dos Bocas

El día 12 volvieron los insurrectos a incendiar varias pequeñas casas de guano en Dos Bocas y tirotearon al fuerte que existe en el paradero del ferrocarril.

Convoyes

Han salido, llegando sin novedad a sus destinos, dos convoyes, uno para el Cobre y otro para el Caney.

Hospital Civil

Por renuncia del Dr. D. Urbano Guimerá y Ros, ha sido nombrado médico interino del Hospital Civil el Dr. D. Alejandro Roger y Adema.

Repartimiento municipal

El Alcalde Municipal convoca la noche del viernes 13 a todos los comerciantes mayores contribuyentes, con el fin de que acuerden voluntariamente pagar una contribución sobre la importación, en defecto del repatimiento municipal, que entonces sería suprimido.

Los comerciantes se inclinan a aceptar la contribución propuesta, pero acuerdan que antes de aceptarla sea sometida a la Cámara de Comercio, para que ésta emita su parecer.

Partida rebelde

La noche del 14 sale la guerrilla de esta plaza en persecución de una partida insurrecta que había hecho acto de presencia por el camino que conduce a la fortaleza del Morro. No hallaron rastro de la misma.

Dos Bocas

En la noche del 14, una partida insurrecta, superior a 200 hombres, atacó nuevamente a Dos Bocas, siendo rechazada por dos compañías emboscadas entre dicho punto y San Vicente. Reconocidas las inmediaciones en la mañana del 15, se encontró un muerto y el cadáver de una mujer. De los españoles hubo dos heridos leves de tropa.

LECHEROS DETENIDOS

Un grupo de insurrectos detiene en la mañana del 15, en la loma de Quintero, a media legua de esta ciuda, a varios expendedores de leche, que venían a vender dicho artículo.

Se llevan a dos y dejan en libertad a los demás, después de haberles despojado de sus cabalgaduras y algunas prendas de vestir.

«CONDE DE VENADITO»

Se hace a la mar el 15, por la noche, el crucero *Conde de Venadito,* conduciendo unos 200 hombres de tropa. Se ignora el punto de su destino.

PRESOS Y DEPORTADOS CUBANOS

(Día 15).—A las siete de la mañana llegó a Cádiz el vapor correo *Buenos Aires,* procedente de la Habana, llevando a bordo 134 soldados inútiles, 180 presos políticos, 11 deportados, políticos también, y 54 ñáñigos. Un soldado murió durante la travesía. Temeroso el capitán del barco, según la Prensa española, de que los presos y los ñáñigos se sublevaran y se apoderaran del barco, mantuvo una estrecha vigilancia sobre ellos, y tenía preparado siempre un tubo de vapor, a una presión de 180 libras, para dominarlos (1).

(1) También viajaba en el trasatlántico una sección de Infantería de Marina compuesta de 1 condestable, 4 cabos de mar y 28 marineros, mandada por el capitán D. José Sevillano, encargada de la custodia de los presos. Entre los once deportados, los cuatro más importantes viajaron encerrados en sus camarotes, incomunicados y con centinelas de vista, siendo los siguientes, según el «Diario de Cádiz»:

D. Emilio Bacardí Moreau.

Es cubano y uno de los propietarios de la célebre marca de Ron «Bacardí».

Fue detenido hace cinco meses en la Habana.

Dice que en poder de la autoridad había una carta dirigida a *Plutarco,* en cuyo sobre estaban escritos con lápiz unos números que dijeron formaban su apellido. Dicha carta era del célebre insurrecto laborante Estrada Palma. Desconoce en absoluto la carta y dice que jamás ha usado pseudónimo de ninguna clase.

FUSILAMIENTO

El día 16 fue pasado por las armas, en Matanzas, el prisionero de guerra blanco Manuel González (a) *El Curro.*

OTROS

El 17 lo fue en la Cabaña, Habana, Bartolomé Silva Gallardo, y en Sagua la Grande, el blanco Alfredo Ruiz Cepeda, el pardo Juan Ramírez y el moreno Romualdo Triana.

PRESOS

Ingresan el 17 en la cárcel, incomunicados y sujetos a la jurisdicción de Guerra, D. Victoriano Reyes Lamotte, D. Francisco Berenguer y Toca y D. José Carrera y Rosell.

TIROTEOS

A dos leguas de esta ciudad, en el Puerto de Bayamo, se cruzan tiros entre una fuerza española y una partida de insurrectos.

SERAFÍN SÁNCHEZ

(Día 13).—En el paso del río Zaza, potrero de «Las Damas», las fuerzas cubanas, acaudilladas por el mayor general Serafín Sán-

La verdadera causa de mi detención—nos dijo—debe ser la de tener un hijo de 19 años en las filas insurrectas, ignoro en qué sitio y en qué partida.

Durante la pasada guerra, estuvo también deportado; permaneció en Cádiz en libertad pero vigilado, desde diciembre del año 1882 hasta mayo del 83; después fue a Chafarinas y por último, hasta el 84 a Sevilla.

Este deportado dice que es enemigo de las guerras y que la vida de un hombre vale mucho para sacrificarla por defender ninguna bandera.

No hizo manifestación ninguna favorable a la soberanía de España en Cuba».

D. Antonio Escobar, redactor de «La Discusión», de la Habana, detenido y deportado por la publicación de un artículo, del que ya se ha hablado en el lugar correspondiente de esta obra.

Dr. José R. Montalvo, médico de la Habana, por una carta que se le encontró en su domicilio.

Y D. Juan O'Naghten y Orozco, cubano, comandante retirado de Artillería y coronel de Milicias, por cuyo conducto se recibió la anterior carta ocupada.

Excusado parece rectificar aquí, que el ilustre autor de esta obra no fue detenido en la Habana sino en esta ciudad.—*Barrera.*

chez y Valdivia, tienen combate con una columna española, compuesta de fuerzas del Regimiento Infantería de Granada y del de Caballería de Hernán Cortés, durante dos horas. Las armas cubanas lamentaron la pérdida del gallardo paladín Serafín Sánchez. Los españoles dijeron haber tenido en este encuentro los insurrectos 60 muertos, y que ellos tuvieron un teniente muerto, dos heridos y 20 de tropa también heridos.

Contribución municipal

El Alcalde publica el 19 una alocución a los habitantes de este término, consignando la sustitución del reparto general por un impuesto voluntario a las mercancías que se importen por este puerto, en armonía con lo acordado el día 16 en una junta que se celebró en los salones de la Cámara de Comercio.

Fuego en Quintero

Fuerzas de esta plaza, emboscadas en el camino que conduce al Cristo, en el punto conocido por Quintero, tienen fuego con grupos de insurrectos que intentaban detener a los expendedores de leche que venían a esta población.

Nombramientos

Han sido nombrados:

Don Antonio Corzo, magistrado de esta Audiencia.

Don Víctor Sánchez Primeda, oficial tercero de la Sección de Investigación de la Propiedad Urbana.

Don Darío Crespo, oficial segundo de la Administración de Hacienda.

Fusilamiento

A las siete de la mañana del día 21 son fusilados en la explanada izquierda del castillo de San Severino, Matanzas, los prisioneros de guerra Juan Arcia Rodríguez, blanco, y Agapito Ramírez, moreno, por los delitos de rebelión e incendio.

Junta de Defensa

Invitados por la Junta directiva del Círculo Español se reúnen en los salones de dicha sociedad, el día 22, numerosos elementos españoles. Acuerdan secundar la iniciativa tomada en la Habana para allegar fondos con destino al fomento de la Armada nacional. En el acto se suscriben seis mil pesos, sin contar las cuotas mensuales.

Los concurrentes acuerdan adherirse a la Junta Nacional de Defensa, plegando las banderas de los partidos políticos, para formar una sola agrupación que secunde los trabajos de la Junta de la Habana.

PALMA SORIANO

La Prensa local publicó lo siguiente:

«El 19, una columna de guerrillas y voluntarios de Palma Soriano, a las órdenes del comandante Gavaldá, sostuvo nutrido fuego en los montes de Dulce Nombre y Caney del Sitio con una fuerza enemiga que se supone pertenezca a Rabí. Batidos los insurrectos, dejaron tres muertos en el campo, varios caballos, con equipo, armas, municiones Remington y máuser, y como unos 20 quintales de café y ropas.

Se hizo prisionero un individuo, que manifestó ser asistente de Rabí, y que venía a presentarse. Este sujeto dio algunas noticias importantes, diciendo que las gruesa partidas que se hallaban en el Camagüey se están corriendo hacia aquí a marchas forzadas, porque en breve iban a ser atacados por Máximo Gómez y Calixto García dos importantes poblados de la provincia, aunque no sabe cuáles son. Lo del avance de las partidas del Camagüey se susurra que es cierto, y se dice que es así porque en los últimos encuentros se les han oído disparos máuser y se han recogido municiones de este sistema, cuando se sabía que Máximo Gómez y Calixto García se llevaron al Camagüey todos los armamentos de esa clase.»

GONZÁLEZ DEL RUBÍN

Embarca el 23 para la Habana en el *Argonauta,* en uso de licencia por enfermo, D. Bernardo González del Rubín, coronel del Regimiento del Rey primero de Caballería.

FUSILAMIENTO

El mismo día 23 es fusilado en Sagua la Grande Regino González y González, natural de Quemado de Güines.

EXPLOSIÓN

Hace explosión la caldera del taller de aserrío de la Empresa del Ferrocarril de Sabanilla y Maroto, resultando heridos y quemados D. Vicente Mariño, D. Francisco Reyes y D. José Carbó Rovira.

Tributación

El alcalde D. Pascual Gómez y Fuentes presenta al Ayuntamiento el proyecto de suprimir el repartimiento, sustituyéndolo por un impuesto sobre la carga de importación, cuya ventaja consiste en ser una tributación indirecta e insensible para el contribuyente.

Weyler

(Día 24).—Llega a la Habana, procedente del campo de operaciones en Pinar del Río, el general en jefe Weyler, con su Estado Mayor.

Incendio

A la una y media de la tarde del 24 se declara un principio de incendio en la calle alta de San Pedro, esquina a la de San Carlos, en uno de los cuartos interiores de la casa.

Impresos

«Instantáneas.—Una polémica.—(Grafomanía pura)», por los señores D. Mariano Laguna y Mas *(Gilberto)*, D. Francisco Moreno y Arauzo *(Melo)*, D. Manuel Mateos y Fernández, D. Bernardo Callejas y Castillo y D. Joaquín Navarro Riera *(Juan Ducazcal)*.

«El Jobo»

(Día 26).—En «El Jobo», a las ocho de la mañana, el general Antonio Maceo ataca a la columna del general Suárez Inclán, que había salido del demolido ingenio «San Juan de Dios», y se entretenía en destruir los sembrados de los pacíficos, retrocediendo los españoles a Cayajabos, ante los 140 hombres acaudillados por Maceo, y confesando haber tenido un sargento, un cabo, un práctico y otros heridos. Tuvieron los cubanos un muerto y ocho heridos, entre éstos el comandante José González Valdés, ayudante del general Miró.

Los billetes de banco

(Día 26).—Se resuelve la recogida de los billetes de banco que circulan en la Isla y se dispone una nueva emisión de 20 millones de pesos plata, cangeables a su presentación.

López Coloma

El día 27 es pasado por las armas, en los fosos de la Cabaña, D. Antonio López Coloma, el primero que se alzó en Ibarra el 24 de febrero de 1895.

Weyler

(Día 27).—Por segunda vez sale de la Habana Weyler para el Mariel, a bordo del transporte *Legazpi,* con el fin de proseguir sus operaciones en Pinar del Río.

Alarma

En la noche del 28 salen parte de las fuerzas que guarnecen la plaza, motivando dicha salida el haber hecho acto de presencia los insurrectos entre el Caney y esta ciudad y en los confines de la cercana finca «Espantasueño».

Suscripción

La suscripción iniciada en el Círculo Español el día 23 a favor del engrandecimiento de la Marina de Guerra española alcanza el día 30 la suma de 7.511,11 pesos, por donativos, y a la de 833,54 pesos, por cuotas mensuales.

Linares

Regresa de San Luis, el 30, en tren extraordinario, el general Linares, después de haber operado con su columna en una extensa zona, teniendo varios encuentros con los insurrectos.

Fusilamiento

El 30 es fusilado en los fosos de la Cabaña, Habana, Quintín Hernández y Hernández.

Impresos

Circulan clandestinamente en esta ciudad algunos ejemplares del opúsculo titulado *Cartilla para aprender a leer en las escuelas públicas del Estado,* escrito e impreso en la manigua, imprenta de *El Cubano Libre,* por el teniente Daniel Fajardo Ortiz. Esta obrita llena una necesidad sentida en el campo de la Revolución, donde existen caseríos de 200 a 300 habitantes analfabetos, niños en su mayoría.

Fallecimientos

En este mes han fallecido:
Doña María de los Angeles Espino de Giró.
Doña Emelina Fernández de Cuesta.
Doña Mariana Gorjas y Robert, viuda de Manal.
Don Manuel Casañas Ríos.
Doña Rosalía Castillo.
Doña Alida Espina de Pérez.
Doña Luz Trujillo de Rodríguez.
Don Tomás Padró y Sirarol.
Don Federico Coiseau Saintraille.

DICIEMBRE 1896

Fiestas a la Purísima

(Día 1).—En esta ciudad, desde hace varios días, se vienen haciendo grandes preparativos para celebrar la festividad de la Purísima Concepción, Patrona de España, de Cuba, de la Infantería española y de Manzanillo. Hay gran entusiasmo entre los elementos españoles para festejar a su Patrona, que habrá de darles el triunfo, según ellos.

Navia y Vigía

(Día 1).—Los valerosos jefes cubanos Delgado, Vergel y Castillo libran ruda batalla en Navia y Vigía, Habana, contra la columna española del general D. Diego Figueroa. Consignaron los españoles haber tenido el capitán D. Manuel Pérez Martínez y teniente D. Inocencio Vallenilla muertos; teniente D. Angel Olla y 18 de tropa, heridos, suponiendo que los cubanos dejaron 39 muertos y que tuvieron más de 60 bajas.

Hernández de Velasco

(Día 1).—El general en jefe Weyler, al frente de las tropas en los Palacios, impone la faja de general de brigada al coronel D. Cándido Hernández de Velasco.

«La Gobernadora»

(Día 3).—En la mañana de este día, el general Antonio Maceo, con 50 hombres de Caballería y otros tantos de Infantería, acomete a una columna española, que talaba e incendiaba las siembras en la loma de «La Gobernadora», última función bélica del gran guerrero en la región pinareña, y en la cual combatió disparando su revólver. Los cubanos experimentaron sensibles pérdidas, 33 bajas, entre ellas el brigadier Roberto Bermúdez, el capitán Arcadio Cabrera, ayudante del general Miró; el teniente coronel Carlos González Clavell y el teniente Francisco Gómez Toro, ayudante del general Maceo, heridos, y un ahijado del bravo La O, muerto. El general Miró —de quien tomamos estos datos— consigna en su interesantísima obra, muchas veces aquí citada, que no puede concretar nada respecto a las bajas españolas, por no haber encontrado el parte oficial español. Igual suerte le ha cabido al que esto escribe.

Purgatorio

(Día 3).—Las fuerzas cubanas mandadas por el general José María Aguirre libran sangrienta pelea en las Lomas del Purgatorio, Habana, con la columna española a las órdenes del teniente coronel D. Federico de la Aldea y Gil de Aballe, compuesta del primer Batallón de Valencia y guerrilla de Sabanilla. Duró la batalla desde las diez de la mañana hasta las cinco de la tarde. Confesaron los españoles haber tenido 24 muertos de tropa, dos tenientes y 49 de tropa heridos y el teniente coronel Aldea, contuso. A los cubanos les cargaron 300 bajas.

Cruce de la Trocha por Maceo

(Día 4).—El general Antonio Maceo, en la noche de este día, emprende marcha desde el campamento de San Felipe, con su Estado Mayor y escolta, en dirección a la Caleta de la Caña, fuera de la bahía del Mariel, con objeto de cruzar por mar dicha bahía, desechando la célebre Trocha de Mariel-Artemisa,Majana, portentosa creación de Weyler, mandada por Arolas el estupendo. Motivaba la marcha del general Maceo las noticias que había recibido por el correo mambí, llegado el día anterior al campamento de Begoña, contenida en uno de los pliegos que le dirigía el general Rafael Portuondo Tamayo relativa a maquinaciones latentes contra el presidente Salvador Cisneros y el general en jefe Máximo Gómez, que no sólo amenazaban la vida del Consejo de Gobierno de la República, sino aun de la Revolución misma, e invitando Portuondo a Maceo para que con su presencia «y su autoridad indiscutible» cortara «de raíz los males que minaban el organismo director» de la Revolución (1).

El personal seleccionado por el ilustre Maceo para acompañarle en el arriesgado cruce fue el siguiente:

General jefe de E. M. José Miró Argenter.
Brigadier Pedro Díaz Molina.
Coronel Alberto Nodarse.
Coronel Charles Gordon (americano).
Teniente coronel Manuel Piedra.
Teniente coronel Alfredo Jústiz Franco.
Capitán Ramón Ahumada.
Capitán Nicolás Sauvanell.
Capitán Ramón Peñalver.
Teniente Francisco Gómez Toro.
Teniente José Urbina.
Médico Máximo Zertucha.
Asistente Benito Hechavarría, del general Maceo.
Asistente Ricardo Hechavarría, del general Maceo.
Asistente Juan Pérez, del general Miró.
Asistente José Delgado, del general Miró.
Asistente Andrés Cuervo, del general Díaz.
Patrón del bote, Carlos Soto.
Tripulantes del bote: Gerardo Llaneras y Eudaldo Concepción.

A las once de la noche, el bote fue transportado desde el lugar donde estaba oculto, por 14 de los expedicionarios, a hombros, el propio general Maceo entre ellos, hasta la Aguada, dentro del puerto del Mariel, «a cincuenta metros de dos reductos, y a doble distancia del Lazareto, también fortificado» (2), en una noche tempestuosa, negro el cielo y fuerte la lluvia. El mar estaba agitado. El general Maceo embarcó con cuatro de los expe-

(1) Miró, obra citada.
(2) Miró, obra citada.

dicionarios y los tres tripulantes e hizo el primer viaje, desembarcando felizmente en el muelle de Gerardo Llaneras, a las doce menos cuarto de la noche. «El muelle de Gerardo estaba situado en la boca del puerto por el Este, a una distancia de 150 metros del Torreón, custodiado por 300 españoles, y a sesenta metros de un retén avanzado de dicha fortaleza» (1). Las expediciones tercera y cuarta desembarcaron en el muelle de José González; se emplearon cuatro horas en los cuatro viajes, y a las tres de la madrugada, con toda felicidad, la expedición había cruzado la bahía, sin que la vigilancia de la Marina y del Ejército de Weyler hubiera tenido la menor noticia de ello. Al siguiente día 5, el general Maceo y su fuerza, pequeña por el número y grande por el valor, acampó en el demolido ingenio «La Merced», próximo a la Playa de los Mosquitos. La primera fuerza que se le incorporó fue una pareja de caballería, siendo uno de los que la componían Plácido Vázquez, español que dejó las filas de Martínez Campos en Colón, y a quien el general Maceo otorgó el diploma —último que firmó— de alférez del glorioso Ejército Libertador (2).

Saenz de Urturi

(Día 5).—A las siete de la mañana llega a esta ciudad, procedente de España, en el vapor *Manuel L. Villaverde,* el arzobispo fray Francisco Saenz de Urturi. Se dirige primero a la Basílica, donde oye, a las ocho, la primera misa solemne de ese día, oficiada por el medio racionero Dr. D. Feliciano García y Fernández, la que es celebrada, por deseos del prelado, como si él no estuviera presente.

Invitación religiosa

El Arzobispo invita a la Corporación Municipal y a los empleados de dicha oficina para que se sirvan «concurrir a la festividad de la Inmaculada Concepción de la Santísima Virgen María, patrona de España y de sus Indias y de los Ejércitos Nacionales, con el fin de conseguir del Todopoderoso, y por su intercesión, la paz en esta Isla y en el archipiélago filipino, con el triunfo de nuestras armas».

Y se acuerda asistir en Corporación a tan solemne acto, «que

(1) Miró, obra citada.
(2) Miró, obra citada.

reviste el doble carácter de fervoroso culto a la excelsa patrona de España e Indias y de homenaje al glorioso Ejército Nacional».

FALLECIMIENTO

(Día 7).—Muere D. Miguel Badell, primer violín de la orquesta de capilla de la Basílica. Sus compañeros, en el acto de su entierro, verificado por la tarde, ejecutan a gran orquesta y voces, en la parroquia de la Catedral, el oficio de sepultura.

CONSEJO DE GUERRA

El día 7 se ve en esta ciudad, en consejo de guerra, la causa instruida contra Carlos Carrión o Manuel Palma y Reinerio Avilés.

«SAN PEDRO»

(Día 7).—La salud del glorioso caudillo Antonio Maceo estaba resentida desde los últimos días del mes anterior, y las noticias que había recibido de la situación política en las altas esferas del Consejo de Gobierno y de la Jefatura del Ejército Libertador —como ya hemos dicho—, nada halagüeñas por cierto, llenaron de honda preocupación el ánimo del invicto guerrero, al extremo de hacerle perder su buen humor y de decidirle a cruzar, sin demora, la famosa línea militar de Mariel-Majana, arriesgada expedición que culminó en el más cabal éxito. Dejaba en Pinar del Río organizadas las fuerzas cubanas en una división, a las órdenes del general Juan Ríus Rivera, subdividida en tres brigadas, mientras él iba, rumbo al Este, a la residencia del Gobierno para actuar del modo patriótico que las circunstancias exigían.

A las tres de la madrugada de este día, el Lugarteniente General con sus ayudantes y asistentes penetró en la provincia de la Habana. Ya de día, llegaron al campamento de San Pedro, donde le aguardaban las fuerzas del general Silverio Sánchez Figueras y en donde el Titán fue aclamado delirantemente por aquellos 250 hombres que las constituían. Pie a tierra todos, el General dictó las órdenes que creyó conveniente y se echó en su hamaca, mientras sus zapatos y sus botas se secaban en torno de la lumbre. Conferenció con algunos jefes, dictó otras órdenes relacionadas con la marcha que pronto emprendería, bromeó algo y hasta llegó a abrigar el proyecto de atacar a Marianao en la noche del mismo día, para dar fe y testimonio de haber cruzado la Trocha y acabar de desacreditar a Weyler, como ya lo había hecho con Martínez Campos. Aguardaba para ello al general José María Aguirre y sus tropas.

A las dos de la tarde, después de almorzar, se entretuvo oyendo leer al general Miró el relato de su «Campaña de la Invasión». De repente algunos tiros sueltos, varias descargas cerradas y los gritos de ¡el enemigo! interrumpieron la lectura e hicieron que todos corrieran a las armas.

Ya jinete el guerrero inmortal en su corcel de batalla, recorrió el campo de la acción en todas direcciones, empujando a la pelea a cuantos al paso hallaba, mientras la caballería cubana repelía por la izquierda el ataque de la española, forzando al enemigo a retroceder y abrigarse tras unas cercas de piedra. El coloso se disponía a ordenar un ataque simultáneo por frente y flancos, al ver que la columna no avanzaba ya, aproximóse a cerca de 60 metros de la trinchera enemiga, y persistiendo en su empeño de cargar al enemigo, dispuso lo conveniente para ello, y apoyándose ligeramente en el brazo del general Miró, dijo: *Esto va bien,* y en el acto se derrumbó de su corcel, herido en el maxilar y en el vientre por el plomo del adversario. Había caído para siempre. El acto final de aquel drama doloroso ha sido relatado ya por muchos, actores y testigos de la tragedia, y no hemos de añadir un relato más. Preferimos, como lo hacemos, seguir las huellas del cronista de Maceo, el brillante escritor que con pluma inimitable ha sabido narrar la campaña de la invasión y los combates librados en la provincia occidental por el incomparable caudillo de Oriente (1), del que escribió la historia después de haber ayudado a hacerla.

Después de realizar desesperados esfuerzos los que en torno al General se hallaban, para retirar su cuerpo muerto sin poder conseguirlo, por haber sido todos heridos o muertos, quedaron en el campo de la contienda funesta los cadáveres de aquél y de su ayudante Francisco Gómez Toro. Hasta ellos solamente avanzaron algunos guerrilleros y entre ellos el práctico Juan Santana Torres y un soldado, cuatro o cinco hombres no más, a quienes no impulsó el noble ardor del combate sino el instinto del ave de rapiña que va a cebarse en los despojos de los cuerpos muertos. Cargados ya de botín, se incorporaron a su columna en retirada sobre Punta Brava...

(1) «Muerte del General Maceo.—(Relato del suceso) por el general José Miró, jefe de Estado Mayor, seguido de una refutación a la farsa oficial.—1897.—Camagüey.—Imprenta del Gobierno».—Es decir, opúsculo escrito y publicado en plena manigua rebelde.

Las bajas de los cubanos en aquella tremenda derrota —la más terrible de todas las que experimentó el Ejército Libertador— fueron seis muertos y treinta y tres heridos, entre los primeros el mayor general Maceo y su ayudante Gómez Toro, y entre los últimos el general Miró y los jefes y oficiales Carlos Gordon, Alfredo Jústiz Franco, Alberto Nodarse, Rafael Cerviño, Ramón Ahumada, Fermín Otero, Ramón Peñalver, Juan Manuel Sánchez, Emilio Collazo, Baldomero Acosta y Pedro Delgado.

La columna que realizó la operación militar sobre el campamento de San Pedro había salido de Punta Brava a las 7 a. m., y estaba compuesta por el Batallón de San Quintín Peninsular número 7 y las guerrillas de Peral y de Punta Brava, en total 450 hombres, mandados por el comandante D. Francisco Cirujeda y Cirujeda, sin ningún renombre militar y que por propia iniciativa y desconociendo la presencia de Maceo —como la desconocía el alto mando español— en la provincia de la Habana, emprendió aquella operación guiándose por la huella que habían dejado Maceo y sus compañeros, la que los condujo directamente al campamento de San Pedro. Las bajas que tuvo, según el E. M. de la Capitanía General, fueron «siete muertos, 27 heridos, 18 caballos muertos y cinco heridos»; entre los heridos «se hallan los tenientes Amores y Peral, de San Quintín, y el teniente Moya, de la guerrilla». Dicha columna retornó a Punta Brava.

Mientras se representaba la tragedia de San Pedro, Weyler buscaba a Maceo en el pueblo de San Cristóbal, Pinar del Río.

Tras no pocas y empeñadas pesquisas, una sección de caballería al mando de Ramón Hernández logró encontrar los cadáveres del lugarteniente genera y su ayudante, los trasladó a una casa en ruinas y allí quedaron tendidos «en capilla ardiente», alumbrados con cabos de cirios amarillos. Antes de amanecer, el teniente coronel Juan Delgado hizo colocar en dos cabalgaduras los gloriosos cadáveres, y después de varias consultas y de tomar precauciones para que no fuera conocido el lugar del sepelio, el teniente coronel Delgado hizo entrega de los dos cuerpos inanimados a unos familiares suyos que residían en la finca «El Cacahual», término municipal de Santiago de las Vegas.

¡Día terrible, día de duelo que sumió en tinieblas el alma de aquellos patriotas, rotos y maltrechos por el rayo aterrador que el destino cruel les fulminara!

¡Oh noche triste, noche de amargura, en que el negro cielo semeja luctuosa mortaja, cirios funerales las pálidas estrellas y tétrico *De profundis* las graves notas del viento al azotar las frondas del bosque umbrío!

Y para completar el cuadro siniestro y desolado, cruza los aires el ave nocturna lanzando su lúgubre lamento, que estremece el alma, que hiela el corazón.

«Río Hondo»

(Día 7).—Fuerzas del Ejército Libertador, a las órdenes del general José María Aguirre, sostienen acción de guerra en Río Hondo y Plátano, Habana, contra las columnas del general don Diego Figueroa y del coronel D. Guillermo Tort. Duró la función desde el amanecer hasta las seis de la tarde. La Capitanía General participó que los rebeldes dejaron 60 muertos y que las tropas tuvieron al teniente coronel Aguayo y a un soldado muertos y heridos al teniente D. Enrique Cabra y 28 de tropa.

Las fiestas de la Purísima y la muerte de Antonio Maceo

(Día 8).—«En esta ciudad se celebran grandes festejos patriótico-religiosos en honor de la Purísima e Inmaculada Concepción de la Santísima Virgen María, patrona de España, de sus Indias y del Arma de Infantería de su Ejército. A las ocho a. m. hubo solemne misa pontifical oficiada por el arzobispo fray Francisco Sáenz de Urturi, en la Basílica, con asistencia de todos los elementos oficiales, y en la cual predicó el doctor D. Felipe Fuero y Jiménez, provisor y vicario general del Arzobispado, quien excitó en su sermón el celo de los gobernantes para que procedieran con enérgicas y rigurosas medidas contra los cubanos que laboraban en las ciudades por la independencia de esta tierra; repitiendo la célebre frase de Cicerón:

¿Quosque tandem abutere, Catilina, patientia nostra? En el interior de la Basílica hizo los honores la Compañía de Guías del General Salcedo.

A las doce del día realizó un paseo por la Plaza de Armas y las calles principales de la ciudad la *Guerrilla Infantil,* formada por niños pertenecientes a las familias más distinguidas por su adhesión a la causa española.

El diario *La Bandera Española,* de ayer, publicó una corona patriótica, formada por artículos de varios escritores de la localidad, con ocasión de celebrarse la festividad de la Patrona de España y de Cuba.

A las siete de la noche se efectuó una gran manifestación, en la cual figuraban 49 estandartes representativos de igual número de provincias de España. Cuando los manifestantes llegaron al Círculo Español se repartió profusamente un suplemento extraordinario al periódico *La Bandera Española,* en el cual aparecía inserto un telegrama oficial, firmado por el teniente general don Francisco Javier Girón y Aragón, marqués de Ahumada —segundo cabo de la Capitanía General y encargado del despacho de la misma—, dando cuenta de que Antonio Maceo, después de haber cruzado por mar la línea de Mariel-Majana, había sido muerto en combate sostenido el día anterior con la columna compuesta por el Batallón de San Quintín y las guerrillas locales de Punta Brava, al mando del comandante D. Francisco Cirujeda y Cirujeda. La noticia produjo un júbilo indescriptible entre los elementos españoles.

Era natural y muy lógico que así sucediera. España, al igual que Roma, con la muerte de Aníbal, se había quitado de encima un gran peso.

¡Coincidencia singular! La gloria de haber libertado a España de la tremenda pesadumbre del Titán de Bronce le cupo, por obra de la casualidad, al Batallón de San Quintín, a ese mismo Batallón tan rudamente despedazado por el invicto caudillo oriental durante los días 6, 7 y 8 de febrero de 1878, en la célebre batalla del Naranjo, en los montes de San Ulpiano...» (1).

La noticia es acogida con incredulidad. Los cubanos estaban acostumbrados a no dar crédito a las patrañas oficiales: en el curso de las guerras por nuestra independencia, las noticias de prensa y los partes oficiales habían matado a Maceo lo menos veinte veces... Mas algunos cubanos de espíritu sereno y reflexivo analizaron la nota oficial, y si no tuvieron por cierta la noticia, abrigaron la duda, por lo menos.

Sepelio de Maceo

(Día 8).—En las primeras horas de la mañana de este día, después de haberse extendido y firmado el acta de defunción en la «Loma del Hambre», se procedió al sepelio de los venerados despojos del general Maceo y su ayudante. En el momento de descender a la tétrica fosa los dos cuerpos inertes, veintiún cañonazos disparados por la fortaleza de la Cabaña —salva matinal en honor de la Patrona de España— sirvieron también de fúnebres

(1) Del «Cinematógrafo Histórico.—Películas Retrospectivas», por Manuel A. Barrera.—Nota del autor.

honores militares al gran mariscal cubano y a su fidelísimo ayudante, muertos gloriosamente en campaña.

He aquí el acta que se redactó para hacer constar la muerte y sepelición de ambos héroes inmortales:

«ACTA DE DEFUNCION
DEL
GENERAL ANTONIO MACEO

Los que suscriben: Brigadier José Miró, Jefe del Estado Mayor del Ejército Libertador del Departamento de Occidente; General de División Pedro A. Díaz y Brigadier Silverio Sánchez declaran solemnemente:

Que en el día de ayer ha muerto el Lugarteniente General Antonio Maceo, por consecuencia de las heridas recibidas en un combate librado el día 7 del actual en terrenos de San Pedro, término municipal de Hoyo Colorado, provincia de la Habana, cuyo cadáver, después de habérsele tributado los honores correspondientes a la alta jerarquía militar del ilustre desaparecido, ha sido sepultado en lugar que conocen los infrascriptos, junto con el de su ayudante Francisco Gómez Toro, hijo del General en Jefe del Ejército Libertador.

Y para que en todo tiempo conste tan deplorable acontecimiento extendemos la presente Acta por duplicado, en Patria y Libertad, a 8 de diciembre de 1896.

El Jefe del Estado Mayor, *José Miró.*—El General de División *Pedro A. Díaz.*—El Brigadier *Silverio Sánchez.*»

ZERTUCHA

(Día 9).—El Dr. Máximo Zertucha, médico interino del Cuartel General del Cuerpo de Ejército de Occidente, se presenta al coronel Tort.

WEYLER

(Día 11).—Procedente de San Cristóbal, donde supo ayer la muerte de Maceo el Grande, llega a la Habana el general Weyler a recibir los honores del triunfo, que le tributan sus turiferarios y alabarderos.

WEYLER

(Día 13).—Se verifica otra gran manifestación, que se reunió en el Parque Central, Habana, en honor del general Weyler, integrada por elementos de los tres partidos políticos, jefes y oficiales del Ejército, Voluntarios y Bomberos, y las bandas de música del Ejército y escuadras de gastadores de los Voluntarios. El organizador de la manifestación fue... el mismo *manifestado*. A pesar de la muerte de Antonio Maceo, Weyler sólo está *apuntalado* en el Gobierno de Cuba, y trata de afirmarse.

Sabana Caureje

La Prensa española publicó lo siguiente:

«El día 20 de noviembre último, a las doce de la noche, salió de Manzanillo la columna del coronel Tovar, con el fin de sorprender un campamento enemigo.

Al amanecer llegó nuestra vanguardia hasta las avanzadas enemigas, arrollándolas, y cayendo de improviso sobre el campamento de Sabana la Mar, después de atravesar un estrecho callejón bordeado de manigua, la columna se posesionó de él. Los insurrectos trataron de rehacerse, favorecidos por el terreno, que les permitía emboscarse en ventajosas posiciones, pero de ellas fue de nuevo desalojado, merced a los disposiciones acertadas del coronel Tovar. Por nuestra parte tuvimos un muerto y nueve heridos de tropa. Al enemigo se le recogieron cuatro muertos, un prisionero, armas de fuego y gran cantidad de municiones, así como algunos caballos y unas 80 reses. Se sabe que llevaba buen número de heridos.

Este hecho revela lo mucho que en esta división se trabaja, así como la pericia del coronel Tovar, que en tantos hechos de armas se ha distinguido durante el año y medio que lleva en esta campaña.

De jefe de Estado Mayor de la columna iba el capitán del cuerpo señor Alcover, que viene prestando continuados y valiosos servicios en los numerosos combates a que ha asistido, y que tantas dotes demuestra en sus funciones en la Brigada de Manzanillo.

La Caballería iba mandada por el capitán Arboleda.

El general Bosch sabía por confidencias que fuerzas de Calixto García, de Rabí y de Mendieta habían penetrado en su jurisdicción, y sin perder momento reunió cuantas fuerzas pudo en Manzanillo, saliendo el día 4 con dirección a Veguita y Bayamo, en donde se le unió la brigada del general Rey.

En total pasaban de 1.500 hombres, con dos piezas de artillería de montaña y dos Krup de campaña.

El día 7, a las ocho de la mañana, al cruzar desde Bayamo a Cauto, se presentó numerosa caballería enemiga en la Sabana de

Caureje, apoyando su izquierda en un espeso monte, en donde tenía emboscada su infantería.

Nuestra caballería, al mando del coronel Otero, después de desplegar sus tiradores y rechazar a la enemiga, cargó sobre ella, en tanto que el coronel Tovar, que mandaba la infantería de vanguardia, penetraba en el monte, en busca de la infantería insurrecta.

El combate fue muy reñido. Las piezas de montaña, así como las de campaña que habían atravesado difíciles pasos sin ningún contratiempo, rompieron nutrido y certero fuego sobre las masas insurrectas, haciendo grandes estragos en sus filas.

A las doce del día quedó el campo por nuestro, y sobre él se comió la *tajada* y se curaron los heridos.

Tuvimos a consecuencia de esa acción un muerto, cuatro heridos gravísimos, 16 heridos graves y 22 leves y dos oficiales contusos. Caballos fuera de combate tuvimos 14.

El enemigo ha tenido más de 30 muertos y bastantes heridos.

Ha sido una acción de mucha importancia. Se distinguieron principalmente los batallones de Colón y Unión, el escuadrón de Arlabán y la guerrilla de Calicito.

Descuella principalmente en este combate el haberse empleado artillería de campaña después de larga marcha, atravesando por malos vados, con agua a la cintura; los ríos Bueycito, Solís, Mabay y Bayamo, improvisándose atalages con cuerdas, utilizando para el tiro acémilas y parejas de bueyes, demostrándose que los cañones pueden llegar a todas partes y no constituyen impedimenta de ningún género, viniendo, por el contrario, a ser muy útiles en la lucha. Así lo ha reconocido el general Bosch, quien inició la idea de llevar estas piezas.

Al capitán de Artillería señor Alemán y a los tenientes del mismo cuerpo Serra y Tomé, que iban mandando las piezas de camapaña y montaña, les felicitamos con justicia, así como al capitán de Infantería D. Federico Páez Faramilla, que en la extrema vanguardia sostuvo lo más recio de la acción.

El general Bosch dirigió con mucho acierto esta brillante operación, y gracias a él quedó reducido pronto el enemigo y en completa derrota.

El día 9, el general Bosch, con la misma columna, encontró nuevamente al enemigo en el sitio denominado Paso Sal, terreno cubierto de manigua, en la que estaba emboscado, tirando sobre la columna desde diversos sitios. La columna, con gran serenidad, rompió el fuego por descargas, demostrando una perfecta disciplina en el fuego, lo que obligó al enemigo a huir precipitadamente.

El 10 hubo otro encuentro, en que el enemigo dejó un muerto en nuestro poder.

En todos estos combates el general Rey mandaba la vanguardia.

Independencia de Cuba

(Día 18).—La Comisión de Negocios Extranjeros del Senado de los Estados Unidos aprueba la proposición del senador Mr. Cameron que pide el reconocimiento de la independencia de Cuba, y que el Presidente interponga sus buenos oficios para poner término a la guerra.

Novillada

Con objeto de aumentar los fondos de la suscripción para el fomento de la Marina de Guerra española, la Prensa de esta ciudad organizó una función taurina, que se celebró el domingo 20, y que produce de utilidad unos mil pesos.

Cobre

Los insurrectos se acercan el 21 a la villa del Cobre, haciendo varias descargas de fusilería.

Weyler

(Día 21).—El general Weyler sale de la Habana, vía Mariel, para continuar sus operaciones en Pinar del Río.

Cirujeda

(Día 21).—El comandante D. Francisco Corujeda y Cirujeda, que ha sido ascendido a teniente coronel, y que está propuesto para el ascenso a coronel, es obsequiado hoy con un banquete en Punta Brava por numerosos periodistas, voluntarios y otros elementos del bando español, que con ese objeto se trasladan desde la Habana al pueblo indicado. La fiesta es organizada por el «Centro Gallego», que tributa ese homenaje a su paisano Cirujeda. Se le entregó un estandarte, bordado por D.ª Isabel Nogueira de Varela. Antes del banquete hubo misa, que oyeron Cirujeda y su columna. A la hora de los brindis hablaron el obsequiado y los señores Lenzano, Berenguer, Nogueira, Aguirre y Triay.

Se llevan las reses

Los insurrectos, burlando la vigilancia, se llevan a menudo las reses que pastan por los alrededores de esta plaza.

Caballero

(Día 24).—Una sección de Caballería del Rey, mandada por el teniente Llerena, en reconocimiento por «La Veguita de Robert», tuvo un encuentro con una partida insurrecta, matando a su jefe, Teófilo Caballero, cuyo cadáver traen a esta ciudad para ser identificado.

Lo condujeron en la mañana de hoy hasta la casa del general Linares, altos de la farmacia Bottino, terciado delante del caballo que montaba un guerrillero, a las siete de la mañana. Era un hombre muy alto, tanto que doblado su cuerpo sobre el caballo, la cabeza y los pies casi tocaban al suelo. Pertenecía a la raza negra y era capitán del E. L.

Descarrilamiento

(Día 24).—En la línea del ferrocarril de Cárdenas, fuerzas del Ejército Cubano hicieron descarrilar al tren de Yaguaramas, en la curva del Júcaro, kilómetro 8, al llegar al puente, cayendo en una hondonada la locomotora y 10 carros cargados de caña. En seguida se entabló el fuego entre dichas fuerzas y la escolta del tren, que iba en un carro blindado, arrastrado por otra máquina. Resultó muerto, completamente destrozado, el conductor, D. Silvestre Betancourt, y con una pierna rota por varias partes el mamaquinista, D. Joaquín del Río.

Ataque a un tren

El tren ascendente que salió a las seis de la mañana del 25 no pudo llegar al Cristo, pues al remontar la excavación de Cutié estalló una bomba de dinamita, destruyendo una alcantarilla y levantando varios raíles.

Un grupo insurrecto que cubría la loma, al estallar la bomba, hizo fuego sobre el tren, resultando herido uno de los soldados que iban en el carro blindado.

El tren retrocede hasta la estación de Boniato, regresando a esta ciudad al mediodía.

Reconocimiento

En un tren extraordinario se dirige al Cristo el general Toral, para inspeccionar los desperfectos causados en la vía férrea por la bomba. Las averías quedan reparadas el mismo día, saliendo como de costumbre el tren de las seis de la tarde.

Cambio de destinos

Se dispone el cambio de destino entre D. Cecilio Ayllón y Villuendas, marqués de Villalba, teniente fiscal de la Audiencia de lo Criminal de Puerto Príncipe, y D. Ramón Martínez y Morales, secretario de Sala de esta Audiencia.

Casino de Santiago de Cuba

(Día 27).—Ha sido elegida para regir los destinos de la sociedad «Casino de Santiago de Cuba» la directiva siguiente:

Presidente: D. Ramón Malleuve Colina (reelecto). Vicepresidente: D. Emiliano Gómez (ídem). Primer vocal: D. Alfredo Cotilla Caminero (ídem). Segundo vocal: D. Miguel Castillo. Tercer vocal: D. José María Ramos. Tesorero: D. Luis O. Gómez (reelecto). Secretario: D. José del Patrocinio Mojícar (ídem). Vicesecretario: D. Santiago Bonne (ídem).

Rizal

(Día 30).—Es fusilado en Manila el patriota filipino Dr. José Rizal. El piquete que ejecutó la sentencia lo componían soldados... indígenas.

Fallecimientos

Señorita D.ª Gabriela de la Peña y Gálvez.
Doña Isabel Hardy, de ciento cinco años de edad.
Don Antonio León Fermín, de noventa y ocho años.
Señorita D.ª María Luisa Revolta y Navarro.
Señorita D.ª Antonia Cortés y Alemán.
Doña Caridad Cutié, viuda de Lima.
Doña Concepción Maury, viuda de Catasús.
Doña Juana Emilia Soleliac y Salomón, viuda de Hernández.
Señorita D.ª Isabel Isalgué y Ruiz.

Don Agustín Portuondo y Veranes.
Don Francisco Alemán y Rodríguez.
Señorita D.ª Amparo Colás.
Doña Juana Martínez, viuda de Ferrer.
Doña Juana Sojo, el 31.

Nombramientos

Han sido nombrados: D. Andrés Domingo y Romero, secretario-contador; D. Ernesto Ganivet y Roch, inspector de muelles, y D. José López Menéndez, recaudador, todos del Arbitrio de Descarga.

Serenata

(Día 31).—La Compañía de Guías del General Salcedo obsequia con una serenata a su capitán D. Manuel Gutiérrez, dueño de la antigua tienda de tejidos «La Puerta del Sol», con motivo de celebrar su santo al siguiente día.

ENERO 1897

En «La Cangrejera»

(Día 1).—Se verifica una alegre fiesta en la finca «La Cangrejera», colindante con el Depósito de Materias Inflamables, obsequio del dueño de la misma, D. Electo Herrera y Córdoba, a sus numeroso amigos. Excusado se decir que el acto tuvo un matiz netamente español, como todos los que se celebran en esta época.

Matrimonio

(Día 1).—A las nueve de la noche se verifica en el Palacio del Gobierno el matrimonio de la Srta. D.ª María Teresa Dionisia de la Caridad Denis y Bonifaz, hija del Excmo. Sr. general de división D. Carlos Denis y Trueba, gobernador de esta Región y Provincia, con el teniente de Húsares de la Princesa D. Luis Andrés Ramón Masó y Bru, ayudante del general Toral y pariente del Excmo. Sr. Marqués de Comillas. Bendijo la unión religiosa el arzobispo Excmo. Sr. D. fray Francisco Sáenz de Urturi y Crespo, asistido de los presbíteros Dr. D. Saturio de la Riestra y Alvarez, cura de la Catedral; D. Desiderio Mesnier de Cisneros, cura de Dolores y capellán párroco castrense de esta plaza, y D. Dámaso Sáenz de Urturi, sobrino y capellán del prelado. Apadrinaron a los novios los padres de ella. El acto civil fue autorizado por el Lic. D. Eugenio de Ribeaux y Domínguez, juez municipal del Distrito Sur, asistido del secretario D. Francisco Ortiz y Salazar, testificándolo el Excmo. Sr. general de brigada D. José Toral y Velázquez, gobernador militar de esta plaza; el coronel D. Francisco Oliveros y Jiménez, subinspector del XIX Tercio de la Guardia Civil, y el Sr. D. Eurípides de Escoriaza y Cárdenas, rico comerciante y presidente de la Cámara de Comercio. Terminadas las ceremonias religiosa y legal, se sirvió un espléndido *buffet* de cincuenta cubiertos.

Entre las damas figuraban las siguientes señoras: Bonifaz de Denis, de Sobral, de Oliveros, de la Torre de Ramsden, de Ferrer y Griñán de Vinent.

Señoritas: Rosa Denis y Bonifaz, trajeada de seda *surah creme,* María Denis y Bonifaz, de seda *surah* azul celeste; Matilde Sobral, Dora y Emma Ramsden y de la Torre, Carmen y Mariana de la Torre y Griñán y otras más.

Además de los ya nombrados, estaban presentes los señores D. Vicente Elvira y Menéndez, consejero regional y administrador de la sucursal del Banco Español de la Habana en esta plaza; Mr. Frederick W. Ramsden, cónsul de S. M. británica; el ilustrísimo Sr. D. Juan Antonio Vinent y Kindelán, secretario del Gobierno Regional; D. Francisco Martínez de la Riva y Fillós, coronel jefe de E. M. del primer Cuerpo de Ejército; D. Ventura Fontán y Pérez de Santamarina, teniente coronel jefe de E. M. de la primera División del primer Cuerpo de Ejército; D. Eduardo Ortiz de Lanzagorta, comandante del Ejército, con destino en el detall del primer Tercio de Guerrillas; D. Carlos Merino, comandante del primer Batallón del Regimiento Infantería de Toledo; D. Ramón Oscáriz y Sancho, teniente auditor de Guerra; ilustrísimo Sr. D. Electo Herrera y Córdoba, administrador de Hacienda y Aduana; Sres. Gómez y Fernández, ingenieros de O. P.; doctor D. Alfredo García y García, Sres. Masó, Sobral, Pidal, Murillo y otros más.

La novia lució un lujoso traje *moiré* a rayas, obra de la acreditada modista D.ª Guadalupe Cedeño, y el novio vistió el flamante uniforme de gala de su Cuerpo. El acto revistió carácter de intimidad.

Reparaz

(Día 1).—Es reducido a prisión en Madrid el periodista don Gonzalo Reparaz, por haber publicado en *El Heraldo* un artículo sobre la situación del Ejército en esta Isla. El juez militar lo incomunicó.

Venta de efectos

«Don Valeriano Weyler y Nicolau, Marqués de Tenerife, Gobernador General, Capitán General y General en Jefe del Ejército de esta Isla,

ORDENO Y MANDO

Artículo 1.° Sólo se permitirá las existencias y venta de efectos de ferretería y talabartería, ropas, víveres y medicinas en los poblados que tengan recinto fortificado.

Art. 2.° Queda prohibido en absoluto en las provincias de Pinar del Río, Matanzas y Habana que se extraigan dichos efectos, víveres, ropas y medicinas de los poblados, y para conducirlos de uno a otro de los señalados en el artículo anterior será necesario obtener autorización de la autoridad militar del punto de partida y dar conocimiento de su llegada a la del destino, quedando anulados todos los permisos concedidas hasta hoy.

Art. 3.° En el término de ocho días, a contar desde la fecha de este bando, se cerrarán en las tres provincias mencionadas todas las tiendas de los poblados que no reúnan las condiciones señaladas en el artículo primero, debiendo dentro de ese plazo solicitar los dueños de ellas la traslación de dichos efectos.

Art. 4.° Lo dispuesto en los artículos anteriores será aplicable a los ingenios y demás fincas según tengan o no recinto fortificado.

Art. 5.° En las provincias de Santa Clara, Puerto Príncipe y Santiago de Cuba empezará a contarse el plazo señalado en el artículo tercero desde la fecha de la publicación de este Bando en los Gobiernos y Comandancias Militares respectivas.

Art. 6.° Los infractores serán juzgados y penados como auxiliares de la rebelión.

Cuartel General de Bayate, 1 de enero de 1897.—*Weyler.*»

Carta a María Cabrales

He aquí la notable carta de pésame que dirigió a la Sra. viuda del general Maceo el general Máximo Gómez:

«Las Villas, enero 1 de 1897.

Señora María Cabrales, viuda de Maceo.—San José.

Mi buena amiga: Nuestra antigua amistad, de suyo íntima y cordial, acaba de ser santificada por el vínculo doloroso de una común desgracia. Apenas si encuentro palabras con que expresar a usted la amarga pena y la tristeza inmensa que embarga mi espíritu. El general Antonio Maceo ha muerto gloriosamente sobre los campos de batalla, el día 7 del mes anterior, en San Pedro, provincia de la Habana. Con la desaparición de ese hombre extraordinario pierde usted al dulce compañero de su vida, pierdo yo al más ilustre y al más bravo de mis amigos y pierde, en fin, el Ejército Libertador a la figura más excelsa de la revolución.

Hay que acatar, mi buena María, los mandatos irrevocables del Destino. Ha muerto el general Maceo en el apogeo de una gloria que hombre alguno jamás alcanzó mayor sobre la tierra, y con su caída en el seno de la inmortalidad lega a su patria un nombre que por sí solo bastaría ante el resto de la humanidad para salvarla del horroroso estigma de los pueblos oprimidos.

A esta pena se me une allá en el fondo del alma la pena cruelísima también de mi Pancho, caído junto al cadáver del heroico Guerrero y sepultado con él en una misma fosa, como si la Providencia hubiera querido con este hecho conceder a mi desgracia el triste consuelo de ver unidos en la tumba a dos seres cuyos nombres vivieron eternamente unidos en el fondo de mi corazón.

Usted, que es mujer; usted, que puede —sin sonrojarse ni sonrojar a nadie— entregarse a los inefables desbordes de dolor, llore, llore, María, por ambos, por usted y por mí, ya que a este viejo infeliz no le es dable el privilegio de desahogar sus tristezas íntimas desatándose en un reguero de llanto.

El infortunio hace hermanos. Hágame el favor, María, de creer que fraterniza con usted en toda la amargura de su soledad y de sus sentimientos

Su afectísimo amigo

M. GOMEZ.»

Nuevo arbitrio municipal

(Día 2).—Se pone en vigor el Arbitrio Voluntario de Descarga, en sustitución del Repartimiento General.

Accidente desgraciado

(Día 2).—A las cuatro de la tarde revienta un barreno en la finca «La Pedrera», quemando e hiriendo a D. Agustín y D. Juan Grefol y a D. Aquilino Arias. Hubo que amputarle el brazo derecho a este último, operación que hicieron los Dres. Roger y Norma.

Nota oficial

La Prensa de esta ciudad, de hoy 2, publica la siguiente:

«Sagua de Tánamo.—El día 15 el capitán del Batallón de Córdoba D. Facundo Sánchez, con 150 hombres de dicho cuerpo y 60 de la guerrilla local de Sagua de Tánamo, practicó reconocimientos en Cananova, Los Güiros y Arroyo Gangimero, destruyendo un campamento enemigo y capturando un rebelde. El día 16 la misma columna reconoció Yaguaneque y Boca de Cananova, destruyendo en el Cerro otro campamento y capturando dos insurrectos. Además hizo un muerto y quemó tres embarcaciones. Por nuestra parte, sin novedad.»

Ramsden

Don Enrique Ramsden y de la Torre ha sido nombrado vicecónsul de S. M. británica en Manila.

Bomberos

(Día 3, domingo).—Después de la revista mensual reglamentaria salió de su cuartel el Batallón de Bomberos, mandado por su coronel el Ilmo. Sr. D. Emilio O. de Aguirrezábal, con el material de extinción de incendios, dirigiéndose a la caja de agua colocada en la calle de Santo Tomás, entre las de la Trinidad y Habana, por el arquitecto municipal del Distrito Norte D. Francisco Riera y Roses, de orden del alcalde corregidor, D. Pascual Gómez y Fuentes. Se hizo el tendido de mangueras y se colocó el chupador en la indicada caja, funcionando la bomba de vapor «Santiago de Cuba». Las pruebas de dicha caja y de las mangueras, que fueron donadas al Instituto por las compañías de seguros contra incendios, dieron excelente resultado, a pesar de la escasez de agua y de la longitud del tendido, que alcanzó de 650 a 700 metros. Duraron dichas pruebas de nueve a doce de la mañana.

Fallecimientos

(Día 3).—Han fallecido e este día:
Don Elías Creagh y Málaga.
Doña Carmen Lora y Guerrero.
Doña Adela Portes y González.
Doña Ana Medina y Reina.
Don Amador Lahera y Arce.

Nota oficial

La Prensa publica las notas oficiales siguientes:

«Enero 4.—La columna del coronel Vaquero, el día 3, encontró numeroso enemigo apostado en el cafetal Griñán, alturas Boquerón y Diamante, con el que sostuvo fuego, habiendo resultado muerto el titulado comandante Pedro Mestre, y ocho más que abandonaron en el campo, siendo dispersado el enemigo y recogidos por la fuerza cartuchos y efectos.»

«El mismo día 4 la misma columna tuvo nutrido fuego con el enemigo en altos de Sorpresa, haciéndole numerosas bajas, teniendo por nuestra parte que lamentar la muerte del comandante de la escuadra, D. Gregorio Romero, y dos guerrilleros heridos, el capitán de la Caballería de María Cristina D. Enrique Cónsul, un teniente de las escuadras y 22 individuos de tropa.»

La Administración militar

(Día 4).—El general D. Victoriano Araújo, intendente militar de esta Isla, envía el siguiente cablegrama:

Al intendente Villar.—Ministerio Guerra.—Madrid.—El Cuerpo protesta por mi conducto de las acusaciones de los periódicos.—La asistencia administrativa es inmejorable, recibiendo por ello elogio. Los víveres se adquieren a precio de contrata, y la estancia en los hospitales resulta entre 60 y 70 centavos.—*Araújo.*»

No dirían lo mismo los infinitos soldados que pueblan los hospitales ni los que sufren las penalidades de la campaña.

Suicidio

(Día 4).—Pone fin a su existencia, envenenándose con una caja de fósforos, el joven tipógrafo D. Francisco de Paula Ovich y Quintana.

Fallecimientos

Han fallecido el mismo día D. Angel Vidal y Font, D. Primo Fernández Montero y D. Francisco Mosquera Chica.

O'Farril

(Día 5).—Presta juramento y toma posesión de su cargo ante el tribunal pleno de la Excma. Audiencia Territorial el Ilmo. señor D. Juan O'Farrill y Montalvo, nuevo fiscal de S. M.

Weyler

(Día 6).—En este día se celebró una reunión magna en el Casino Español de la Habana, bajo la presidencia del que lo es de la misma sociedad D. Anselmo Rodríguez. Hubo discursos muy acalorados, y se redactó un cablegrama al Gobierno supremo reiterando la adhesión a Weyler y protestando de los ataques que le dirige la Prensa peninsular. Este cablegrama fue puesto en manos del *interesado* por una nutrida comisión. Como se ve, se persiste en la idea de apuntalar a Weyler en el mando de la Isla..., y él no es ajeno al proyecto.

Pullés

Ha sido nombrado el agrimensor D. José Dolores Pullés y Palacios oficial cuarto de la Sección de Montes de esta Región.

Nombramiento

Ha sido nombrado el Lic. D. José Alcaraz médico municipal de los barrios rurales de San Luis, Palma Soriano y anexos.

Fallecimientos

(Día 6).—Han fallecido en este día D. Pascual Severiano Izquierdo, D. José María Callís, D. Francisco Groga, D. Alberto Torres, D.ª Nicolasa Hechevarría y D.ª Candelaria Rengifo y Cavado.

Presos

(Día 7).—Ingresan en la cárcel de esta ciudad, acusados de infidencia, José Cecilio Aponte, Carlos Bertot, Candelaria Ochoa y José Medina.

Plaza de Armas

Se inician obras de adorno y embellecimiento en los jardines de nuestra Plaza de Armas. Trabajan en ellas muchos presos de la cárcel por delitos leves.

Fallecimientos

Han fallecido en esta ciudad el día 7 D. Francisco Carballo Hurtado, D. Luis Bravo, D. Manuel Cazulo y García y D. Manuel Villa.

Honores a los autonomistas

(Día 8).—La Reina Regente firma los decretos por los cuales se concede a D. Rafael Montoro el título de Marqués de Montoro; a D. Prudencio Rabell, el de Marqués de Rabell, y a D. José María Gálvez, la gran cruz del Mérito Militar.

La columna de Weyler

«Orden General del Ejército del día 8 de enero de 1897, en la Habana.—El Excmo. Sr. General en Jefe se ha servido disponer: 1.º Que se forme una Brigada de Infantería a sus inmediatas órdenes con los batallones de Mérida, Zamora, Mallorca y del Rey, teniendo afecta una sección de Artillería de la cuarta Batería del cuarto Regimiento de Montaña. 2.º Se nombra general jefe de esta Brigada al general de brigada D. Enrique Segura Campoy. De orden de S. E., se publica en la general de este día para cumplimiento.—El General de División, Jefe de E. M. G., *Andrés González Muñoz.*»

CONSEJO DE GUERRA

(Día 9).—En la Sala de Justicia de la Comandancia General del Apostadero de la Habana se ve en Consejo de Guerra ordinario de oficiales generales el proceso seguido contra el capitán de fragata D. Pedro Sánchez de Toca y Calvo, marqués de Somio y comandante del crucero *Cristóbal Colón,* como responsable de la varada y pérdida total de dicho barco, y los demás procesados por la misma causa: teniente de navío de primera clase D. Juan Fernández Pintado y Díez de la Cortina, segundo comandante del citado buque, el teniente de navío D. Rafael Morales y Díez de la Cortina, oficial ayudante de derrota, alférez de navío D. Eduardo Verdia y Caula; oficial de guardia el día del siniestro, cabo de mar de segunda clase Juan Ponce y Montenegro, y marineros Gumersindo Vázquez y Vázquez y Jerónimo Fojo y Rodríguez, también de la dotaci0ón del mismo crucero. El tribunal dictó sentencia condenatoria contra todos los procesados, aplicándoles diferentes penas, de acuerdo con la petición fiscal. Elevado el proceso al Excmo. Sr. contraalmirante D. José Navarro y Fernández, comandante general del Apostadero y Escuadra de las Antillas, éste después de oír a su auditor, y de acuerdo con su dictamen, disintió del fallo del Consejo, y no le otorgó su aprobación, por lo cual fue elevada dicha causa en consulta al Consejo Supremo de Guerra y Marina.

FALLECIMIENTO

(Día 9).—Muere el segundo teniente del Regimiento del Rey primero de Caballería D. Francisco Patán Marne.

PRESO

El mismo día ingresó en la cárcel de esta ciudad, sujeto a la jurisdicción de Guerra, Desiderio Maraí.

TROPAS

En el vapor *Julia,* procedente de Puerto Padre, llega el primer Batallón de la Constitución, el cual sale en seguida a operar.

Ataque al Caney

Una fuerza insurrecta como de 400 hombres ataca en la mañana del 10 al pueblo del Caney. Después de sostener nutrido fuego con los soldados españoles allí destacados se retira.

Baracoa

(Día 10).—En la madrugada de hoy, según la Prensa española, fue atacada Baracoa simultáneamente por varios puntos, siendo el enemigo rechazado, sin que lograra rebasar el recinto de la población ni quemar casa alguna de los barrios extremos.

En su retirada hostilizó el fuerte de la desembocadura del río Miel, quemando algunos bohíos de la gente obligada en las inmediaciones. El mismo día, y aproximadamente a igual hora, fue atacado el pequeño poblado de Mata, situado sobre la costa, que guarnecía fuerza del Batallón de Talavera, y además un fortín ocupado de noche por individuos de Voluntarios, al mando de un teniente del mismo instituto.

Este oficial, llamado D. Venancio Sanz, manteniendo inteligencias con el cabecilla Demetrio Castillo, entregó el fortín, con el sargento y los cuatro voluntarios que lo guarnecían, quemando algunos bohíos inmediatos y llevándose de paso su familia.

Las fuerzas del Ejército al mando del segundo teniente de Talavera D. Francisco Ayué rechazaron la agresión y evitaron la quema del resto del poblado.

Dos de los voluntarios, Antonio Gisbert y Antonio Castillo, lograron fugarse a la mañana siguiente, presentándose en Mata, donde confirmaron el acto de traición de su jefe.

Fallecimientos

(Día 10).—Han fallecido en este día D. Juan Francisco Castellanos, D.ª Dolores Mendoza Almenares, D.ª María del Carmen Fernández y García de Fiol, D. Agustín Ramos y Pérez, D. Juan Pascual y Roig, antiguo detallista de víveres, y D. José Vicente Portuondo y Portuondo.

Consejo de Guerra

(Día 10).—A las once de la mañana se celebra en la cárcel de esta ciuda Consejo de Guerra sumarísimo contra Celestino Reyes.

Preso

El mismo día ingresa en la propia cárcel José María Pérez, a disposición de la jurisdicción de Guerra.

Los billetes de banco

(Día 11).—Desde hoy empieza el canje de billetes de banco por plata, a la par, en la sucursal del Banco Español, en esta ciudad. Acude un numeroso gentío, desde las nueve hasta las once del día, deseoso de salir del papel weyleriano. Se han canjeado 34.200 pesos.

Fallecimientos

Han ocurrido hoy, 11, en esta ciudad, los siguientes: D. Emilio Vallés y Valdés, D. Juan de Moya y Asencio, morena D.ª Teresa González, de ciento dieciséis años; D. Fernando Perdomo y D.ª Justa Sánchez.

Nota oficial

(Día 11).—La Prensa da a conocer las notas oficiales siguientes:

«General Bosch, conduciendo convoy a Manzanillo, sostuvo dos combates en Jucaibama: uno brigada Hernández Ferrer y otro brigada Rey. El enemigo fue duramente batido en ambos, causándole muchas bajas la artillería. Nosotros tuvimos un soldado muerto; heridos graves, un oficial y 33 de tropa.»

Esta operación se efectuó en diciembre.

«General Nario, con 2.500 hombres, condujo en los días del 24 al 29 de diciembre un convoy a Tunas, sosteniendo fuertes combates desde Sabana Becerra, con enemigo atrincherado. La columna tuvo siete muertos y cuatro oficiales y 76 de tropa heridos.»

Nota oficial

La Prensa publicó hoy, 12, lo siguiente:

«Una partida enemiga, como de 300 a 350 hombres, atacó en la mañana de ayer al pueblo del Caney, intentando a la vez robar ganado entre Cuabita y Boniato, designios que no consiguió por haber sido batida y dispersada por las distintas fracciones de fuerzas de leales que acudieron al encuentro de los rebeldes, más las fuerzas protectoras, que salieron de esta plaza a las órdenes del Excmo. Sr. general Toral, llegando a tomarles sus posiciones a la bayoneta. Se les ocupó armamentos, municiones y efectos, y fueron recogidos tres muertos e identificado uno de ellos, habiéndose vista que retiraron nueve bajas. De nuestra parte hubo tres individuos de tropa heridos y cuatro contusos.»

Preso

El propio día 12 ingresó en la cárcel, sujeto a la jurisdicción de Guerra, Eduardo Antón Britt.

Gremio de Panaderos

Ha sido elegida la siguiente directiva, que ha de regir al Gremio de Panaderos de esta ciudad durante el año actual:

Presidente: D. Marcelino Rey Bonder (reelecto). Vicepresidente: D. Gabriel Yance. Primer vocal: D. Manuel Ramos (reelecto). Segundo vocal: D. Narciso Fortinell. Tercer vocal: D. Ramón Labrada. Cuarto vocal: D. José Estruch. Quinto vocal: D. Saturnino Reyes. Sexto vocal: D. Nicanor Larrosa. Secretario: D. Manuel Raventós (reelecto). Vicesecretario: D. José Navaza (reelecto). Tesorero: D. Juan Castillo (reelecto). Contador: D. Juan Pérez.

Fallecimientos

El mismo día 12 han ocurrido en esta ciudad los siguientes: D.ª Felicitas Chacón y Ricardo de Remírez de Arellano, D.ª Anacleta Bueno, D. Benito López Danita y D. Raimundo Alcalde Labrada.

Linares

El día 13 llegó a esta ciudad, procedente del campo de operaciones, el general Linares.

Fallecimientos

El mismo día fallecieron en esta ciudad D. Eduardo Albani Rodríguez, D. Juan Danico Susbielle, D.ª Manuela Rengifo y Casanovas, D. Eleuterio Mena y Salcedo, D. Gabino Bestard y Vallejo, D.ª Caridad Robert y Bou y D.ª Dolores Witman y Seguen.

Reformas para Cuba

(Día 14).—La Reina Regente aprobó hoy el plan de reformas para Cuba propuesto por Cánovas.

Notas oficiales

La Prensa publicó lo siguiente:

«En la provincia Habana batallones Puerto Rico, Almansa, Lealtad y Provisional Baleares, en reconocimiento zona marcada, destruyeron 700 bohíos, recogieron 500 reses y caballos y cogieron 20 muertos, un herido prisionero y bomba dinamita, acampando siempre sitios ocupados por enemigos. Nuestras bajas: cuatro muertos y siete heridos.

Columna Pinar Río, en reconocimientos zonas, cogieron 16 muertos, un herido prisionero, 500 personas, armas y 2.500 cartuchos. Nosotros, siete heridos. Presentados, 11.»

La guerrilla de Canosa

(Día 14).—El capitán del Ejército D. Lucas Fernández se hace cargo de mandar la guerrilla del capitán movilizado D. Ramón Canosa.

Ayuntamiento

El Lic. D. Antonio Camilo Díaz y Palacios es nombrado segundo teniente de alcalde.

Cobre

Se le acepta la renuncia al Sr. D. Lucas Castro del cargo de alcalde del Cobre, y se nombra para el mismo a D. Felipe Polanco.

Roger

Es nombrado el Dr. D. Alejandro Roger y Adema médico de la Real Casa de Beneficencia de esta ciudad.

PRESO

Jerónimo Méndez ingresó hoy, 14, en la cárcel de esta ciudad, a disposición de la autoridad militar.

FALLECIMIENTOS

El mismo día fallecieron en esta ciudad D.ª Francisca Ferrer y Villafañe y D.ª Juana Orama.

SÁNCHEZ PESQUERA

(Día 15).—Embarca para Aguadilla el exquisito y talentoso poeta D. Miguel Sánchez Pesquera, magistrado de esta Excelentísima Audiencia Territorial, acompañado de su familia, que dejará allí, para luego dirigirse él a Puerto Príncipe, de cuya Audiencia ha sido nombrado fiscal de S. M. Con este motivo escribió el siguiente soneto:

AL HOGAR

Frante al azul canal de la Española
y de una blanca villa en la ribera
hay una roja casa de madera,
que está besando el mar ola tras ola.
Una anciana la habita, mas no sola;
sus hijas la circundan, y venera
el pueblo todo su virtud austera,
que cristiana piedad más acrisola.
¿Por qué indaga su vista el horizonte?
¿Es tal vez de una nave el mastelero
y el humo que se asoma tras el monte?
Detén, vapor, aquí la usada vía;
arrima pronto el bote, marinero.
Aún soy feliz; te abrazo, madre mía.

POBREZA

Llueven, siempre en aumento, las peticiones probando estado de pobreza para alcanzar del Excmo. Ayuntamiento médico, medicinas y alimentos.

Cementerio

El Inspector del Cementerio presenta una moción al Excelentísimo Ayuntamiento solicitando la habilitación de más terreno para aumentar el área del camposanto, «por ser pequeño el existente para las defunciones que ocurren». Se compraron 29.450 metros planos a la señora doña María Ibarra, viuda de Agüero.

Escuadra nacional

El Ayuntamiento libra 1.000 pesos, cantidad con la cual se suscribió en la asamblea tenida en el Círculo Español en noviembre próximo pasado para el fomento de la Armada nacional.

Subasta para el cobro de atrasos municipales

Se suscita una viva polémica entre los diarios locales *La Bandera Española* y *La Patria* con motivo de haber adjudicado el alcalde corregidor, D. Pascual Gómez y Fuentes, a D. José Fojo la subasta para el cobro de las contribuciones municipales atrasadas, en perjuicio del depositario de los fondos municipales, don Octavio de Mena y Zabala, que era el subastador, y que se presentó también a la nueva subasta. El primero de dichos periódicos es partidario del Sr. Fojo, protegido del alcalde, y el otro lo es del Sr. De Mena. Terminó la polémica con la anulación de la subasta hecha por el alcalde, y la adjudicación de la misma a favor del mencionado Sr. De Mena.

Grimany

Ha sido destinado al Hospital Militar de esta plaza el médico segundo D. Angel Grimany.

Fallecimientos

El día 15 han fallecido en esta ciudad D. José Suárez y de Aragón, D.ª Dominga Fuentes, D. Crispín Repilado y Duany y D. José Revilla y Alvarez.

Guerrero

Ha sido nombrado el Lic. D. Antonio María Guerrero y Valdés director del Instituto Provincial de Segunda Enseñanza.

Tropas

En la mañaan del 16 sale de esta ciudad un tren extraordinario con tropas.

Envenenada

El propio día se envenena con ácido fénico la meretriz parda D.ª Tomasa Carcaño y Sánchez (a) *La Mulata de la Bulla,* vecina de Manga de Chupa, falleciendo dos días después.

Agüero

Ha sido ascendido a comandante el capitán D. Rodrigo Agüero y Mármol.

Mendaro

El Lic. D. Ernesto Mendaro y del Alcázar ha sido nombrado juez municipal suplente del Distrito Sur de esta ciudad.

Aranguren

(Día 16).—El coronel Néstor Aranguren, con fuerzas a sus órdenes, detiene a las diez y media p. m. el tren número 37, que iba de Regla a Guanabacoa, haciendo prisioneros a los capitanes del Ejército español D. Antonio Sánchez, D. Ildefonso Calvo y D. Antonio Fernández, a los tenientes D. Tomás González, don Ricardo Betancourt y D. Antonio Pérez Martínez, a los segundos D. José Marrero, D. Bernardo Barrios y D. José Velasco y a los soldados Pedro López, Antonio Gargallo y Auspicio Núñez. Fueron muertos seis u ocho soldados y un guerrillero. Los cubanos, al retirarse, sostuvieron fuego con el destacamento de la Quinta de Menocal y pusieron en libertad a cerca de 70 pasajeros paisanos que conducía el tren, excepto a uno, por ser espía de los españoles. Fueron puestos en libertad también los oficiales prisioneros, excepto el segundo teniente D. Bernardo Barrios, que fue ahorcado por ser cubano de nacimiento, y el espía, que también sufrió igual suerte. Weyler telegrafió al Ministro de la Guerra manifestándole que el asalto al tren lo verificó una partida de *plateados,* pero el coronel Néstor Aranguren desmintió el embuste weyleriano..., y los oficiales españoles libertados, también.

Club de San Carlos

El domingo 17 es elegida la directiva que ha de regir los destinos del Club de San Carlos durante el presente año. La forman los señores siguientes:

Presidente: D. Lino Horruitiner y Jústiz. Vicepresidente: Don José López del Castillo y Colás. Secretario: Lic. D. Luis de Hechavarría y Limonta. Vicesecretario: Lic. D. Eugenio de Ribeaux y Domínguez. Tesorero: D. José Griñán y de la Cruz. Vocales: D. Rafael Quadrado y Griñán, D. Lino Salazar y Alvarez y don Ernesto Despaigne.

En la cárcel

A las diez y media de la mañana del mismo día, hallándose todos los presos de la cárcel de esta ciudad en el patio, y en momentos en que se distribuía el rancho, sostuvieron una reyerta los presos Antonio Castro, Máximo García Donas, Antonio Torres, Pedro Artigas, Antonio Díaz y Evaristo Díaz, resultando heridos Antonio Torres y Pedro Artigas.

Nombramiento

Es nombrado guarda del lazareto de Cayo Duan D. Ladislao Sánchez.

Presa

Ingresa en la cárcel Dolores Soler, sujeta a la jurisdicción de Guerra.

Fallecimientos

El mismo da 17 han fallecido en esta ciudad D. Jaime Lluhi y Risech, D.ª Isabel Antonia Málaga, D.ª Patrocinio Rodríguez y Torres y D. Fernando Marsilly Docha.

En el Cauto

(Día 17).—Un cablegrama de Manzanillo, publicado por la Prensa, dice que el 16, por la noche, salieron de dicha ciudad los cañoneros *Relámpago* y *Centinela,* con objeto de remontar el Cauto hasta el fuerte de «El Guamo». A las diez de la mañana del siguiente día, al llegar al punto conocido por «Mangos», hizo explosión un petardo, alcanzando al *Relámpago* y echándolo a pique casi al instante. Las fuerzas insurrectas rompieron fuego por descargas en el acto desde las márgenes del río. El cañonero *Centinela* acudió en auxilio del otro, recogiendo los náufragos y heridos de su dotación, sufriendo la hostilidad de los rebeldes también, pero tuvo que regresar a Manzanillo. Las bajas habidas en el *Relámpago* fueron su comandante, el alférez de navío D. Federico Martínez; el ayudante de máquinas, Jacobo Deus; el artillero de mar Francisco Martínez y los marineros Vicente Gener, Juan Campelo y Félix Díaz, muertos y desaparecidos; heridos, el condestable Alonso, el contramaestre Mosquera, el maquinista Paradela, el práctico y seis marineros heridos; en total, 16 bajas, número igual a la dotación del cañonero. En el *Centinela* hubo las bajas que siguen: su comandante, el alférez de navío D. Gonzalo de la Puerta; el ayudante de máquinas, Martínez; el artillero de mar Durán, el práctico y seis marineros heridos, y muerto, el cabo de mar Manuel Cabañas. Ocurrió la explosión a cinco leguas del Guamo, yendo el *Centinela* a 40 metros del *Relámpago.* Los insurrectos que atacaron a los dos barcos ascendían a unos 200.

Palacios

(Día 17).—A consecuencia de heridas recibidas en campaña muere en el campamento de «El Edén» el valiente e irreductible jefe cubano Diego Palacios y de Messa, hijo de familia distinguida de esta ciudad.

Fallecimientos

El día 18 han fallecido en esta ciudad D. José Florencio Romero, D.ª Julia González Delgado, D.ª Isabel Martínez y Cros, D. Manuel Carvajal y D.ª Aurelia Gómez.

Fallecimientos

El 19 han fallecido en esta ciudad D. Tomás Ramírez y Toledano, D.ª Tranquilina Pérez y Navarro, D.ª Agustina Pérez, don Manuel López Martín y D. Ignacio Vargas Ardy.

Weyler

(Día 19).—A las ocho de la mañana el general Weyler sale de la Habana a operaciones, dentro de la misma provincia.

Consejo de Guerra

En la Comandancia de Marina y Capitanía de este Puerto se ha celebrado en la mañana de hoy, 20, Consejo de Guerra contra el cabo segundo de Infantería de Marina Constantino Carrera y Baquero, por el delito de contestación irrespetuosa a un contramaestre. Presidía el Consejo el capitán de fragata, comandante del *Conde de Venadito,* D. Alejandro Bonzón. Fue juez instructor el alférez de navío D. Víctor Garay, y secretario de la causa, el tercer condestable Ricardo Berro. El fiscal, alférez de navío D. Demetrio López, pidió para el procesado la pena de seis meses de arresto militar, y el defensor, primer médico, D. Juan Navarro, la absolución para el mismo.

Nota oficial

La Prensa local publica hoy, 20, la nota oficial siguiente:
«Día 19.—Guantánamo.—Fuerzas protectoras de las que salieron de Guantánamo a forrajear sostuvieron tiroteo con un grupo enemigo, causándole un muerto. De nuestra parte hubo un herido de tropa.»

Fallecimientos

El mismo día fallecieron en esta ciudad D.ª Francisca Cabrera de Díaz, D.ª Caridad Alverny de Mateos, D. Pedro Alberto y Guevara, D. Antonio Castellanos y D. Laureano Pozo.

Nombramiento y cesantía

Don Cándido Martínez es nombrado oficial cuarto de Hacienda de esta Administración, y D. Alfredo Kindelán y de la Torre es declarado cesante en el cargo de ingeniero segundo de esta Jefatura de Minas.

PRESOS

El día 21 ingresaron en la cárcel de esta ciudad, sujetos a la jurisdicción de Guerra: Gregorio Deroncelé, Estela Dranguet, Faustina Dranguet, Dila Bell, Amelia, Cenobia y Gertrudis Díaz, Nicanora Bell, Julia Debrosse, Nicolasa y Justina Vélez, Antonio Esparon, Inocencia Gilar, Inés Bron, Loreto y Clemencia Laparcada, Paula Bell, Margarita Caron y Rita Gilar.

FALLECIMIENTOS

El mismo día han fallecido en esta ciudad D. Juan Gregorio Benítez Jul, D.ª María Mojena, D. Juan de Mata Masó y Masó y D.ª Clara Duconger.

ASCENSOS

Han sido ascendidos: A general de división, el de brigada don Luis Prats y Bandragen, que pasa de la división de Matanzas a la de Manzanillo, y a auditor de Guerra de primera clase, el de segunda D. José Hernando Alvarez, que presta sus servicios en esta plaza.

DESTINOS MILITARES

Han sido destinados: Al mando de la división de Manzanillo, el general de división D. Pedro Pin y Fernández, y al de la de Matanzas, el de igual categoría D. Emilio March y García.

LAY

En la Habana ha sido puesto en libertad el ciudadano americano D. Luis Lay, detenido a consecuencias del registro practicado por la Policía en la sociedad «El Liceo», de Regla.

FALLECIMIENTOS

Han fallecido en esta ciudad el día 22 D. Florencio Suárez y González, D.ª Manuela Morales y Romero, D. Pedro Martínez Cociano y D.ª Francisca Javiera Rodríguez.

Impresos

(Día 22).—*Informe general del año 1896 al Consejo de Gobierno de la República,* por el coronel Carlos Manuel de Céspedes y Quesada, gobernador civil de Oriente. *Cuba Libre,* imprenta de *El Cubano Libre.* Circuló clandestinamente.

Cablegrama oficial

(Día 22).—«General Segundo Cabo a Ministro Guerra.—General en Jefe, desde Unión de Reyes, dice a V. E. lo siguiente: Distribuidos en provincias Habana y Matanzas 14 batallones, que formaban columna a mis inmediatas órdenes, han efectuado reconocimientos, ayudando fuerzas de ambas divisiones. Día 19 salí de Habana, y visto estado de la provincia, fui replegando batallones para continuar mi avance hacia Matanzas, habiendo llegado hoy a Unión de Reyes. De reconocimientos hechos en mi marcha deduzco no hay en Habana y Matanzas grandes núcleos que batir ni partidas organizadas, quedando solamente grupos pequeños, que se irán acabando rápidamente. Me dirijo hacia Villas con los 14 batallones, regimiento caballería y artillería, marchando en distintas direcciones para dar impulso a operaciones y batir Gómez si avanza. Colocado yo en Villas, puede, sin temor de ninguna especie, fraccionarse en columnas las divisiones de Habana y Matanzas y terminar con los dispersos. Considero estas dos provincias casi pacificadas, tanto que los ingenios que van quedando a mi retaguardia empiezan a moler.—*Ahumada.*»

Fallecimientos

El 23 han fallecido en esta ciudad D.ª Dolores Beltrán y Millán de Rosillo, D. Francisco Cueto Cantero, D.ª Mercedes Duque de Estrada, D. Juan Soler y Andrade, D. Diocleciano Castillo, D.ª Nicomedes Horruitner y D.ª Arcadia González.

Manzanillo

La Prensa publicó lo siguiente:

«El poblado de Palmas Altas ha sido en casi su totalidad pasto de las llamas a las nueve y media aproximadamente de la noche del 17, hora en que los salvajes *libertadores* de Cuba empezaron su *muy humanitaria obra de redención,* por medio de la tea destructora.

El fuerte allí enclavado, que lo guarnecen fuerzas del Batallón Cazadores de Colón, al mando del teniente señor Diñeiro, encuéntrase situado con respecto al poblado de tal manera que no fue posible desde el primer momento hacer fuego sobre los rebeldes, que en número de 50 a 60 hombres saqueaban e incendiaban, por temor a que fueran víctimas de las descargas los mismos vecinos a quienes se trataba de socorrer. Sin embargo, tan pronto como fue hacedero, se rompió un fuego nutrido, que dio por resultado ahuyentarlos, en dispersión completa, pudiéndose así salvar algunas casas y las dos tiendas contra las que demostraban mayor empeño en el ataque. Hicieron varias descargas contra el fuerte, pero con las acertadas disposiciones del teniente comandante del mismo y el valor de las clases e individuos de tropa, que le secundaban con bríos, se les hizo dispersar en grupos, que se dirigieron hacia Cuentas Claras y Cañada Honda, llevando, según versiones, tres muertos y varios heridos.

Se cree que dos vecinos, suegro y yerno, con sus familias, estuvieron en connivencia con el enemigo.

En el fuerte han sido recogidos 157 vecinos, mujeres y niños, que han quedado sin albergue, y a los que aquel destacamento provee de comida y de lo más perentorio.

El día 18 intentaron repetir de nuevo la operación, pero fueron dispersados.

Merece grandes elogios la fuerza destacada en Palmas Altas y su digno teniente.

A las doce del 18 del que cursa observó el centinela del fuerte principal de Calicito que por la parte este se hallaba un grupo insurrecto, cerca de la casa que un tiempo habitó el que es hoy cabecilla insurrecto Bartolomé Masó, y que se dirigían hacia el Batey.

Después de disponer lo conveniente por si el fuerte era atacado, su comandante, el teniente de Infantería Sr. D. Ramón Rodríguez, salió con 20 movilizados, sin ser visto, y casi tocándoles por la retaguardia, les atacó con bríos, dispersándoles completamente, y haciéndoles dos muertos, siendo uno de ellos el titulado teniente Meriño. Llevaban también heridos, a juzgar por los rastros de sangre que fueron hallados.

El destacamento del Guamo se vio sitiado por numerosas fuerzas insurrectas, que se habían posesionado de la orilla del río, y destruyeron la balsa que allí existe para el paso del mismo. Los soldados defendieron el fuerte con inusitada fiereza, pero sus heroicas energías ofrecían fatal desenlace, porque empezaba a escasear el agua y otros elementos de vida.

Afortunadamente, llegó en su socorro una columna, al mando del coronel de la media brigada de esta División, Sr. D. Antonio Tovar, dispersando a los rebeldes y poniéndoles en fuga.

Hemos tenido dos muertos en esta jornada. Las bajas del enemigo se creen numerosas.»

El Guamo

Publicó la Prensa lo siguiente:

«La brigada mandada accidentalmente por el coronel Tovar avanzó por la orilla izquierda del Cauto, batiendo y dispersando al enemigo desde Cayama. Al llegar a Guamo encontró a los rebeldes atrincherados. El poblado había desaparecido, la chalana-pontón había sido volada con dinamita y el fuerte tenía casi destruido el techo, por efecto de los proyectiles.

Los rebeldes fueron desalojados por la artillería de la brigada de dos grandes trincheras que ocupaban en la orilla derecha, y el destacamento, haciendo una pronta salida, las ocupó y destruyó en gran parte.

El fuerte había sido atacado el día 9 del actual por Calixto García desde la orilla derecha y por Rabí desde la izquierda, creyendo que podrían apoderarse de él al primer intento, siendo rechazados con bastantes bajas.

Viendo el enemigo la imposibilidad de conseguir su propósito, puso sitio con trincheras situadas delante de la charca que surtía de agua al destacamento, cuya guarnición ha resistido brillantemente catorce días de ataque, sin quedar agua más que para dos días, y estando decididos a no rendirse tanto el teniente Rico, comandante del fuerte, como la tropa a sus órdenes y tres paisanos acogidos. La guarnición tuvo tres muertos, ocho heridos graves y doce enfermos.»

Presos

El 24 ingresaron en la cárcel de esta ciudad, a disposición de la autoridad militar, Narcisa Talones y Petrona Ramírez.

«Club Anglo-Americano»

Una agradable fiesta se efectuó en la tarde del mismo día en la sociedad «Club Anglo-Americano», de esta ciudad, con numerosa asistencia de damas y caballeros. El Sr. D. Julián Cendoya y de Echeverría deleitó con su voz, acompañado de piano, a la selecta concurrencia.

Fallecimientos

El propio día fallecen en esta ciudad D. Angel Sevilla y Preval, hijo de la misma, sargento del Regimiento Infantería de Cuba; D.ª Altagracia Olivero, D.ª Rosa Desten y Dugner y doña Francisca Alvarez.

Nota oficial

La Prensa local del 25 ha publicado la siguiente:

«Acabamos de saber que en la mañana de hoy la aguerrida columna que manda el incansable coronel Sr. Vara de Rey ha ocupado a los rebeldes, después de dos horas de fuego, desde las cuatro de la mañana a las seis, las formidables trincheras que tenían en los altos de Villalón, Escandell y Ermitaño, coronando todas las lomas circundantes. Esta noche nuestras tropas pernoctarán en aquellas escabrosas posiciones, y de ellas serán las hogueras que hasta ahora venían encendiendo los insurrectos.»

Cerca de un año han tardado los españoles en poder practicar la operación referida, teniendo todas las noches la bilis revuelta al ver fulgurar las hogueras mambisas, y han podido ascender a lo alto de la Sierra del Este aprovechando la circunstancia de estar ausentes las fuerzas cubanas en operaciones de campaña por rumbos distantes.

Presos

En la cárcel de esta ciudad ingresaron el día 25, a disposición de la jurisdicción militar, María de los Angeles Medina, Nicolasa del mismo apellido y Timoteo Rodríguez.

Nota oficial

La Prensa local de hoy, 26, publicó la siguiente, dada por el E. M.:

«Guantánamo.—El general Sandoval regresó ayer a Guantánamo, después de haber obligado a retirarse a las partidas insurrectas que hostilizaban el destacamento de Felicidad (Yateras). El enemigo ha tenido bastantes bajas. Nosotros, un sargento de Simancas, muerto, y dos soldados heridos. También fueron heridos por el enemigo tres paisanos del poblado de Felicidad durante el fuego sostenido por el destacamento del mismo.»

Preso

Ingresó en la cárcel hoy, 26, a disposición de la autoridad militar, Francisco o Fermín Alonso.

Fallecimientos

El mismo día fallecieron en esta ciudad D. Juan Pacheco Mira, D.ª Ascensión Agustini, D. Prudencio Martínez, D. Agustín Odio y Valera y D.ª Claudia Barón.

Gómez Ruberté

En el vapor *Mortera,* llegado hoy, 27, de la capital, ha venido el general de brigada Excmo. Sr. D. Vicente Gómez Ruberté, destinado a mandar la brigada dt las Tunas.

Vara de Rey

(Día 27).—Al mediodía regresa a esta plaza la columna mandada por el coronel D. Joaquín Vara de Rey, después de haber practicado operaciones de campaña. Hizo su entrada por el camino de San Juan, y al pie del fuerte de Canosa la aguardaban la música del Regimiento de Cuba, varios jefes y oficiales, periodistas y otros elementos adictos a España, que la recibieron con grandes vítores y aplausos. Dicha columna, compuesta de los primeros batallones de los regimientos de Cuba y de Asia, con la música mencionada, continuó su marcha hasta el cuartel Reina Mercedes, donde quedaron las fuerzas de Cuba. En el de San Francisco se alojaron las de Asia. La Artillería hará su entrada mañana.

Agüero

El comandante D. Rodrigo Agüero y Mármol ha sido nombrado juez instructor de esta Comandancia General.

Presos

A disposición de la autoridad militar, ingresaron hoy, 27, en la cárcel de esta ciudad, Fernando Méndez Sierra, Manuel Arozarena París, Benito Vinet y Fernando P. Alvarez, procedentes del castillo del Morro. Son los extraviados que se presentaron de la expedición Carrillo-Aguirre, en 1895.

Fallecimientos

Han fallecido hoy, 27, en esta ciudad, D. Hipólito Ortega y Aranda, D. Marcelino Castillo y González, D. José Ramón Soler y Solórzano, D. Rafael Mustelier, D.ª Estefanía Gaínza y Larrea y D.ª Rosario López.

Dos Caminos

(Día 28).—El segundo teniente del primer Batallón de la Constitución, D. Juan Vilches, comandante de armas de Dos Caminos de San Luis, enterado ayer de que una partida enemiga de 25 a 30 hombres intentaba robar ganado de la zona de cultivo, dispuso que la fuerza disponible del poblado saliese al encuentro de aquélla, causándole un muerto identificado, un herido grave, y prisionero, el titulado capitán Tomás Artires, ocupando efectos también.

Arraiz

(Día 28).—El comandante D. Domingo Arraiz de Conderena, ayudante de campo del general Linares, ha sido nombrado censor para la Prensa periódica de esta ciudad.

Preso

El mismo día ingresa en la cárcel de esta ciudad Tomás Artires Veranes, sujeto a la jurisdicción de Guerra.

Fallecimientos

Han fallecido en esta ciudad el propio día D. Luis Do, D.ª Clementina Roig, D.ª Ana María Tamayo y D. Juan Acosta.

ESCUADRAS DE LA PRENSA

En la Habana se ha formado un cuerpo de guerrillas, con la denominación de Escuadras de la Prensa, y el cuadro de oficiales siguiente:

Jefe honorario: D. César Pascual Castañón. Tenientes: Don Vicente Vázquez, corresponsal artístico del *Heraldo de Madrid;* D. Eduardo Núñez Sarmiento, redactor de *El Hogar;* D. Manuel Núñez Sarmiento, D. Miguel Artigues Mult, redactor de *Los Voluntarios;* D. Juan González Montenegro, ex redactor de *La Opinión Pública,* de esta ciudad, y movilizados, D. José Romero Yáñez y D. Antonio Ricoy.

FALLECIMIENTOS

Hoy, 29, han fallecido en esta ciudad D. Pablo Sánchez y D.ª María Reimond y Sandó.

FUSILAMIENTOS

(Día 29).—A las siete de la mañana es pasado por las armas en esta ciudad, junto al muro del Matadero, Manuel Alas Yeras, natural de Oviedo, Asturias, de veinticinco años de edad, condenado en Consejo de Guerra ordinario por el delito de traición, y que había sido puesto en capilla en la Cárcel desde igual hora del día anterior. El infortunado Alas abandonó las filas de la guerrilla en que servía en Yara, y se incorporó al E. L. de Cuba, siendo hecho prisionero cuatro meses después. Las fuerzas de la guarnición y la música del Regimiento de Cuba formaron el cuadro, que fue mandado por el coronel de Artillería D. Wanceslao Farrés. Los hermanos de la Misericordia costearon el ataúd y condujeron a hombros el cadáver hasta el cementerio.

LAY

(Día 29).—Fallecimiento del respetable y culto caballero don Felipe Lay Benaud.

BAYAMO

(Día 29).—Weyler dijo a su Gobierno lo siguiente:

«Teniente coronel Zabalza, con Regimiento Villaviciosa, batió en montes Bayamo (Habana) partidas Castillo, Hernández y Acosta, cogiendo 39 muertos, casi todos de arma blanca; 26 armamentos, 200 caballos con monturas, dos botiquines y una bandera. La columna tuvo siete heridos.»

No se acordó Weyler de que ya la Habana estaba pacificada... según él y por él.

Fallecimientos

El día 31 fallecen en esta ciudad D. Andrés Estrada y Chaves, D.ª Mariana Beltrán, D.ª Teresa Ralos del Toro, viuda de Merino; D. José Coleto Pacheco, D. Pablo Danguillecourt y Beauge, D. Antonio Ganodo Caselle, D.ª Luisa Dominica, doña Caridad Rodríguez, morena, de cien años; D. Manuel Méndez Campos y D. Policarpo Lecusay Ricardo.

Nota oficial

«Día 31 de enero.—La columna de Guerrillas de Palma Soriano, al mando de su comandante, D. José Gavaldá, en reconocimientos practicados ayer por la zona de cafetales, encontró un grupo enemigo, causándole tres muertos. Por nuestra parte, sin novedad.»

Viático

(Día 31).—En la tarde de este día sale de la parroquia del Sagrario, de la Basílica, el viático, con gran concurrencia de personas notables, entre ellas el general Toral y los magistrados y fiscales de la Audiencia, que llevan cirios encendidos. Se dirige a la morada del presidente de dicho Tribunal, D. Juan Francisco Ramos, Heredia Baja, 3, y le es administrado a su señora madre, D.ª Ana Natalia López de Moya, viuda de Ramos.

Guantánamo

El Pabellón, de dicha ciudad, publicó lo siguiente:

«Según la nota que se nos facilita con referencia a la última operación en esta Brigada, el general Sandoval salió el viernes con su columna, y el sábado 23 desalojó enemigo que, parapetado en formidables posiciones, ocupaba las lomas Diamante, Boquerón y Monte Alto.

A los primeros intentos los insurrectos tomaron las de Villadiego, no sin dejar numerosas bajas, que aumentaron los certeros disparos de la artillería, de la cual ordenó hacer uso el general para mejor alcanzarles en la huida. Cuatro de esos disparos fueron a desmembrar la caballería enemiga, o sea el núcleo de la fuerza *libertadora.*

En estos primeros avances, loma arriba, se distinguieron simultáneamente la primera compañía de las Escuadras y la de Simancas, que mandan, respectivamente, nuestros queridos amigos los señores D. Segundo Garrido y D. Enrique Salcedo.

Al llegar a Felicidad, todo el vecindario de esta poblado salió a recibir a la columna, muy especialmente al general Sandoval y su escolta, agradeciéndole el inmenso servicio que les hacía de libertarlo del constante y cobarde asedio en que le tenía el enemigo, el cual, después de celebrar la llegada del general y sus fuerzas con nutridas descargas, puso pies en polvorosa, al ver que nuestros soldados les contestaban, buscándole el bulto en sus guaridas, hasta ahuyentarlos de ellas.

También al regresar la columna de Felicidad al Palmar fue hostilizada por nuestra parte.

El total de las bajas en esta operación, después de limpiar toda esa intrincada zona de lomas tributarias de la Piedra, guarida de los *libertadores,* ha sido un sargento muerto y dos soldados heridos.»

Tren volado

(Día 31).—Un tren de pasajeros de la línea de Pinar del Río, que se dirigía a la Habana, entre Mangas y Candelaria, fue volado con dinamita. Murieron el maquinista y el fogonero, y quedaron heridos el médico de Ingenieros González y 15 soldados. En San Cristóbal se encontró otra bomba sin explotar, de 18 centímetros de diámetro y 27 de circunferencia.

Se han empeñado los rebeldes en desmentir a Weyler en eso de la pacificación.

La contrainvasión de Weyler

(Día 31).—El General Segundo Cabo transmite al Ministro de la Guerra el despacho siguiente:

«General en Jefe desde Cruces dice a V. E.: El 29 llegué a Cruces con las columnas que llevo a mis inmediatas órdenes. La central lleva conmigo el itinerario mismo por el que se hizo la invasión el año pasado, convenciéndome que hasta línea Sagua-

Cienfuegos hay muy poco que hacer en provincia Santa Clara. Organizaré fuerzas propias de la provincia y seguiré avanzando en busca de Gómez u otros cabecillas que parecen estar alrededor Spíritus, ríos Tuinicú, Zaza, Jatibonico.—*Ahumada.*»

Los enemigos de Weyler en España —y aquí también— dijeron que no era posible que encontrase rebeldes, porque saliendo a campaña con 20.000 hombres no eran las partidas tan tontas para salirles al encuentro.

FEBRERO 1897

Linares

(Día 1).—En la madrugada de hoy ha salido a operaciones el general Linares, acompañado de sus ayudantes y del comandante de E. M. Sr. Ramos.

Gutiérrez

Por haber salido a operaciones de campaña el comandante don Domingo Arraiz de Conderena, ayudante del general Linares y censor de la Prensa, es designado para el desempeño de este último cometido el comandante de E. M. D. Gonzalo Gutiérrez Renán.

Canje de billetes

El canje del billete por plata se lleva a cabo en esta capital por la sucursal del Banco Español. Causa general disgusto la forma en que dicho canje se verifica, sin el debido orden y sin equidad, guardando preferencias, que resultan injustas e irritantes.

No se canjea a cada persona más de 25 pesos, y las horas destinadas para ello son de ocho a once a. m. El público forma fila en la calle de la Marina, desde la esquina de San Juan Nepomuceno hasta el Mercado de Concha. El orden lo mantienen varias parejas montadas de la Guardia Civil, mandadas por un oficial, y otras de vigilantes gubernativos, a pie.

Los tenedores de billetes entregan a sus dependientes, agentes y otras personas que así quieren ver si pueden ganarse la vida 25 pesos billetes, para que éstos, si logran canjearlos, les devuelvan 20 pesos plata. La «benemérita» aplanea al público si se atreve a protestar, y se asegura que el oficial, que es siempre el mismo, prefiere a determinadas personas, que logran canjear siempre... a cambio de su «comisión».

Fallecimientos

El día 1 han fallecido en esta ciudad D. Manuel Grillé, don Santiago Bravo, D.ª Dolores Gallardo y Curilla, D. Alejandro Zamora Bravo y D. Desiderio Petitón y Candiot.

La duquesa de Montpensier

Se recibe la noticia de haber fallecido en Sevilla la serenísima Sra. D.ª María Luisa Fernanda de Borbón, infanta de España y duquesa de Montpensier, tía segunda del rey D. Alfonso XIII.

Nombramiento

Don José Rodríguez Filgueira es nombrado sota-alcaide de la cárcel.

Fallecimientos

(Día 2).—En esta ciudad han ocurrido los siguientes: Doña Librada Muñoz y del Monte, viuda de Viyares; D.ª Rafaela Planos y de Moya de Ferrer y D. Francisco Remírez de Estenoz y Moreno, procurador público.

Presos

El día 3 ingresaron en la cárcel de esta ciudad, a disposición de la jurisdicción militar, Hermenegildo y Elvira Vaillant, Irene Robert, Emilia Guibert y Evaristo Alvarez.

Luz eléctrica

Don Pablo Boulanger solicita autorización para la colocación de postes en varias calles y alumbrarlas con luz eléctrica.

Pozo de Santa Lucía

Se abre de nuevo el antiguo pozo de Santa Lucía, pero aunque el agua es abundante, su sabor salobre impide beberla.

Fallecimientos

(Día 3).—Mueren la Srta. D.ª Elvira Robert y Pérez, D. Juan Peraza y Bosque, D. Nicolás Villalón, moreno, de ciento veinticinco años; D.ª Carmen Noallas y D.ª Beatriz González Ortiz.

Notas oficiales

La Prensa local del 4 trae las notas siguientes:

«El capitán Pulido, del Batallón Asia, al regresar a Firmeza después de pasar revista en Concordia, sostuvo fuego con fuerzas enemigas, las que dejaron un muerto en el campo, teniendo nosotros dos heridos.»

«Fuerzas del Batallón de Córdoba y de la Guerrilla local de Sagua de Tánamo tomaron en la madrugada del 23 del mes último un campamento en Dolorita, apoderándose de cuatro caballos, un mulo, 20 quintales de café y otros efectos.

Perseguido y alcanzado, el enemigo fue dispersado después de hora y media de fuego, haciéndole bastantes bajas. Seguidos el rastro y abundantes huellas de sangre, fue alcanzado nuevamente, sosteniendo reñido combate en los farallones Angelitos, loma del Coco y paso Río Castro, teniendo la columna un sargento muerto y 21 heridos, regresando la fuerza a Sagua la tarde del 24.»

«En la noche del 25 salió una columna de 250 hombres de Córdoba y Voluntarios, en combinación con el cañonero *Pinzón,* para batir al enemigo hasta Barrederas.

En Cuchillas de Ruto fueron tomadas las posiciones que ocupaba el enemigo, el que fue encontrado de nuevo en Cuchillas de Tánamo y cañoneado por el *Pinzón,* declarándose en precipitada fuga, abandonando dos muertos al ver el alcance de la columna. Esta tuvo un muerto y dos heridos. Continuada la persecución, llegó la fuerza a Barrederas, habiendo hecho en la marcha el cañonero algunos disparos con su artillería, que impidieron la reunión de los dispersos.

En Barrederas practicó la columna un reconocimiento, coadyuvando la sección de desembarco del buque, dando por resultado que el enemigo se diseminara en multitud de direcciones, internándose en el monte, embarcando la columna en el *Pinzón* y regresando a la Playa por el Esterón.

Por confidencias se sabe que el enemigo tuvo más de 60 bajas entre muertos y heridos.»

«La columna del general Linares, en reconocimiento por Montompolo, Abundancia y San Andrés, causó al enemigo un muerto, que recogió con armamento y caballo.»

Presos

El mismo día 4 ingresan en la cárcel de esta ciudad Fermín Miranda y Luciano Bauque, a disposición de la autoridad militar.

Fallecimientos

Fallecieron en dicho día D.ª Caridad Crombet y Viamonte, D.ª Susana Vaillant y D. José Torres y Sánchez.

La viuda de Ramos

El día 5 falleció la Sra. D.ª Ana Natalia López de Moya y Calderón, viuda de Ramos, madre del Ilmo. Sr. D. Juan Francisco Ramos, presidente de la Excelentísima Audiencia Territorial, a la avanzada edad de ochenta y seis años. Su cadáver fue embalsamado por los doctores Guimerá y Ros, a presencia del subdelegado de Medicina Dr. Cros, y tendido en suntuosa capilla ardiente, en el aposento principal de su morada, Heredia Baja, 3. Al siguiente día, por la tarde, se efectuó el sepelio, después de los oficios, efectuados en la parroquia del Sagrario. Asistió selecta y numerosa concurrencia, presidiendo el duelo las autoridades todas y concurriendo la música de Cuba.

Fallecimientos

También fallecieron el día 5 D. Francisco Beltrán, D.ª Inés Hechavarría y Jiménez, la agraciada Srta. D.ª Teresa Abreu y Cisneros, D. Ignacio Gui Montes y D. Maximiliano Mena.

Destinos militares

El comandante de Infantería D. Isidoro Santos Castro es destinado al Cuadro de Eventualidades de esta plaza.

Contrabando de guerra

La Guardia Civil de vigilancia en la estación del ferrocarril descubre y se incauta en la noche del 5 de seis sacos y dos cajas, que encontraron cerca del edificio que ocupa el taller de reparaciones. Practicado un registro, vieron que contenían ropas, calzado, telas y muchas medicinas, destinadas a los insurrectos. También contenían correspondencia y tres sellos gomígrafos.

Se verifican prisiones de empleados del ferrocarril, a quienes se cree complicados, y se nombra un juez militar para la depuración de los hechos.

Orden general

«EJERCITO DE OPERACIONES DE CUBA

Estado Mayor General

Orden General del Ejército del día 5 de febrero de 1897, en el Cuartel General de Santa Clara: En vista del estado de la guerra en las distintas provincias de esta Isla, he dispuesto que el Ejército de mi mando quede organizado en la forma siguiente:

Tropas a mis inmediatas órdenes:

PRIMERA BRIGADA

Primera Media Brigada

Batallones Rey y Mallorca.

Segunda Media Brigada

Batallones Zamora y Mérida.

Cuarta Batería del Regimiento de Montaña.

SEGUNDA BRIGRADA

Primera Media Brigada

Batallones Extremadura y Princesa.

Segunda Media Brigada

Batallones América y Albuera.

Tercera Batería del Quinto Regimiento de Montaña.

TERCERA BRIGADA

Primera Media Brigada

Batallones Tarifa y Pavía.

Segunda Media Brigada

Batallones Barcelona y Garellano.

Tercera Batería del Quinto Regimiento de Montaña.

CUARTA BRIGADA

Primera Media Brigada

Batallones Llerena y Guipúzcoa.

Segunda Media Brigada

Batallones Covadonga y Saboya.

Tercera Media Brigada

Batallones Navas y Navarra.

Primera Sección Sexta Batería Quinto Regimiento de Montaña.

Medias Brigadas sueltas

Batallones Puerto Rico y Arapiles.

Una Sección Primera Batería del Cuarto Regimiento de Montaña.

Regimiento de Caballería de la Reina.

Regimiento de Caballería del Príncipe.

Ecuadrones Montesa, Pavía y Sagunto del Regimiento de Sagunto.

CUERPO DE EJERCITO DE OCCIDENTE

Primera División

Occidente de Pinar del Río.

Escuadrón de Almansa.

Primera Brigada

Batallones Primero de Cuba, San Marcial, Valladolid y San Quintín número 47.

Segunda Sección, Primera Batería del Quinto Regimiento de Montaña.

Guerrillas y Voluntarios movilizados de la localidad.

Segunda División del norte y este de Pinar del Río.

Primera Brigada

Mariel.

Primera Media Brigada

Batallones Vergara y Gerona.

Segunda Media Brigada

Batallones Canarias y Baleares.

Un Escuadrón del Regimiento de Voluntarios de Caballería Iberia.

Primera Sección Quinta Batería del Quinto Regimiento de Montaña.

Guerrillas y Voluntarios movilizados de la localidad.

Segunda Brigada

Línea Mariel.

Batallones Segundo Isabel la Católica.

Compañías expedicionarias Baleares, Luchana, Galicia.

Batallones Luchana, Otumba, un Escuadrón del Regimiento de Voluntarios Caballería Iberia, Segunda Sección Quinta Batería del Quinto Regimiento de Montaña.

Guerrillas y Voluntarios movilizados de la localidad.

Voluntarios y Bomberos de la Habana. Movilizados de Colón.

Tercera Brigada

Sur de Pinar del Río.

Batallones Toledo, Asturias y Regimiento Caballería Alfonso XII. Un Escuadrón del Regimiento Voluntarios de Caballería Iberia.

Brigada del Centro (Pinar del Río)

Batallones Castilla, Reina, Infante, Aragón, Segunda Sección Sexta Batería del Quinto Regimiento de Montaña, Guerrilla y Voluntarios movilizados de la localidad.

PROVINCIA DE LA HABANA

Brigada de Infantería

Batallones San Quintín número 7, Provisional de Baleares, Provisional de Canarias, Lealtad, Barbastro, Guadalajara y Almansa.

España, disponible a mis órdenes.

Primera Batería de la Brigada mixta de Artillería.

Guerrilla y Voluntarios movilizados de la localidad.

Brigada de Caballería.

Regimientos Borbón, Pizarro y Villaviciosa.

PROVINCIA DE MATANZAS

Brigada de Infantería

Segundo y Tercero María Cristina, Bailén número 1, Antequera y Cuenca.

Primero del Primer Regimiento Infantería de Marina.

Voluntarios movilizados de la Habaan y de Matanzas.

Sección Montada de la Brigada mixta.

Guerrillas y Voluntarios movilizados de la localidad.

División Villas

Cuarta Batería del Quinto Regimiento de Montaña.

Primera Brigada (Sagua)

Batallones Zaragoza, Luzón y Galicia.

Guerrillas y Voluntarios movilizados de la localidad.

Segunda Brigada (Santa Clara)

Batallones Tercero de Alfonso XIII, Soria, Cataluña, Alava y Vizcaya.

Guerrillas y escuadrones movilizados de la jurisdicción.

Tercera Brigada (Cienfuegos)

Batallones Burgos, Bailén, Movilizados y Gallegos, Guerrillas y escuadrones movilizados de la jurisdicción.

División Spíritus-Remedios

Primera Brigada (Spíritus):

Batallones Granada, León, Tetuán y Chiclana, Escuadrón de Hernán Cortés, Segunda Sección Quinta Batería del Cuarto Regimiento Montaña.

Guerrillas y Voluntarios movilizados de la localidad.

Segunda Brigada (Remedios):

Batallones Murcia, Isabel II, Borbón, Regimiento Caballería movilizados de Camajuaní, Primera Sección Quinta Batería del Cuarto Regimiento de Montaña, Guerrillas y escuadrones movilizados de la jurisdicción.

División Trocha

Batallones Primero y Segundo de Alfonso XIII, Provisional de Puerto Rico número 1, Reus y Sevilla.

Escuadrón de Hernán Cortés.

Ingenieros.

Segunda Batería del Cuarto Regimiento de Montaña.

Guerrillas y Voluntarios movilizados de la localidad.

Las Divisiones de Puerto Príncipe, Manzanillo, Bayamo, Holguín y Cuba seguirán en la misma forma que actualmente se encuentran, hasta que muy en breve dicte las órdenes para su organización.—*Weyler.*—De orden de S. E. se publica en la general de este día para conocimiento y cumplimiento.

El coronel de E. M. G. interino, *Ricardo González.*»

Adición a la anterior

EJERCITO DE OPERACIONES DE CUBA

Adición a la Orden General del día 5 de febrero de 1897, en el Cuartel General de Santa Clara

He tenido por conveniente disponer que los generales y coroneles que se citan tomen el mando de las fuerzas siguientes:

Tropas a mis inmediatas órdenes

Primera Brigada: General D. Enrique Segura.

Primera Media Brigada: Coronel D. Juan Francisco (interino).

Segunda Media Brigada (vacante).

Tercera Brigada: Excmo. Sr. General D. Federico Alonso Gasco.

Primera Media Brigada: Coronel de Artillería D. Enrique Hore (interino).

Segunda Media Brigada: Coronel D. Manuel Albergotti.

Tercera Brigada: General D. Calixto Ruiz.

Primera Media Brigada: Coronel D. Antero Rubín (interino).

Segunda Media Brigada: Coronel D. Leopoldo Béjar.

Cuarta Brigada (vacante).

Primera Media Brigada: Coronel del Regimiento de Saboya D. Fernando Serrano.

Segunda Media Brigada (vacante).

Media Brigada suelta: Coronel D. Guillermo Pintos.

División Norte y Este de Pinar del Río

Primera Brigada: Excmo. Sr. General D. Julián Suárez Inclán.

Primera Media Brigada: Coronel del Regimiento de Gerona D. Ramón Pérez Ballesteros.

Segunda Media Brigada: Coronel D. Antonio Torrecilla Pujol.

Segunda Brigada.

Primera Media Brigada: Coronel del Regimiento Isabel la Católica D. Federico Escario.

Segunda Media Brigada: Coronel del Regimiento Luchana don Enrique Boy.

División Spíritus (Remedios)

Excmo. Sr. General de división D. Agustín Luque.

División Trocha de Júcaro a Morón

Excelentísimo señor General de división don Juan Arolas.—*Weyler.*

De orden de S. E. se publica como adición a la general de este día para conocimiento y cumplimiento.—El Coronel Jefe de E. M. G. interino, *Ricardo González.*»

Detenciones

El jefe principal de Policía, D. José Trujillo Monagas. detiene en la noche del 6 a un individuo que llegó procedente de la Habana y se alojó con nombre supuesto en la fonda «Las Cuatro

Naciones», cuyo nombre verdadero es el de Bartolomé Socorro Rodríguez, y que había figurado en una partida insurrecta.

También detiene al dueño de la fonda, D. José Sánchez, por haber identificado al insurrecto en un pase que solicitó para ir al poblado de San Luis.

Otra orden general

«Orden General del Ejército del día 6 de febrero de 1897, en el Cuartel General de Santa Clara

Artículo 1.° Queda nombrado y se reconocerá como Comandante en Jefe del Cuerpo de Ejército de Occidente al Excmo. señor Teniente General D. Francisco Javier Girón y Aragón, Marqués de Ahumada, que conservará los Ayudantes de Campo y Ordenes que tenía como Comandante en Jefe del antiguo Tercer Cuerpo de Ejército.

Art. 2.° El Cuerpo de Ejército de Occidente lo compondrán, según dispuse en Orden General del 5 del actual, la División de Occidente de Pinar del Río, la División del Norte y Este y la Brigada del centro de dicha provincia, las brigadas de Infantería y Caballería de la provincia de la Habana y la brigada de la provincia de Matanzas.

Art. 3.° La División de las Villas, la de Sancti Spíritus y la de la Trocha dependerán directamente de mi autoridad.—*Weyler.*»

Presos

El día 7 ingresan en la cárcel sujetos a la jurisdicción de Guerra: José Hernández, Antonio Cabezas, Bartolomé Socarrás, Bernardino López, José Núñez, Juan Sulari, Rafael Martínez, padre e hijo; Enrique Sulari, Manuel Alvarez, Arturo Ferrer Anglada, Emilio Martínez, Ricardo Castillo, Juan Magdariaga, José Cardona Pullés, José Delisle, Antonio Rodríguez Bell y la Srta. doña Mariana Flamand y Pelleja, hija de una distinguida familia de esta ciudad.

Fallecimientos

El mismo día 7 fallecieron D.ª Trinidad Casulo de Villarreal, D. Benito Olivero García, D. Marcelino Lugo, moreno, de ciento diez años; D. Luis Vallejo Figuera, D.ª Lucía Bucarely Rodríguez, D. José Calzado y Planos y D.ª Visitación Borrero.

«San Ildefonso»

La sociedad de instrucción «San Ildefonso», propietaria del colegio de este nombre, eligió el 7 la siguiente directiva:

Presidente: D. José López del Castillo y Colás. Vicepresidente: D. Julián Parreño. Primer vocal: Dr. D. Manuel Salazar y Villalón. Segundo vocal: D. Germán Michaelsen. Tercer vocal: Don Leopoldo Crespo. Cuarto vocal: D. Antonio Desquirón y Touyac. Secretario: D. José Martínez Badell. Vicesecretario: D. Enrique Pérez Cisneros.

Asalto

La Policía asalta en la noche del 8 la casa número 41 de la calle Baja del Calvario, por tener noticias de que se reunían allí varios individuos, que resultaron ser jugadores al prohibido, a quienes se castigó con multas.

Fallecimientos

El mismo día fallecieron D. Vicente Fernández Mirall, D. Carlos Blanco, D.ª Damiana López y León, D. José María Gutiérrez y D.ª Petronila Muguercia.

Fallecimientos

El día 9 han fallecido D. Felipe Cabrejas y García, D.ª Julia Dorzón y Moya, D.ª Francisca Pagán y Rabich, D.ª Rita Igarza y D.ª Tomasa Castillo.

Presos

El propio día ingresan en la cárcel, a disposición de la jurisdicción de Guerra, Manuel Malleta, Antonia Bell, Manuel Serrano, Celestino Causse y Agustina Lamanier.

El fluoróscopo

Se exhibe en esta ciudad un aparato denominado «fluoróscopo», que permite ver al través de los cuerpos opacos.

Echagüe y Cirujeda

(Día 10).—La Reina Regente firma los RR. DD. por los que son ascendidos a general de división el de brigada D. Ramón Echagüe y Méndez-Vigo, y a coronel, el teniente coronel don Francisco Cirujeda y Cirujeda.

Parada

La guerrilla local tiene fuego el 10 en los potreros de Parada con un grupo de 10 ó 12 insurrectos.

«La Patria»

El diario local *La Patria* es secuestrado por haber publicado en su edición del 8 un artículo intitulado «Lo del alcalde», en el que se combate la gestión del alcalde en comisión D. Pascual Gómez y Fuentes.

Preso

El 10 ingresó en la cárcel Juan Hernández, sujeto a la autoridad militar.

Fallecimientos

El mismo día 10 han fallecido en esta población D. Agustín Rousseau, D.ª Ramona Fuentes y Urdaneta y el moreno D. José Soto, de noventa y seis años.

Presentados

Se han presentado, procedentes del campo insurrecto, Antonio García Cruz, Ramón García Pullés, Francisco Soler, Víctor Ibáñez López, Carlos Ibáñez López, Guillermo Prin, Antonio Martínez e Ignacio Quintero.

López Oliva

El 11 toma posesión D. Antonio López Oliva del cargo de teniente fiscal de S. M. en esta Excelentísima Audiencia Territorial.

PRESOS

El mismo día ingresaron en la cárcel Juan Cardona Pullés y José Delisle, a disposición de la autoridad militar.

NOTA OFICIAL

Publicó la Prensa local del 11 lo siguiente: «Fuerzas de la Segunda Compañía del Primer Batallón de Voluntarios, destacadas en San Miguel de Parada, practicando reconocimiento por Hatillo, encontró un grupo enemigo, con el que cruzó algunos disparos, cargando inmediatamente la sección montada, quedando con dos muertos enemigos, un caballo muerto con montura y otros 12 vivos, con aparejos.»

VILÁ Y GRIMANY

Los jóvenes D. Mariano Vilá y Mestre y D. José Grimany Durruty obtienen el grado de licenciados en Derecho y en Ciencias Naturales, respectivamente.

FALLECIMIENTOS

El propio día 11 fallecieron en esta ciudad D. Juan Antonio Felipe Arcoy y D. Manuel Portuando.

CABLEGRAMA OFICIAL

(Día 11).—El General Segundo Cabo dice al Ministro de la Guerra, por orden del General en Jefe, lo siguiente:

«He avanzado con columnas en dirección carretera de Placetas a Spíritus por tres caminos distintos; con una de ellas he llegado a Placetas; las otras dos deben de llegar a Calabazar y Cabaiguán. Destruidos recursos toda la extensión de la zona por la que vino enemigo, por Palo Malo, Frajana y Santa Clarita. He sostenido tiroteos con grupos que huían de la vanguardia. Noticias son que partidas marchan en Dirección a Oriente.—*Ahumada.*»

PRESOS

Juan Magdariaga y Antonio Rodríguez Bell ingresan el 12 en la cárcel, sujetos a la jurisdicción de Guerra.

En libertad

Son puestos en libertad el mismo día D. José Sánchez Muñoz, D. José Carrera, D. Luis Mañé, D. Francisco Berenguer y D.ª Brígida Santa Rosa.

Fallecimientos

El propio día 12 fallecieron D.ª Eufemia León y Brito, D. Manuel Liñeiro y D.ª Clara Colás.

Morote

(Día 13).—El periodista español D. Luis Morote, corresponsal de *El Liberal,* de Madrid, salió de Sancti Spíritus, con un pase expedido por el general Luque, pretextando visitar dos de los fuertes exteriores de dicha villa, siendo su verdadero propósito el de visitar el campamento del general Máximo Gómez. A legua y media de la misma fue detenido por fuerzas del E. L. y llevado a un bohío en la manigua, donde nada encontró de comer y en donde tuvo que pernoctar. Al siguiente día 14 fue conducido al campamento de «Maniquita Capiro», de las fuerzas del brigadier Ruperto Pina, y desde allí envió correspondencia al Lic. D. Marcos García Castro, alcalde municipal de Sancti Spíritus, quien a su vez le contestó remitiéndole cartas de recomendación para el presidente Salvador Cisneros y otros prohombres del campo revolucionario; en ellas se interesaba por la libertad de Morote, se hablaba de reformas políticas para Cuba y se añadía que éste se hallaba dispuesto a visitar al general Máximo Gómez.

Mientras esto ocurría, Morote, unas veces por su propia voluntad y otras instado para ello, dio lectura a los números de su periódico que, indudablemente, llevaba a prevención, especialmente de la edición extraordinaria que trataba de reformas políticas para esta Isla, aunque el brigadier Ruperto Pina manifestaba que ellos no querían más que la independencia. A la una de la tarde de ese día 14 salió para el campamento del general Gómez, escoltado por un alférez y dos números. Después de andar 14 leguas, el 14 comieron por la tarde en el ingenio «Tuinicú», y luego acamparon en la orilla del río Zaza. En esta marcha hubieron de encontrar a las fuerzas del general Francisco Carrillo, que iban de Sancti Spíritus a Remedios, entre las cuales distribuyó Morote muchos ejemplares del número extraordinario de su periódico, y las que le hicieron saber que el general Gómez estaba en «Barracones». Conducido a este campamento, el general Gómez le recibió desabridamente, y al oírle hablar de reformas, le declaró prisionero de guerra. Mas luego le dijo que firmara una declaración reconociendo la independencia de Cuba, o si no sería fusilado, a lo que se negó Morote, sublevando la cólera del general Gómez.

En el acto fue entregado al teniente coronel Bernabé Boza, con orden de mantenerlo preso e incomunicado, como así se hizo, después de ser registrado y de habérsele ocupado la colección de *El Liberal,* otros papeles, la hamaca y el impermeable. A las ocho de la noche se le tomó declaración, y después compareció ante el Consejo de Guerra, compuesto por el general Domingo Méndez Capote, presidente; brigadieres Vicente Pujals y Puente y Eugenio Sánchez Agramonte y tenientes coroneles Enrique Villuendas y Joaquín A. Canellas, vocales. El fiscal, coronel José B. Alemán, solicitó para Morote la pena de muerte. Su defensor fue el coronel americano Charles Gordon.

Al otro día 15 el tribunal dictó fallo absolutorio. Fue puesto en libertad, no sin prevenirle el general Gómez que si volvía sería ahorcado. Y con una carta cerrada de este general, que le prohibió abrirla antes de ponerse en camino, se puso en marcha, con escolta de un teniente, un sargento y cuatro números, que lo condujeron a las líneas españolas. El contenido de la carta se reducía a expresarle a Morote el sentimiento de que el Consejo de Guerra no lo hubiera condenado a la última pena, y que la muerte de su hijo (del general Gómez) era un suceso que pedía sangre y que no quedaría sin venganza.

Los billetes

BANDO

«Don Valeriano Weyler y Nicolau, Marqués de Tenerife, Gobernador General, Capitán General y General en Jefe del Ejército de esta Isla,

ORDENO Y MANDO:

Artículo 1.° Queda completamente prohibida la especulación en el cambio de billetes del Banco por metálico, o viceversa, en las casas dedicadas en la actualidad a esta clase de industria.

Art. 2.° Dichas casas fijarán un cartel en su puerta con los colores nacionales en que conste el número con que se hallan inscritas en la matrícula de subsidio y el tipo del cambio de oro y plata, expresando la prohibición de cotizar el billete. Estarán además obligadas a llevar en forma comercial el «Diario» de sus operaciones, requisitado con arreglo a la vigente ley del Timbre.

Art. 3.° Todos los establecimientos de compra y venta de efectos e industriales, de cualquier género, estarán obligados a tomar los billetes por todo su valor y a cambiarlos en billetes menores, con la única condición de que para los de cinco pesos habrá de hacerse un gasto, por lo menos, de un peso, o admitirse un descuento de uno por ciento, mientras haya carencia de billetes fraccionarios.

Art. 4.° Queda asimismo prohibida en toda la isla de Cuba la reventa de billetes de la Lotería del Estado. Las Colecturías oficiales de la Renta, únicas encargadas por la Instrucción del Ramo de la expendición de los billetes, podrán nombrar, bajo su responsabilidad, billeteros ambulantes, debidamente autorizados al efecto, los cuales estarán en el deber de llevar ostensiblemente el número de la Colecturía a que pertenecen, así como el de exhibir, a solicitud del público, su respectivo nombramiento.

Art. 5.° En ningún caso podrá exigirse al público, por el billetero delegado, mayor premio sobre el precio del billete que el de un diez por ciento, en concepto de retribución por el servicio a que se dedican, considerado por el Estado como fomento de la Renta.

Art. 6.° Los contraventores de este bando serán considerados como auxiliares de la rebelión y juzgados en su consecuencia por los tribunales militares.

Cuartel General de Placetas, 13 de febrero de 1897.—*Valeriano Weyler.*»

PRESOS

El día 14 ingresaron en la cárcel, sujetos a la jurisdicción militar, Prisciliano Espinosa Julivert, Pedro Ruiz, Antonio Rodríguez, Florentino Martínez y José Mestre.

FALLECIMIENTOS

Hoy, 14, han ocurrido los siguientes: D.ª Paula Jordán y González, D.ª Genoveva Asencio, D.ª Jacoba Suárez, D. José Zacarías Ramírez, D. Pedro Jacas y Jacas, D.ª Juana Hechavarría e Isaac,

D. Victoriano Gallardo Nápoles y la Srta. D.ª Bartolomea Carvajal y Mustelier.

Linares

En tren extraordinario regresa el día 15 el general Linares. Al frente de sus tropas estuvo operando durante varios días, sosteniendo diarias escaramuzas con partidas insurrectas.

Los franceses

Muchos franceses, que han perdido sus fortunas en la actual rebelión, y que se encuentran sin recursos, se reunieron en el Consulado de su nación, acordando pedir a su Gobierno 80.000 pesos para atender a las necesidades de la vida, con la garantía de sus intereses.

El «Manuela»

El vapor *Manuela* fondea en puerto el día 15. Sus tripulantes manifiestan que el buque fue tiroteado en la entrada de Baracoa, desde el monte, por una partida insurrecta.

Mendaro

Es nombrado juez municipal en comisión del Distrito Norte de esta ciudad el Lic. D. Ernesto Mendaro y del Alcázar.

Fallecimientos

El día 15 fallecieron en esta ciudad D. Andrés Portuondo y Anaya, D. Benito Tasis, D. Rafael Frómeta y Rodríguez y doña Concepción Ferrer.

Las reformas antillanas

(Día 15).—A la una de la tarde, y bajo la presidencia del excelentísimo Sr. D. Antonio María Fabié, que también fue el ponente, se reunió el Consejo de Estado en pleno, integrado por los señores consejeros Marqués de los Ulagares, Guerola, Conde de Pallarés, Conde de la Romera, Marqués de Perijaa, Rodríguez, Hernández Iglesias, Conde de Casa Miranda, García Gómez de la

Serna, Nido, Duque de Vistahermosa, Vizconde de Campo Grande, Alcántara, Dámila, Dacarrete, Valverde, Martínez Riaño y Conde de Vilana. Con breves observaciones de los Sres. Dacarrete y Gómez de la Serna quedó aprobado por unanimidad el proyecto de reformas para Cuba y Puerto Rico.

WEYLER

(Día 16).—Llega a Sancti Spíritus el general Weyler con sus numerosas fuerzas.

FALLECIMIENTOS

Fallecieron el 16 D.ª Antonia Portuondo y Palacios, D. Casiano Bandera y Carrión, D.ª Isabel Blanco Méndez y D.ª Rita Fuentes y La Rosa.

NOTA OFICIAL

Los diarios locales publican la nota siguiente, facilitada por el E. M. de la plaza:

«Santiago de Cuba.—Día 16.—El general Linares, con fuerzas de la Primera Brigada, dividida en dos, y tres columnas, reconoció los días 12, 13, 14 y 15 Banabacoa, Seiba, Curía, Majaguabos, Isabelita, Santa Isabel, Adelaida, El Mogote, Monte Dos Leguas, Palmarito, Troncones, Boca de Auras, Cauto-Abajo, El Zarzal, Maibío, Los Dolores y Cauto-Baire, sosteniendo varias escaramuzas con partidas enemigas, a las que se causaron cinco muertos vistos, dos de ellos con armas y municiones. Fueron destruidas viviendas y recursos de subsitencia del enemigo, cogiéndole además un convoy de siete mulos y cinco caballos, todos cargados. De nuestra parte, un herido grave, soldado de Cuba.»

PRESOS

El mismo día ingresaron en la cárcel Enrique Balmas y Rafael Alvarez, a disposición de la jurisdicción de Guerra.

PRESO

El 17 ingresa en la cárcel José Granda Pérez, a disposición de la autoridad militar.

Fallecimientos

El mismo día fallecen D.ª Jacinta Río, D. Maximiliano Sierra y Medero y D.ª Ana María Mustelier y González.

El dentista Ruiz

(Día 17).—En la cárcel de Guanabacoa, donde se hallaba incomunicado como cómplice del asalto al tren efectuado en la noche del 16 de enero último —según el Gobierno—, fallece misteriosamente, de *congestión cerbral,* el Dr. D. Bernardo Ruiz, cirujano dentista y ciudadano americano.

Fallecimientos

El 18 fallecieron la señorita D.ª Ana María Espinal y Bestard, D. Andrés Pérez Lozano D.ª Benita Alvarez y D. Alejandro Guillén.

Nota oficial

La prensa local de hoy 19 publica la nota siguiente, dada por el Gobierno Militar de esta plaza:

«El tren de Songo después de dejar ayer 18 los viajeros en el pueblo y continuando con el carro blindado, la escolta y tanque de agua para el destacamento de la Maya, fue descarrilado y tiroteado por un grupo enemigo. La escolta rechazó la agresión causando un muerto, resultando por nuestra parte herido el maquinista D. Julián Rivery. Una fracción de la columna de Songo que se hallaba en reconocimiento por aquella parte, acudió al lugar del suceso encarrilando nuevamente el tren que llegó aquí de regreso sin otra novedad.»

«Veinte voluntarios de la sección de San Luis en reconocimiento por las inmediaciones de la zona de cultivo encontraron y trabaron combate con una partida enemiga causándole dos muertos, teniendo por nuestra parte un voluntario también muerto.»

Fallecimiento

El mismo día 19 falleció D. Juan de Santiago Fernández.

Nota oficial

La prensa de la localidad correspondiente al día 20 inserta la nota oficial siguiente:

«Día 19.—Fuerzas de la zona de Cuba batieron una partida enemiga en Puerto Pelado causándole dos muertos que recogieron, uno con arma blanca y otro de fuego.—Fuerzas de la Brigada de San Luis dispersó partida enemiga, ocupando una tercerola que dejó en la huida.»

Presos

El mismo día 20 ingresaron en la cárcel, a disposición de la autoridad militar: Francisco Peña, Adolfo Castro, Flores Moreno, Josefa, Juan, María, Bartolomé y Manuel Ferrera, Estefanía Mateo, Blasa Castellano y Ursula del mismo apellido. Son vecinos de Dos Caminos de San Luis, de donde los trajo una guerrilla.

Fallecimientos

Fallecieron el propio día: D. Diego de León y Piloña, antiguo y competente mentor; D. Felipe Sánchez Montoya, D.ª Matilde Ferrer, D. Mateo Trompeta y Guzmán, D. Vicente Osvaldo García y D. Desiderio Rosell.

Consejo de guerra

En consejo de guerra celebrado en la cárcel el día 20 contra Fernando P. Alvarez, Benito Vicent, Manuel Arozarena y Fernando Méndez Guerra, extraviados procedentes de la expedición filibustera de Carrillo, que se presentaron en un bote al destacamento de Aguadores, hace más de un año, el fiscal pide para los procesados la pena de reclusión perpetua.

Cablegrama oficial

(Día 22).—El general Weyler dirige al Ministro de la Guerra el siguiente despacho: «Guerrilla local San Diego, bomberos, salieron sin precauciones. Sorprendidas, se dispersaron; 40 muertos, herido grave capitán Guerrilla Alvaro Blanco y cuatro heridos más, todos guerrilleros bomberos; ninguno ejército. Pido explicaciones a Comandante General, que comunicaré a V. E.—*Weyler.*»

A pesar del galimatías weyleriano, bien se trasluce que la derrota fue completa.

FALLECIMIENTOS

(Día 22).—Han fallecido hoy: D.ª Carmen Portuondo y de Moya, D. Juan García y Pereira, D.ª Sabina Sánchez y Pérez, D. Buenaventura Hechavarría, D.ª Desideria Vera, D.ª María Dolores Martínez y D.ª Rosalía Lavigne.

DETENIDOS

(Día 23).—Ingresan en la cárcel por infidentes D. Rafael Borgellá, D. Ramón Reiné y D. Manuel Corona.

NOTA OFICIAL

La Patria publica la siguiente:

«Día 23.—Fuerzas de la zona de Cuba practicando reconocimiento por la loma Ladronera tuvieron tiroteo con una partida enemiga que dispersó, causándole un muerto.»

SUICIDIO

(Día 23).—En la madrugada de hoy se suicida, disparándose un tiro de Remington, D. Luciano García y García, de 37 años, en la casa número 21 de la calle de la Princesa baja.

FALLECIMIENTOS

El mismo día fallecieron: D.ª Manuela de Herrera Moya y Barrero, D.ª Rosa Hernández y Ulloa, D. Antonio Bueno y doña Concepción Zayas.

NOTA OFICIAL

Hoy 24 insertan los periódicos locales la nota oficial que sigue:

«El comandante Gavaldá con la columna de Palma Soriano y voluntarios de la localidad a sus órdenes, reconoció Abundancia, Santa Rita, Gota Blanca, Cañadota y Seguera, orilla izquierda del Cauto, sosteniendo fuego con partidas enemigas en distintos puntos, causándoles tres muertos, destruyó prefectura y ocupó café, cacao, tabaco y otros efectos.—Por nuestra parte un guerrillero herido grave, tres leves. un contuso y un caballo muerto.»

PRESO

El 24 ingresa en la cárcel José Vila, sujeto a la jurisdicción de Guerra.

FALLECIMIENTOS

Han fallecido el mismo día: D.ª Silvina del Río y Cabrera, D. Agustín Masabó, D. Félix Guerra y Guerra, D. Antonio Creagh y Creagh, D. Juan Monés y Bosch y D. Julio Delescouet y Anfouse.

PRESOS

El 25 ingresan en la cárcel, a disposición de la autoridad militar, Dionisio Lagier, Manuel Borras y Francisco Soler. Los dos últimos fueron excarcelados el mismo día.

FALLECIMIENTOS

Han fallecido el propio día: D. José González, D. Gonzalo Odio y Osorio, D. Juan Moré, D.ª Epifania Revilla, D.ª Patrocinio Ramírez León y D.ª Micaela Benítez y Río.

NOTA OFICIAL

La prensa local de hoy 25 inserta la nota oficial siguiente:

«La Columna del coronel Vara de Rey en reconocimiento por Santa Ana de Jacas, Ponupo, Lomas de Mamón y cafetal «Isabelita», sostuvo fuego con fuerza enemiga, causándole dos muertos, uno identificado con armas y municiones, destruyó 22 bohíos y varias siembras, recogiendo 40 quintales de café y otros frutos, muchas aves y 18 caballos y yeguas. De nuestra parte sin novedad.»

Sanguily

(Día 25).—A petición del Gobierno de los E. U., el de España conmuta la pena de cadena perpetua impuesta al general cubano Julio Sanguily Garitt, ciudadano americano, por la de extrañamiento perpetuo de los dominios españoles y sus accesorias.

Personajes ilustres

(Día 26).—Procedentes de Méjico y los E. U. llegan de tránsito a este puerto los nobles austríacos Príncipe de Khenvenhiller y Condesa de Enhuwrny, en viaje de recreo. Saltan a tierra a las once de la mañana y parten para Nassau a las cuatro de la tarde, en el mismo vapor americano *Santiago* que los trajo. La prensa local y también la de algunos puntos de la Isla se equivoca tomándolos por miembros de la familia imperial de los Hapsburgo, ignorando, sin duda, que en Austria estos últimos llevan el título de archiduques y no de príncipes.

Fallecimientos

El mismo día pasaron a mejor vida: D. Pedro Ferrer y Hernández, D. Manuel García Calbet, D. Vicente Polo Prieto, doña Isabel Ortiz y D.ª Atanasia Ramírez.

Los Collazo

(Día 27).—Los coroneles Rosendo y Emilio Collazo riñen combate, en la finca «Bencito», Batabanó, con fuerzas del Regimiento Caballería de Pizarro núm. 30. Los cubanos tuvieron heridos al teniente coronel Rosendo Collazo y a dos soldados. Dejaron en el campo los españoles 36 soldados muertos, 34 tercerolas Maüser, cinco acémilas, un botiquín, municiones, caballos y otros efectos.

Peinado

(Día 28).—Al penetrar en su morada, en la noche de hoy, el concejal D. Manuel Peinado y López es agredido por un pardo mal vestido que le propinó dos bastonazos en un brazo y huyó. El señor Peinado fue levantado del suelo por un transeúnte.

FALLECIMIENTOS

En los días 27 y 28 han fallecido: D.ª Filomena Lavin, doña Dolores Badell, D.ª Rosa Herrera, D. Roque García Avanes, don Luis Bisi, moreno, de 100 años; D. Blas Creagh y Galán, don Mauricio y D.ª Isabel Danger.

MASÓ

El teniente de Húsares de la Princesa D. Luis Masó y Brú, ayudante del general Toral e hijo político del general Denis, es ascendido a capitán.

MARZO 1897

FALLECIMIENTOS

Han fallecido el día 1.º: D.ª Carmen Herrera Cabrera, D. Rufino Martínez Blanco, D.ª Dolores Masip Hernández, D.ª Amalia Hechavarría y D.ª Caridad Beris.

NOMBRAMIENTO

El mismo día es nombrado D. Rafael Carreras escribiente de la Alcaldía de Barrio de Belén.

BANZO

(Día 1).—El Arzobispo nombra vicesecretario de Cámara y Gobierno al medio racionero D. Santiago Banzo y Blasco.

SEQUÍA

Hace más de dos meses que no llueve. Los ríos de las cercanías se han secado. Hay temores de que falte el agua.

«SANTA TERESA»

(Día 1).—Según el parte oficial del Segundo Cabo al Ministro de la Guerra, medio regimiento de Pizarro, al mando del capitán D. Manuel Santamaría, practicando reconocimientos, alcanzó al enemigo en Santa Teresa (Habana), sostuvo con él tres horas de combate, y despusé volvió a encontrarle en Bocas del Caimán, causándole 31 muertos, que quedaron en el campo, y muchos heridos. La columna tuvo 12 muertos, el capitán Santa María y 14 de tropa heridos y contuso el teniente D. Manuel Santa Paz. Y la Habana... en santa paz.

Fallecimientos

El 2 han fallecido: D. Juan Borel y Vargés, D. Rufino Martínez Blanco, D.ª Bibiana Nudo y Morales y D.ª Patrocinio Noguera.

Cablegrama oficial

(Día 2).—«General Segundo Cabo a Ministro Guerra.—General en Jefe desde Placetas dice a V. E.: Batidas y disueltas las partidas que a las órdenes de Máximo Gómez estaban reconcentradas en las Villas, hacia la Trocha del Júcaro.—He distribuido en columnas de batallón las fuerzas de las divisiones de las Villas y Trocha, para que unidas bajo mis inmediatas órdenes persigan los grupos en que se han subdividido los rebeldes, situándose brigada de Spíritus en Chambas, Arroyo Blanco, Guayacanes y Chorrera Brava; brigada de Remedios en Mayajigua, Yaguajay y Jobosí; brigada de Sagua en Viana, Palma y en los límites de Matanzas.—La caballería está situada del siguiente modo: Regimiento de la Reina en Camajuaní, del Príncipe en Manacas y de Sagunto en Cruces, operando el de Camajuaní por el camino de Placetas-Spíritus.—Un total de 38 batallones y cuatro regimientos de caballería, teniendo en los puntos citados sus centros de racionamiento, operan en un radio de cuatro leguas, acampando en el círculo así formado. Por el correo detalles.—Brigada de Cienfuegos opera en Rodas, Cumanayagua y Yaguaramas; y la de Santa Clara en el valle de Trinidad, Sur de la Siguanea, Escambray, interior de la Siguanea y Norte de la misma.—De la tropa a mis inmediatas órdenes, la primera Brigada opera en Potrerillo, Seibabo, Hatillo y San Marcos; la segunda Brigada en Buenavista, Vueltas, Loma Cruz, Guaracabuya y Santa Clarita; la tercera en Pedro Barba, San Ambrosio, Nazareno y Arriero; primera media brigada suelta, en Vega Alta, Jabucito y Rodrigo, y Batallón de las Navas, en Manicaragua; la cuarta Brigada, en ocho columnas de medio batallón, cubre río Hanabana, y hasta Casino y Recreo batallones combinados de Alava, Vizcaya y Cataluña, operan desde sus respectivos centros.—*Weyler.—Ahumada.*»

Nota oficial

La prensa local del día 3 inserta la nota oficial siguiente:

«Marzo 2.—La columna del coronel Vara de Rey, a quien se le ordenó que desde Palma Soriano practicara reconocimientos sobre San Francisco, Niguabo y Cruce de Cinco Caminos, encontró al enemigo ocupando posiciones en Loma Catalán en que se hizo fuerte, siendo desalojado y perseguido durante una hora, causándole diez muertos, tres con armas de fuego y municiones y otros dos identificados. De nuestra parte un herido.»

Preso

El mismo día ingresó en la cárcel sujeto a la jurisdicción de Guerra Feliciano Alvarez.

Fallecimientos

Fallecieron en dicho día: D. José Baldomero Jordán, D.ª Mariana Milanés y Espinosa y D.ª María Peralta.

Consejo de guerra

(Día 4).—En la cárcel se efectuó hoy el consejo de guerra que vio y falló la causa seguida contra José Vila Bestard. Lo presidió el teniente coronel D. Juan Martín Pinillos, del primer Batallón del Regimiento Infantería del Príncipe núm. 3; fueron vocales los capitanes D. Luis Rabadán Terrón, D. Augusto Armada Betancourt, D. Simón Carabia Montoto, D. Fernando Berges Ruiz, D. Pedro Masana Freixas y D. Luis Quintana Baldenebro; fiscal el capitán D. Sandalio Pérez Sanz; asesor el teniente auditor D. Manuel Padín Alvarez, y defensor el primer teniente D. José Santana Carbonell.

Marina

El alférez de fragata D. Darío Laguna se hace cargo por sustitución de la plaza de segundo comandante de Marina.

Presa

Ingresa en la cárcel el 4 Isabel Veranes, sujeta a la jurisdicción militar.

Fallecimientos

El mismo día dejaron de existir: D.ª Isabel Martínez, doña Manuela Herrera, D.ª Librada Perdomo, D.ª Narcisa Zorrilla y D.ª Ramona García.

Nota oficial

La prensa de la localidad de hoy 5, publicó esta nota oficial:
«Día 4.—El general Sandoval con columna fraccionada en cuatro grupos reconoció las lomas Bayameso, inmediaciones de San Antonio y Río Seco y sostuvo fuego diferentes veces con grupos enemigos, causándoles un muerto, destruyendo dos campamentos y rancherías, ocupando efectos y viandas y recogiendo familias. De nuestra parte hubo cuatro heridos graves.»

Pozo

Los Padres Paúles de San Francisco ponen a disposición del público un pozo que han abierto en la callejuela de Moya.

Fallecimientos

El 5 han pasado a mejor vida: D. Modesto Solórzano Cisneros, D. Julio Pérez y Burgos, D. Santiago Vizcay, D.ª Blasa Dranguet y D.ª María Rosalía Hernández.

Nota oficial

Los periódicos locales del 6 publican una nota oficial que dice:
«Día 5.—Santiago de Cuba.—La sección montada de San Vicente en reconocimiento por Lomas Ladronera y Bonete sostuvo tiroeeo con un grupo enemigo que dejó en su huida tres caballos.»

Pozos negros

Con el fin de evitar una nueva epidemia en el poblado de San Luis, «por las miasmas de fatales consecuencias que despiden varias calles de la población, inmediatas a donde pernoctan las tropas, se ordena la construcción, con carácter urgente, de tres grandes excusados o pozos negros, evitando con ello el que las calles estén convertidas en letrinas públicas».

Fallecimientos

El 6 fallecieron: D. Julio Peralta y Rivery, D.ª Juana Rosales y Cardona, D.ª Alicia Petronila Hernández Boullement, viuda de Badell; D. Salvador Brugal y Montañés, D. Carlos Soler y Soler y D.ª Trinidad Guzmán Portuondo, viuda de Castillo.

Nota oficial

Los diarios locales del 8 insertan esta nota oficial:

«Día 7.—Ayer por la tarde regresaron a Palma Soriano las columnas de los tenientes coroneles Puñet y Escudero, de los batallones de Constitución y Cuba, que al mando del coronel jefe de la primera Brigada D. Joaquín Vara de Rey han operado en combinación durante seis días y practicado minuciosos reconocimientos por Cuchillas, Arroyo Blanco, Aguacate, Cruces, San Francisco, Juan Barón, Descanso del Muerto, Palo Picado, Trocha de Maceo, Remanganaguas, Caney del Sitio, Abundancia y Santa Rita.—En distintos encuentros con el enemigo se le causaron dieciséis muertos, ocupándole tres armas de fuego y municiones, diecinueve caballos, ganado vacuno, de cerda, aves en abundancia y setenta quintales de café. Se destruyeron ochenta y cuatro bohíos y muchas siembras. De nuestra parte cuatro heridos de tropa y un caballo muerto.»

Fallecimientos

El día 8 han muerto en esta ciudad: D. Santiago Menéndez, D.ª Guadalupe Veranes, D.ª Carmen Llull, D.ª Celedonia González Hardy y D. Lázaro Lassus y Castillo.

Envenenados

En la tarde del 9, dos menores, Santiago Bayar, de 6 años, y Angel Odio, de 5, vecinos de la calle de San Antonio esquina a la del Matadero, se envenenaron por haber comido unos frijolillos de una planta que había en el patio de la casa. Ambos fallecieron.

Lamarche

El mismo día embarca en el vapor *Ciudad Condal,* rumbo a Colombia, el presbítero dominicano D. Armando Lamarche y Marchena, capellán de coro de la Catedral y de la iglesia de Santa Ana.

Fallecimientos

Fallecieron el día 9: D. Sebastián Herrera, D. Félix Beltrán Ramírez, D.ª Encarnación Siré y Palma y D.ª Petronila Vidal.

«Santa Teresa»

(Día 9).—En Santa Teresa, Villas, libran combate las fuerzas del general en jefe Máximo Gómez contra las del general Bernal. Los cubanos experimentaron las bajas siguientes: Charles E. Crosby, vicepresidente de la Liga Americana para la Independencia de Cuba, que hacía pocos días se había incorporado al Ejército Libertador como oficial, muerto, y ocho heridos. El caballo que montaab el general Gómez fue muerto. El general español no confesó sus pérdidas.

«La Patria»

El diario local *La Patria,* por cesión de su propietario don Juan E. Ravelo y Abreú, pasa a la propiedad de D. Mariano Laguna y de Más y D. Rafael Díaz Villasana, el día 10.

Gómez y Suárez

El mismo día D. Pascual Gómez y Fuentes renuncia la Alcaldía Municipal de este término, y hace entrega de la misma al primer teniente de alcalde D. Casimiro Suárez y Galán.

NOTA OFICIAL

El E. M. de la Plaza facilitó a la prensa local, que la publicó hoy 10, la nota oficial siguiente:

«Día 9.—Guantánamo.—La guerrilla montada de Simancas en Romelie, terrenos del ingenio San Carlos, encontró y dispersó un grupo enemigo causándole un muerto y recogiendo tres caballos con monturas, un machete y saco de viandas. De nuestra parte un guerrillero herido leve y un caballo muerto.»

FALLECIMIENTOS

El 10 han fallecido: D. José Francisco Fernández, D.ª Petronila Oliva Pozo, D. Desiderio Ortiz y D. Rafael Sanz y Asencio.

PRESO

Ingresó en la cárcel el mismo día Ventura Navarro, a disposición de la autoridad militar.

«GUÍAS DEL GENERAL SALCEDO»

En la tarde de hoy 10, la Compañía de Guías del General Salcedo hace una cariñosa despedido a su capitán D. Manuel Gutiérrez, que embarca en el vapor *Argonauta* para la capital, desde donde se dirigirá a la Península. El primer teniente don Federico Boix queda encargado del mando de dicha fracción.

MARINA

El capitán de navío D. Manuel de Elisa, comandante de Marina de esta provincia y capitán de este puerto, ha sido nombrado comandante del crucero *Alfonso XII,* y para el cargo que deja vacante ha sido designado el de igual categoría D. Pelayo Pedemonte e Ibáñez.

FALLECIMIENTOS

El 11 han fallecido: D.ª Caridad Hechavarría, viuda de Boudet; D.ª Pascuala Cardón, D. Vicente Calvó y Ferrer y D. Juan Seota y Conde.

Solá

El Gobierno General aprueba el nombramiento de tercer teniente de alcalde a favor de D. Gabriel Solá y Colón.

Quirch

El día 11 es detenido e incomunicado el celador del Cementerio D. Eduardo Quirch, por el delito de infidencia.

El señor Quirch fue siempre un español probado, y el motivo de su prisión consistió en que se negó a dar sepultura al cadáver de un individuo asesinado por la guerrilla de los Dos Caminos del Cobre, sin la orden de sepelición expedida por el juzgado correspondiente.

Samá Arriba

(Día 11).—Fuerzas del Ejército Libertador atacan y sitian al poblado de Samá Arriba, empleando un cañón que, según la prensa española, hubo de reventar. El día 12, el comandante del destacamento de la Vega de Samá, capitán de Infantería de Marina D. Luis Mesía, se dirigió a Samá Arriba con una columna de su cuerpo y movilizados, que fue detenida por fuerzas cubanas en la Loma de Figueiras. Continuó el ataque en los días 12 y 13, logrando los sitiadores incendiar el poblado.

Nota oficial

Los periódicos locales del 12 dan publicidad a la siguiente nota oficial:

«Día 11.—La columna de San Luis al mando del teniente coronel Puñet del Batallón de la Constitución en reconocimientos por Dagame, Cruz, Isabelita, Santa Isabel, Mogote y Adelaida hizo un muerto al enemigo.—El coronel Vara de Rey con la columna de Songo reconoció Australia, Nuevo Olimpo, Palmarejo, Conformidad, La Luisa y Santa Bárbara, y tuvo encuentro con el enemigo causándole dos muertos, uno con Remington, destruyó 79 bohíos y ocupó cuatro reses, aves, café, cacao en abundante cantidad y siete caballos. De nuestra parte heridos leves el teniente D. Higinio Rodríguez y un soldado ambos de Asia.—Fuerzas de la zona de Cuba en reconocimientos sorprendió un grupo enemigo apoderándose de un caballo.»

Fallecimientos

El día 12 fallecieron: D.ª Caridad Hechavarría y González, D.ª Petronila Cruz, D.ª Alfonsa Rodríguez y Díaz y D.ª Dolores Duany y Caro, viuda de Castillo.

Instrucción pública

La señora D.ª Magdalena Marcer y Vila, viuda de Jiménez, ha sido nombrada maestra provisional de la Escuela Elemental completa para niñas del barrio de Dolores.

Fallecimiento

El día 18 dejó de existir D.ª María Guerrero y Cruz de Riera.

Samá

La prensa dijo:

«El día 13 tuvo noticias el E. Sr. Comandante General de la División del ataque al poblado de Samá Arriba.

Tal fue la premura y actividad con que dictó las órdenes convenientes que el día 15 tenía ya establecidas en la Boca de Samá fuerzas del Batallón de Sicilia, llegando él el día 15 por la mañana con el resto de la columna que organizó y compuesta de fuerzas del Segundo Batallón del Segundo Regimiento de Infantería de Marina, Segundo Batallón del Tercer Regimiento de ídem, una Compañía de Zapadores Minadores, la compañía movilizada de Holguín y una sección de artillería de montaña.

Sin detenerse en la Boca de Samá más que el tiempo preciso para dictar órdenes a la fuerza que le acompañaba y que había sido transportada a la Boca de Samá por los barcos de guerra *Magallanes, Galicia* y *Pizarro,* mandados por el Jefe de E. M. de la Escuadra, capitán de navío D. José Marenco, se dirigió el mismo día a la Vega de Samá, quedando las fuerzas de Marina aguardando en la Boca la llegada de la artillería.

El 16 al mando de toda la columna marchó a Samá Arriba, siendo recibidas nuestras tropas con grandes aclamaciones en el poblado y a los gritos de ¡Viva España!

El enemigo, como hemos dicho a nuestros lectores, había abandonado todas sus posiciones, huyendo a la desbandada.

Al día siguiente 17 se hicieron reconocimientos por los alrededores de Samá sin que se encontrara al enemigo.

Destruyéronse todas las trincheras, se abasteció al poblado, reparáronse algunos desperfectos que los rebeldes habían causado en los fuertes y reforzáronse éstos.

El mismo día regresó la fuerza a la Vega y el 11 se emprendió la marcha de regreso a Holguín utilizando los barcos de guerra.»

Arráez

(Día 14).—El comandante D. Domingo Arráez de Conderena, ayudante del general Linares y censor de la prensa periódica, ha sido nombrado Jefe de las Escuadras de Guantánamo.

Gutiérrez

Ha sido nombrado censor de la prensa de esta ciudad el comandante de E. M. D. Gonzalo Gutiérrez y Renán, secretario del Gobierno Militar de la Plaza.

Ferrocarril de Sabanilla y Maroto

El día 14 se celebró, en la morada de D. José Ferrer, vicepresidente de la empresa del Ferrocarril de Sabanilla y Maroto, junta general de accionistas de la misma, y en ella quedó elegida la siguiente directiva:

Presidente.—Mr. Anderson.

Vicepresidente.—D. José Ferrer y Torralbas.

Consiliarios.—D. Ignacio Casas y Saumell, Mr. Thomas Redington, Mr. Charles Ziegenfuss y Mr. Charles Fox.

Glosadores.—D. Octaviano Duany Repilado, D. Juan Portuondo Estrada y D. Carlos Guillermo Schumann.

Secretario y letrado consultor.—Lic. D. Antonio Salcedo y de las Cuevas.

Alarma

A las nueve de la noche del 14, la policía asaltó una cuartería en la entrada del Caney para detener a un sujeto blanco, autor de varias heridas inferidas a otro, y como se diera a la fuga fue perseguido. El fuerte del Guayabito le hizo varios disparos. No pudo ser aprehendido.

Jiguaní

Las fuerzas cubanas, mandadas por el mayor general Calixto García, el día 14 de este mes atacan al pueblo de Jiguaní por la noche, utilizando un cañón de 8 centímetros y otro de 4, causando grandes destrozos a los fuertes del recinto y penetrando en el pueblo. Salió de Manzanillo, el mismo día, para socorrer la plaza sitiada, una fuerte columna mandada por el general de brigada D. Nicolás del Rey y González, la cual fue atacada durante toda su marcha por fuerzas a las órdenes del valeroso general Jesús Rabí en Ciénaga, Sabana de Jucaibamita y luego en el paso del Río Cautillo. Cuando la columna española logró llegar a Jiguaní, había tenido, según el parte oficial de su jefe, seis de tropa muertos y 45 heridos, entre estos últimos un comandante, dos capitanes y un capellán. Según el mismo, la guarnición del citado pueblo tuvo cuatro muertos y el oficial de Voluntarios D. Isidro Boronat y 18 de tropa heridos. Dijo también el mencionado parte oficial que los cubanos dejaron 11 muertos y retiraron más bajas, entre ellas seis cabecillas. El pueblo fue saqueado por los cubanos; los fortines números 2, 3 y 4 quedaron destruidos y el castillo de la Loma bastante averiado.

Nota oficial

Los diarios locales del 15 publican la nota oficial que sigue:

«Guantánamo.—Día 14.—El general Sandoval, con fuerzas combinadas de su brigada, en conducción de un convoy a Yateras, encontró al enemigo en fuertes posiciones, defendidas por trincheras de zanjas y alambradas. arrollándolo y dispersándolo y ocupándole armas de fuego y municiones, no pudiendo precisar las bajas que se le hayan causado, que deben ser muchas, por las señales encontradas, habiéndosele también destruido siembras y rancherías. Por nuestra parte, un soldado muerto, dos caballos y dos mulos.»

Cementerio

Ha sido nombrado D. Anselmo Sánchez celador interino del Cementerio.

FALLECIMIENTOS

En los días 13, 14 y 15 se han registrado las defunciones siguientes: D.ª Josefina Coto y Furtí, D. Luis Saldó, D. Francisco Pi Barreto, D. Joaquín Heredia y Bubaire, D. Amado Latorre y Cabezas, D. José Salomé y Alvarez, D.ª Susana González Maró, D.ª Dolores Estrada de Rivas, D.ª Francisca Díaz Ramos, D. Ezequiel Maceo y Oliva v D. Domitilo Cató.

POLICÍA

Don Rafael Fernández ha sido nombrado celador de Policía del Distrito Norte.

RENUNCIA Y NOMBRAMIENTO

El día 15 se le aceptó la renuncia a D. Francisco Baena del cargo de celador del Mercado, y fue nombrado en su lugar don José Polo y Gómez.

GARCÍA

El mismo día fue nombrado el Dr. D. Alfredo García y García médico municipal de esta ciudad.

CESANTÍA Y NOMBRAMIENTO

El propio día fue declarado cesante el escribiente segundo de la Contaduría Municipal D. Sarbelio Pérez y Villasana, y nombrado para la misma plaza D. Carlos Manuel Castañeda y Bestard.

FERNÁNDEZ CUERVO

(Día 16).—Es nombrado alcalde municipal de este término el Lic. D. Sandalio Fernández Cuervo.

FALLECIMIENTOS

Han fallecido el mismo día D.ª Margarita Romero, D.ª Caridad González, D. Gonzalo Mustelier y Ferrer, D. Antonio Carreras y D.ª Dolores López y López.

Consejo de Guerra

En la cárcel se ve el 16, en Consejo de Guerra, la causa por rebelión seguida a D. Manuel Vázquez y D. Benigno Collazo. El fiscal pide para ellos la pena de reclusión perpetua.

Fallecimientos

El 17 abandonaron esta vida las personas siguientes: D. Miguel Mané y Marino, D. José Fabra y Compta, D.ª Dolores Oliver y Silveira, D. Carlos Hernández, D.ª Pilar Hernández y doña Joaquina Carvajal.

Hechavarría

El concejal don Luis de Hechavarría y Limonta renuncia a su cargo, por haber sido nombrado magistrado suplente de la Excelentísima Audiencia Territorial.

Ayuntamiento

El Gobernador Regional nombra concejales para cubrir las vacantes que existen en el Ayuntamiento a los señores D. Juan Estíu Pujals, D. José Bosch, D. José Marimón, D. Esteban Diví Sagué, D. José Vías, D. Francisco Robert y Comas, D. Nicolás Monteavaro Travieso, D. Martín González, D. Federico Boix Prats y D. Isidoro Marques Roca.

Fallecimientos

En los días 18 y 19 han fallecido D. Rafael Brito, D. Alfonso Carcasses y Delisle, D. Evaristo Lorié y Lahera, D.ª Manuela de Jesús Guevara y Guía, D. Juan Bautista Antomarchi y D. José Santacilia.

Consejo de Guerra

(Día 20).—En esta plaza se vio y falló en Consejo de Guerra ordinario la causa número 1.516, instruida contra el guerrillero Juan Zamora Márquez, por lesiones a otro de su clase. Lo presidió el teniente coronel de la Guardia Civil D. Juan Molina Pérez; fueron vocales los capitanes D. Antonio Aceituno Núñez, D. Modesto Martínez Cuevas, D. Isidoro Vega González, D. Benito Aragonés Arjona, D. Jerónimo García Fernández y D. Luis Rabadán Terrón, y fiscal, el teniente auditor de Guerra de primera clase D. José Hernando Alvarez.

QUINTÍN BANDERA

(Día 21).—El general Quintín Bandera, con su escolta, cruza la trocha de Júcaro a Morón.

FALLECIMIENTOS

En los días 20 y 21 han muerto en la ciudad: D. José Miret y Samas, D. Rafael García Cabello, D.ª Francisca Ruiz Artires, doña Bartolomea Guerra y Santos y D.ª Rosalía Masó.

MIYARES

El 22 toma posesión del cargo de médico de este puerto el Dr. D. Miguel Miyares y Muñoz.

PRESO

El mismo día ingresó en la cárcel José Llanos Peña, a disposición de la autoridad militar.

FALLECIMIENTOS

En dicho día han ocurrido los siguientes: D.ª Petronila Ramírez Bergues, D. Alfonso Medina, D.ª Dolores Pérez, D.ª Rosalía Núñez, D.ª Inés Palacios, D. José Encarnación Antúnez y D. Juan Hernández Delgado.

DENIS

(Día 23).—En la noche de este día fallece de una congestión pulmonar el Excmo. Sr. general de división D. Carlos Denis y Trueba, gobernador de esta región y provincia. El cadáver, después de enbalsamado por los doctores García y Norma, a presencia del subdelegado de Medicina Dr. Cros, fue tendido en capilla ardiente, vestido con el uniforme de gala, en el salón principal del Gobierno Regional.

VINENT

El mismo día se encarga del Gobierno Regional y Provisional, interinamente, por disposición del Gobernador General, el secretario del primero, Ilmo. Sr. D. Juan Antonio Vinent y Kindelán.

Fallecimientos

El día 23 dejaron de existir también D. Joaquín Lebegue y Vincéns, D.ª Emilia Mustelier, D.ª Modesta Durán y Hechavarría, D.ª Teresa Uribazo Montero y D. Miguel Granda.

Nota oficial

La Prensa local de hoy trae la nota oficial siguiente:

«Marzo 23.—El general Linares, con fuerzas de las columnas de Songo, se dirigió el día 18 hacia el Guaninao por Paso Lajas, siendo hostilizado en el trayecto por partidas escalonadas desde Aguacate. El día 20 penetró en el territorio de la División de Manzanillo, atravesando el Contramaestre por Paso Manso, donde el enemigo, en más nutrido número, opuso tenaz resistencia, siendo contrarrestado y vencido el cabecilla Cebreco, que aguardaba con sus numerosas fuerzas, atrincheradas en extensa loma, paralela al camino de la entrada Ratones al potrero Losa. Presentó combate, siendo desalojado de sus atrincheramientos y envuelto por nuestras fuerzas de caballería, que le dieron una brillante carga, tomando extenso campamento de Calixto García, situado en la linde del camino real.

En marcha de nuevo nuestras fuerzas hacia Baire Arriba, encontraron por tercera vez considerables fuerzas enemigas, que infructuosamente quisieron impedir el paso a la salida de un callejón. En Baire hallábanse las fuerzas de Rabí, ocupando posiciones sobre el río y camino de los Negros, las que fueron tomadas a viva fuerza sobre la caída de la tarde, en cuyo punto acampó el citado general Linares, continuando el enemigo histilizándolo durante la noche.

El 21 reconoció La Piedra, donde también, durante el trayecto hasta Jiguaní, tuvo que batir sucesivamente las partidas de menos importancia, causando al enemigo 21 muertos, que dejó en el campo, 16 de arma blanca, por fuerza de Caballería del Rey y Guerrilla del Regimiento de Cuba, entre ellos un jefe, ocupándoles municiones y armas de los sistemas Remington y máuser.

De nuestra parte, el teniente del Escuadrón del Rey D. José Colás resultó gravemente herido de arma blanca, y 14 individuos de tropa, de arma de fuego, y cuatro caballos muertos y tres heridos. También resultó gravemente lastimado el coronel Vara de Rey, que siempre fue mandando la vanguardia de la columna.»

MARINA

«Cañonero *Reina Cristina.*—El comandante de este buque, don Emilio Cróquer, da cuenta de haber efectuado tres desembarcos, en unión de fuerzas de artillería, en Constante, Herradura y Dominica, causando dos muertos al enemigo, que se recogieron, destruyéndole cuatro salinas, y cogiéndole armas y municiones.»

DENIS

(Día 24).—A las cuatro y media de la tarde se verifica el entierro del general Denis, gobernador regional. Por no haber querido su familia abonar el costo de la cera y de la capilla de música, no se le hizo entierro de Deán y Cabildo en el cuerpo principal de la Basílica, sino un entierro como a cualquier particular en la parroquia del Sagrario de la misma. Presidieron el duelo el gobernador interino, Sr. Vinent; el arzobispo, Sáenz de Urturi, y las demás autoridades, con el Excelentísimo Ayuntamiento. Asistió regular cortejo fúnebre. Le tributó al finado los honores militares el Primer Batallón de Voluntarios, una sección del Regimiento del Rey Primero de Caballería, el escuadrón de Caballería de Voluntarios y la música del Regimiento de Cuba, al mando personal del Excmo. Sr. general de brigada D. José Toral y Velázquez, gobernador militar de la plaza. El féretro fue conducido a hombros de individuos de la Guardia Civil, instituto al cual perteneció el finado. Cuando el entierro transitaba por la Plaza de Armas sufrió una caída de caballo el comandante del Batallón de Toledo don Carlos Merino, que prestaba el servicio de jefe de día, sin que recibiera lesión de importancia.

Muchas son las anécdotas que se refieren del general Denis. Encarceló a D. Octavio de Mena y Zabala por negarse a satisfacer su exigencia de cierta suma de dinero, que siempre entregó para ser excarcelado. Toleró los juegos ilícitos en toda la provincia, mediante una suma alzada, que recibía diariamente. Obligó a dimitir al alcalde municipal D. Pascual Gómez y Fuentes porque no le entregó los fondos sobrantes de la contribución o donativo forzoso, que abonaron los contribuyentes por fincas urbanas, para terminar el cuartel de Concha. Además, en sus tratos particulares, pactaba en plata y pagaba en billete depreciado, a la par de la plata. Murió, odiado por españoles y cubanos, el mismo día que cumplió un año de haberse posesionado del Gobierno Regional.

La cocina económica

Es tan grande la miseria que azota una buena parte de esta población que el periódico *La Bandera Española* se cree en el deber de hacer un llamamiento al comercio, a los industriales y a todas las personas acomodadas con el fin de remediar en algo el hambre de tantos infelices que, obligados por la inhumana orden de reconcentración, vinieron a esta ciudad, donde pululan sin albergue y sin medio alguno de subsistencia.

Por iniciativa de los Sres D. Germán Michaelsen, D. Juan Suñé, D. Ignacio Casas y los Sres. Camp, Serra y Fons se efectúa el 24 una reunión en la Cámara de Comercio, acordándose el establecimiento de cocinas económicas, donde los hambrientos puedan ir a satisfacer sus apremiantes necesidades.

Se recolectan en el acto varias suman, y se abren suscripciones mensuales para el sostén de dicha cocina.

El Sr. Arzobispo ha entregado 100 pesos a la Comisión y se suscribe por 20 pesos mensuales.

Asistió a dicha junta y prestó su concurso el Pbro. D. Julián Díaz y Valdepares, capellán del Ejército, que había entendido en la fundación de cocinas económicas en varios puntos de la Isla.

Voluntarios

Don Pedro Fiol y Pons es nombrado capitán de la tercera compañía del Segundo Batallón de Voluntarios de esta plaza.

Nombramiento

Ha sido nombrado sota-alcaide interino de la cárcel D. Gerardo Prat.

Cese y nombramiento

El celador de Policía D. Wenceslao Abreu ha sido declarado cesante, y nombrado en su lugar D. Francisco Baena.

Fallecimientos

En los días 24 y 25 han expirado D.ª Rita Millán de Beltrán, D. José Enrique Ballón, D. Bernardo Vaillant y Vaillant, D.ª Rosalía Suero Alvarez, D. Andrés Brosard y D. José Dolores Freire y Delfín.

Nombramientos

Don Carlos Quintín de la Torre y Cobián es nombrado fiscal

de S. M. de esta Excma. Audiencia Territorial, y D. Enrique Saavedra, magistrado de la misma.

CASTELLVÍ

El capitán D. Guillermo Castellví y Tarolas es ascendido a comandante de Milicias por el mérito que contrajo en la acción de Escandell el 9 de octubre último.

LA COCINA ECONÓMICA

Se han suscrito para el sostenimiento de la cocina económica:

	De una vez — *Pesos*	*Mensual* — *Pesos*
El arzobispo fray Francisco Sáenz de Urturi	100,00	20,00
James E. Ward y Cía.	100,00	
Brooks y Cía.	100,00	10,00
Julián Cendoya	50,00	20,00
Mestre, Bory y Cía.	50 00	4,00
Sánchez y Hermanos	50,00	5,00
Abascal y Cía.	50,00	5,00
Bruna y Cía.	50,00	4,00
Eligio Ros y Cía.	50,00	4,00
Trillas y Hermanos	50,00	3,00

NOTA OFICIAL

El día 25 publicó la Prensa la nota oficial siguiente:

«Fuerza destacada en la zona minera, al regresar de un reconocimiento en Concordia, a la altura del corte de la mina Chicharrón, fue ayer hostilizada por el enemigo, y, contestada la agresión, se le hicieron varios heridos y un muerto con arma, que fue llevado a Firmeza para su identificación.»

«El Excmo. Sr. Comandante General de esta División don Arsenio Linares Pombo, a su regreso de las operaciones que llevó a cabo en la jurisdicción de Jiguaní, reconoció el día 22 Managuaco y Baire Abajo, batiendo al enemigo, que le esperaba en el paso del río Contramaestre, por Ventas de Casanovas, hallándose situadas en la orilla derecha las partidas de esta jurisdicción, a la vez que las de Jiguaní atacaban su flanco y retaguardia por el camino de Baire Arriba.

El general Linares forzó el paso del río, haciendo uso de la artillería, protegiendo el acceso de la infantería, batiendo la orilla opuesta y acampando en ambas.

El día 23 encontró las avanzadas enemigas en Remanganaguas, y el grueso, atrincherado en Palo Picado, en el camino, y en Juan Barón, en las lomas, siendo desalojado de una y otra parte y envuelto por un flanqueo de 200 hombres del Batallón de Asia y Guerrillas.

El enemigo dejó en el campo, en los dos días, nueve muertos, con armas máuser, Remington y relámpago, municiones, carteras, botiquín y 10 caballos muertos, ocupándole seis con monturas y tres mulos. Las fuerzas del flanqueo encontraron y destrozaron el campamento de una partida en Candonga.

De nuestra parte, el teniente del Regimiento de Infantería de Cuba D. Ramón Ferrer y nueve de tropa, heridos, y el teniente de guerrillas D. José Ramis y cinco de tropa, contusos de arma de fuego; dos mulos de Artillería y una acémila, heridos.»

NOMBRAMIENTO

Es nombrado D. Alberto Concellón teniente fiscal de la Excelentísima Audiencia Territorial.

MICHAELSEN

Don Germán Michaelsen, presidente de la comisión formada con el objeto de establecer cocinas económicas que alivien la tristísima situación de las clases menesterosas de esta ciudad, agobiada en extremo por la necesidad y la miseria, manifiesta al Ayuntamiento «que se ha iniciado una suscripción de cantidades donadas por una vez para instalar las referidas cocinas, así como de cuotas mensuales para contribuir a su sotenimiento, y acude al señor Alcalde Municipal y Excelentísima Corporación, rogándoles se dignen honrar con su valioso concurso el propósito que se persigue, teniendo la comisión la seguridad de obtener del filantrópico y genuino espíritu con que siempre ha respondido al llamamiento de la ciudad y al auxilio de las calamidades públicas la cooperación de este cuerpo capitular.»

El Ayuntamiento, por mayoría absoluta, presta su concurso con un donativo mensual de 250 pesos.

FALLECIMIENTOS

El 26 fallecieron la Srta. D.ª Carmen Mas y Portuondo, doña

Magdalena Bataille, D. Gregorio Pacheco, D.ª Alejandra Sánchez y Nápoles y D.ª Candelaria Bravo, morena, de cien años.

MARINA

«CAÑONERO *FLECHA*

En la mañana del 9, al pasar este cañonero por las inmediaciones de Puerto Escondido, sintió su comandante, don Enrique Pérez, varias descargas en tierra, y con objeto de proteger a la columna de Valencia, que operaba en combinación con el cañonero, hizo fuego algo después, al avisar claramente al enemigo, el cual huyó en seguida, internándose en la manigua.»

«CAÑONERO *DIEGO VELAZQUEZ*

El alférez de navío don Julio Cañizares, comandante interino de este buque, da parte de que el día 6 del corriente fue hostilizado por los insurrectos, en la ensenada próxima a Portillo, poniéndolos en fuga tan pronto contestó el fuego desde a bordo con algunos disparos de máuser.»

FALLECIMIENTOS

En los días 27 y 28 han fallecido D. Luis Lipe y Llopis, don José Ferreira y Fernández, D. Carlos Apal y Apal, D. Manuel Cabot y Laterga, D.ª Dolores Lahera y Adams, D. Francisco Alvarez y D.ª Inés Figueras.

LA COCINA ECONÓMICA

Se han suscrito para el sostenimiento de la misma:

	De una vez — *Pesos*	*Mensual* — *Pesos*
Vapor americano *Santiago*	45,50	
M. Fernández Hnos.	50,00	
Federico Fernández		5,00
Gallego, Messa y Cía.	50,00	5,00
Dr. Miguel Miyares	6,37½	
Dr. Camps	6,37½	
Diego Ramírez	4,00	
Eulogio de la Saina	10,00	3,00
Arturo Inglada y Cía.	La batería de cocina	

Ríus Rivera

(Día 28).—La columna del general de brigada D. Cándido Hernández de Velasco, en la mañana de este día, y en el paraje conocido por «Cabezas de Río Hondo», Pinar del Río, encontró una fuerza cubana de 300 hombres aproximadamente, a las órdenes del general Juan Ríus Rivera, quien, según confidencias tenidas por el general español nombrado, se hallaba allí. Una hora duró el combate que se trabó, en el que los españoles emplearon la artillería, de resultado funesto para las armas cubanas. Allí cayó herido, de tres balazos, el valeroso Ríus Rivera, que fue hecho prisionero tendido en tierra, y que no fue rematado por la soldadesca de Weyler debido a la eficaz intervención del coronel Federico Bacallao, en el acto, y luego a la caballerosidad del general Hernández de Velasco —que por eso tuvo un incidente con su general en jefe, Weyler—. Sufrió el Ejército Cubano en Occidente en este fatal combate diez muertos y catorce heridos, entre estos últimos el teniente coronel Carlos González Clavell. El coronel Bacallao, jefe de E. M., y el teniente Secundino Terry, ayudante del general Ríus Rivera, heridos, cayeron prisioneros también, falleciendo este último durante la marcha a San Cristóbal, adonde llegaron los prisioneros a las ocho de la noche. Las fuerzas españolas que tomaron parte en la acción fueron las de los Batallones de la Reina y de Castilla y dos piezas de Artillería. El general Hernández de Velasco ordenó que se le devolviera a su adversario en desgracia Ríus Rivera todo el dinero, prendas y efectos que se le ocuparon, excepto los documentos. Los españoles dijeron haber tenido uno de tropa muerto y tres heridos, entre éstos un oficial.

Fernández Cuervo

(Día 29).—A las tres y media de la tarde toma posesión de la Alcaldía Municipal el Lic. D. Sandalio Fernández Cuervo.

«La Patria»

El diario *La Patria* ha sido multado por el Gobernador Regional interino con la suma de 62,50 pesos, por la publicación de un artículo intitulado «Novedades».

Michaelsen

Hace varios días que el generoso e incansable filántropo don Germán Michaelsen distribuye, en su morada y de su propio peculio, una abundante comida a numeroso pobres, diariamente.

Fallecimientos

El 29 murieron las personas siguientes: D.ª Antonia Reyes y López, blanca, de ciento once años; D. José García Pardo, D. Ramón de la Rosa y Mendoza, D.ª Ana Stable, D.ª María del Rosario Borrero y Caballero y D.ª Rosa Mitchel.

Presos políticos

En el vapor *Manuela* embarcan el 30 para la Habana trece presos políticos, once de ellos condenados a penas reclusión, y dos, deportados.

Nota oficial

Inserta la Prensa local la siguiente:

«Guantánamo.—Marzo, 30.—Las columnas del teniente coronel Mazarredo y comandante Arraiz, de la Brigada de Guantánamo, destruyeron el día 27 los campamentos Los Ciegos y Beltrán, apoderándose de nueve caballos, municiones, ropas y efectos, y ayer, 29, las mismas fuerzas combinadas tomaron el campamento Juan León, y las guerrillas montadas del Regimiento de Simancas se apoderaron del de San Rafael, siendo ambos destruidos. No ocurriendo novedad a nuestras fuerzas durante los tiroteos con el enemigo en estas operaciones.

En la tarde del día 27 un grupo de nueve insurrectos intentó llevarse ganado caballar de las inmediaciones del fuerte de Bayamo, al que hicieron algunos disparos, pero se vio obligado dicho grupo a huir por el fuego que se les hizo y sin conseguir su objeto.

En reconocimientos practicados ayer en aquellas inmediaciones por fuerzas de la zona fue encontrado y tiroteado el indicado grupo, que se dispersó, apoderándose la fuerza del capitán Morán de una res muerta y dos vivas. Por nuestra parte, sin novedad.»

MARINA

«CAÑONERO-TORPEDERO *MARQUES DE MOLINS*

El día 10 del corriente, cruzando este buque frente a la Punta de Macho (Cuba), fue hostilizado por el enemigo. Maniobró convenientemente su comandante, el teniente de navío de primera D. Joaquín Vega, consiguiendo con sus tiros destruirles viviendas y rechazarlos.

El día 13 volvió a sufrir ataque del enemigo en el fondeadero de la Ensenada de Mora, consiguiendo también apagarles los fuegos con varias descargas de fuislería y cañón.»

ABRIL 1897

FUERTES Y TORREONES

Para completar la defensa de esta plaza, además de la valla alambrada, de seis metros de espesor, de que ya hemos hablado, de los fuertes que se construyeron durante la guerra de los diez años y de otros que se han construido durante el curso de la actual, cada día se construyen más, y actualmente la ciudad está circundada de los siguientes, empezando por el Sur, desde la orilla del mar, en una línea de más de siete kilómetros.

Punta Blanca.—De mampostería, permanente, artillado con ocho cañones de antecarga, destinados a salvas y saludos, y guarnecido por fuerzas de Artillería de Plaza. Tiene capacidad para 50 hombres. Construido en 1845.

Fuerte del Gasómetro.—De madera y zinc, sobre bases de mampostería, y emplazado en una eminencia que domina la Trocha y la Fábrica de Gas. No tiene artillería, y puede contener 25 hombres. Fue construido en la actual guerra.

Fuerte del Horno.—Su construcción es igual a la del anterior, lo mismo que su capacidad. Fue edificado durante la guerra de los diez años, y está emplazado en una gran elevación, que domina la Trocha y el camino del Morro. No tiene artillería.

Fuerte Nuevo o del Centro Benéfico.—Situado detrás del sanatorio de este último nombre, de construcción igual al anterior, y edificado en la presente guerra. Tiene la misma capacidad, y carece de artillería.

Fuerte de la Beneficencia.—Emplazado en una pequeña altura, sobre la Trocha, cerca de la Beneficencia, fue construido durante la guerra de los diez años, igual que el anterior. Domina el camino o serventía de «Don Alonso», con capacidad para 25 hombres, y no posee artillería.

Fuerte de Santa Ursula.—De construcción permanente, edificado durante la guerra de los diez años, con capacidad para una compañía, situado en una altura sobre el camino de Las Lagunas. No tiene cañones.

Fuerte de las Cañadas.—Emplazado más adelante que el anterior, a la derecha del camino a Las Lagunas, en las alturas del mismo. Fue construido en esta guerra, con gruesos tablones y zinc, sobre bases de mampostería. Con capacidad para 25 hombres, y sin artillería.

Fuerte de la Pedrera.—Situado en una pequeña eminencia, al final de la calle del General Escario, ha sido edificado durante la actual guerra. Domina las forrajeras que existen en el valle del Guayabito; tiene la misma capacidad que el anterior, y su construcción también es igual. Carece de cañones.

Fuerte de Canosa.—Emplazado en una altura al pie de la bifurcación de los caminos del Caney y de San Juan, que domina a ambos. Su construcción, que data de la guerra actual, es igual a la del anterior, así como su capacidad. Tampoco tiene artillería.

San Nicolás de Espantasueño.—Este demolido ingenio tiene su casa de vivienda antigua y sólida, y está ocupada por fuerzas de movilizados. Aunque no es un fuerte propiamente hablando..., ayuda a la defensa.

Cuartel de Concha.—De construcción sólida y permanente, data de la época del general Vargas, y su techumbre ha sido echada recientemente. Tiene capacidad para un regimiento, y está convenientemente aspillerado. En la actualidad lo ocupan la Caballería del Ejército, la Guardia Civil y las fuerzas de Ingenieros. Completa la defensa del polígono militar del Este.

Cuartel Reina Mercedes.—Como el anterior, es un edificio sólido y más vasto, de carácter permanente. Empezó su edificación en la época del general Vargas, y terminó en 1878. Tiene capacida para un regimiento, y está destinado al alojamiento de la Infantería del Ejército, pero en la actualidad ha sido convertido en sanatorio de convalecientes militares. Enclavado en el mismo polígono militar, por el Este y por el Norte completa las defensas de la plaza.

Torreón del Palomar.—Construido de modo permanente dentro del recinto de la plaza durante la guerra de los diez años, en la altiplanicie que media entre la iglesia de Santa Ana y el Hospital Militar. Estuvo destinado primitivamente al servicio de palomas mensajeras, y ahora se halla instalado en él un heliógrafo, que comunica con otro instalado en la azotea de la Comandancia de Ingenieros y con los de los fuertes que se hallan en los pasos de las sierras por el Este, el Norte y el Oeste. Durante la noche el servicio de señales se presta por medio de luces de bengala y cohetes detonantes a gran altura.

Hospital Militar del Príncipe Alfonso.—Este vastísimo y sólido rectángulo, cuya construcción empezó en la época del general Vargas, aunque por su destino no es una fortaleza, dada la solidez de sus muros, su situación dentro del polígono militar, su proximidad a los cuarteles y el cuerpo de guardia permanente con que cuenta, en caso de ataque, puede ser ocupado rápidamente por fuerzas mayores y convertido en baluarte para la defensa del norte de la plaza. Es por ello que hacemos mención de él entre las defensas de esta plaza.

Fuerte de Santa Inés.—Es de construcción permanente, y data de la guerra de los diez años. Tiene capacidad para una compañía; está emplazado sobre el paseo de Concha, en terrenos de la finca «San Nicolás de Espantasueño», y domina con sus fuegos todo el valle de Santa Inés. No está artillado.

Fuerte de Cuabita.—Situado a la salida del camino de Cuabita, fue construido, de tablones y zinc, sobre bases de mampostería, durante el curso de la guerra presente. Puede tener cabida para veinte hombres. No tiene cañones.

Fuerte de San Antonio.—Fue construido, con carácter permanente, en una altura de la finca «Los Olmos», durante la guerra de los diez años. Tiene capacidad para 30 hombres, domina con sus fuegos todo el valle de San Antonio y camino de este nombre y no se encuentra artillado.

Plaza de Toros.—Este gran anfiteatro de madera no es ciertamente un fuerte, pero la circunstancia de estar emplazado sobre el paseo de Concha, a la salida del camino a San Antonio, y ocupado por fuerzas militares, hacen de él un punto fortificado, que ayuda a la defensa del norte de la plaza.

Fuerte de Yarayó.—A orillas del arroyuelo Yarayó, en el camino del cementerio, fue edificado en la guerra de los diez años, de mampostería, con capacidad para 20 hombres. No tiene cañones.

Depósito de Materias Inflamables.—También es éste un fuerte propiamente dicho; pero con objeto de impedir la sustracción o el incendio de las materias que contiene, se han construido, durante la guerra presente, dos fortines, a uno y otro lado de este edificio, de madera y zinc, con capacidad para cinco hombres cada uno.

Los reseñados son los puntos fortificados que se hallan sobre o dentro del recinto de esta plaza, circunvalándola completamente, pero fuera del recinto de ella existen otros, siendo los más próximos el de «Arroyo Hondo», el de «San Juan» y el del Pozo hacia el Este de la plaza; el de los «Dos Caminos del Cobre», el del «General Bargés» y el de «Caimanes». La boca del puerto cuenta con la fortaleza del Morro, y más al Este, con la de Aguadores y el fuerte del Sardinero; al Oeste, con el fuerte de La Socapa, el de Cabañas y la batería de Someruelos, y dentro del puerto, con el fuerte de Cayo Smith y las baterías de «La Estrella» y «Santa Catalina», dependientes estas últimas del castillo del Morro. Existen fuertes en la carbonera de «Buenavista», en «La Cruz», en Cayo Duan y en el polvorín de Cayo Ratones.

Los españoles, todos los días, construyen un fuerte más... Parece que pretenden no dejar nunca esta tierra.

El total de fuertes que hay en la zona de la plaza de Santiago de Cuba, comprendiendo el Caney, el Cobre, el Cristo y la zona minera, es de 117.

Guardias, retenes y puestos militares

Actualmente el servicio militar que se presta en la plaza de Santiago de Cuba es el siguiente:

Cuartel Reina Mercedes: Un oficial y 30 hombres de guardia, reforzados por la noche con un retén de igual fuerza. E.

Hospital Militar: Un oficial y 25 hombres de guardia. V.

Hospital Civil: Un sargento y 15 hombres de guardia. V.

Cuartel de Concha: Un oficial y 25 hombres de guardia. E.

Cuartel de Dolores: Igual que el anterior. E.

Parque de Artillería: Un cabo y cuatro soldados de guardia, y por la noche, retén de un oficial y 25 hombres. E.

Cuartel de Voluntarios: Un oficial y 25 hombres de guardia. V.

Cuartel de Bomberos: Igual que el anterior. B.

Cuartel de San Francisco: Igual que los anteriores. G.

Cárcel: Igual que los anteriores. V.

Tesorería de la Real Hacienda: Un cabo y cuatro hombres. V.

Comandancia de Ingenieros: Retén de un cabo y seis hombres. I.

Gasómetro: Un cabo y seis hombres, retén nocturno. V.

Las tres E, B, G, V, I significan Ejército, Bomberos, Guerrillas, Voluntarios e Ingenieros. El servicio de jefe de día lo presta uno del Ejército, y el de jefe de vigilancia, otro de voluntarios o de bomberos, cada uno de ellos para los puestos cubiertos por fuerzas de sus institutos. A los efectos de la vigilancia, la plaza está dividida en cinco sectores, y en cada uno de ellos presta el servicio un oficial, perteneciente al Ejército. Todos estos jefes y oficiales, en sus recorridos nocturnos, llevan una pareja de caballería. Toda la valla alambrada que circunda la plaza es recorrida de noche constantemente por una patrulla de caballería, dentro de cada sector. A medianoche, o por la madrugada, el Gobernador Militar sale escoltado por medio escuadrón de la Guardia Civil, al mando de un oficial, y recorre todos los fuertes y puestos avanzados. En las calles de la ciudad presta su servicio ordinario la Policía Gubernativa, y en los suburbios, la Guardia Civil a pie. Dadas las diez de la noche, no se permiten grupos en las calles ni reuniones en el interior de las casas, y si se trata de velorios de difuntos, a dicha hora los dueños de la casa deben despedir a todos los de fuera, quedando solamente los familiares del finado, y de no hacerlo, la Policía disuelve el velorio y detiene al jefe de la casa y a los inobedientes.

Y a pesar de ese lujo de precauciones, se conspira siempre, aumentan las salidas de personas para el campo de la Revolución y de la ciudad para el campo rebelde, y, viceversa, hay comunicación constante, latente y persistente.

Es muy grande el poder de la España colonial, pero el patriotismo de los cubanos lo es más.

Penuria de fuerzas militares y escasez de recursos

La situación de los españoles es tal en esta ciudad que puede decirse muy bien que están en la más completa inopia. Al Ejército se le debe siete meses —y es el que está más al día—, y cuando recibe una paga es en papel weyleriano, depreciado, que sólo se admite al 50 por 100 de descuento. Nadie fía a la Administración militar, y los soldados andan hambrientos y pésimamente uniformados. El Hospital Militar se halla repleto, con más de 500 heridos y enfermos, que no están bien atendidos por la falta de recursos. El Cuartel Reina Mercedes está convertido en sanatorio de convalecientes, y contiene otros 500 de éstos, que no podrán restablecerse por falta de alimentación adecuada en cantidad y calida. En el Cuartel de Concha los pabellones del Este están siendo techados rápidamente para que puedan albergar el crecido contingente de enfermos y heridos, que cada día aumenta más, y que ya no caben en los edificios anteriores. La tropa veterana o regular que existe en la plaza no llega a 100 hombres, incluyendo en esta cifra el Depósito de Transeúntes, las representaciones de los cuerpos en campaña y los escribientes, asistentes y ordenanzas.

Los volutanrios y bomberos que cubren casi todos los cuerpos de guardia de esta plaza se hallan muy recargados de servicio, de tal suerte que cada diez días tiene que montar cada individuo una guardia y un retén, y además tiene que prestar el servicio de formación en los entierros de jefes y oficiales —que son muy frecuentes—, procesiones y asistir a revistas, ejercicios y otros actos imprevistos, de tal suerte que no se pueden quitar el uniforme, pues los menos son los que poseen medios para pagar sustitutos en el servicio que les corresponde. El comercio de ropas, calzado, sombreros y ferretería, por su parte, ha tomado el acuerdo de suprimir el sueldo a sus dependientes, pudiendo el que quiera permanecer en los establecimientos trabajando, pero sin más disfrute que el de la mesa, la habitación, «la fuma» y el lavado de ropas..., y todos han tenido que aceptar esa situación, porque tener segura la subsistencia hoy, en esta ciudad, es a lo más que se puede aspirar, pues no hay ventas. Los establecimientos están desiertos, y apenas pueden mantenerse abiertos. Nada agregaremos referente al pobre pueblo, integrado por artesanos y obreros, pobres en su inmensa mayoría, que se afanan buscando ocupación, y que cuando logran hallarla trabajan por cualquier precio. El servicio doméstico se presta en las casas particulares por la comida solamente, que no es poquita cosa hoy. Ya no hay sobras de rancho en los cuarteles. Y a las puertas de las fondas, en las horas de almuerzo y comida, lanzado por pobres niños macilentos, se oye este grito suplicante: «¡Un pedacito de pan, señor!»

Ordenes eclesiásticas

(Día 2).—El arzobispo fray Francisco Sáenz de Urturi, en la capilla del Seminario Conciliar de San Basilio el Magno, confiere la prima clerical, tonsura y las cuatro órdenes menores a los estudiantes D. Frutos Díaz de Ilárraza y Fernández y D. Manuel Rodríguez y González, y las cuatro órdenes menores, solamente al clérigo tonsurado D. Enrique Serrano y Castro.

FUSILAMIENTO

(Día 3).—Es pasado por las armas, en Matanzas, el patriota Vidal Delgado.

ORDENES ECLESIÁSTICAS

(Día 3).—El arzobispo fray Francisco Sáenz de Urturi confiere el sagrado orden del subdiaconado a los clérigos tonsurados D. Frutos Díaz de Ilárraza y Fernández, D. Manuel Rodríguez y González y D. Enrique Serrano y Castro, que habían recibido las cuatro órdenes menores en la tarde del día anterior. Como se trataba de españoles, el prelado los ordenaba... de tiro rápido. A los cubanos se les hacía permanecer largos años en los grados inferiores, y se les trataba rígidamente en los exámenes, a fin de que se disgustaran y abandonaran la carrera de la Iglesia, dejando el campo libre a los peninsulares.

CONSEJO DE GUERRA

(Día 5).—Después de haber oído la misa del Espíritu Santo se constituyó en la Cárcel el Consejo de Guerra que debía ver y fallar la causa seguida contra Manuel Bernal Estrada, por el delito de rebelión. El tribunal estaba integrado por el coronel de Artillería D. Wenceslao Farrés y Marant, presidente; los capitanes D. Pedro Masana Frexa, D. Julián Domingo Simón, D. Joaquín Chalons y González, D. José Portillo Bruzón, D. Jenaro Cordero Herranz y D. Emilio Ruiz Rubio, vocales; capitán D. Natalio Lozoya Villacampa, fiscal, y teniente auditor de primera D. José Hernando Alvarez, asesor.

NOTA OFICIAL

Se publica la siguiente:

«Cuba 5 de abril.—El general Linares, en operaciones por Santa Fe y Palmar, sostuvo tiroteos con grupos enemigos en Florida y Altos del Boquerón, los días 2 y 3.»

Ejecución de justicia

(Día 6).—En los fosos de la Cabaña, Habana, son ejecutados en garrote los reos Anastasio Robau y Romero y Floro Ramírez Sanz, por los delitos de secuestro y asesinato.

Cárcel

El 7 se hace cargo interinamente de la plaza de primer alcaide D. Gabriel Roca y Mir, y el 9 toma posesión, también interinamente, de la segunda alcaidía, D. Manuel Estévez Martín.

Fallecimiento

El mismo día muere D. Enrique Leyva.

Torre

Es nombrado D. Carlos Quintín de la Torre y Cobián fiscal de esta Audiencia Territorial.

Lluvias

Después de tres meses de seca caen las primeras lluvias el día 10.

Martínez y Morales

El Ldo. D. Manuel de J. Manduley, secretario de sala de esta Audiencia, denuncia a su antecesor, el Dr. D. Ramón Martínez y Morales, por aparecer en varios asuntos civiles cobradas cantidades pertenecientes al Estado, en cuyos rollos no obra constancia de haberse verificado y sí pruebas de haberse recibido de las partes.

Como consecuencia de estos delitos se han iniciado hasta ahora 54 procesos de malversación de cantidades públicas contra el Dr. Martínez y Morales.

La cocina económica

Para la instalación y sostenimiento de la cocina económica se han obtenido unos 2.000 pesos en donativos y 230 pesos de suscripción mensual.

Los trabajos de instalación se hallan bastante adelantados.

FUSILAMIENTO

(Día 12).—Es pasado por las armas en la Cabaña, Habana, José González Romero, por el delito de rebelión.

FUSILAMIENTO

(Día 14).—En el foso de los laureles de la Cabaña, en la capital, es fusilado Pedro García González.

NOTA OFICIAL

El día 14 se publicó la siguiente:

«El día 7 del actual, y después de recorrer la jurisdicción de Guantánamo, se situó en Tiguabos el general D. Arsenio Linares con una columna, para caer el día 10 sobre el Ramón de las Yaguas por Sabana Abajo, Peladeros, San Alejandro, Recompensa, Santa Ana de Griñán y Yerba de Guinea, en combinación con otra columna a las órdenes del general Sandoval, que hizo salir de Guantánamo por Vínculo, Cabañas, Maca-Arriba y Casimba, y una tercera, al mando del coronel Vara de Rey, que se dirigió desde Songo por Ti Arriba. Con precisión admirable, de ocho a nueve de la mañana del día señalado, coronáronse las alturas de María, Sabina y Sierra de Ampurias por fuerzas del general Sandoval; Loma de los Ciegos y alturas del Camino Real de Cuba, por las del coronel Vara de Rey, y Duaba, Palmarito y Loma del Cementerio, por las del general Linares, que ocupó además el asiento antiguo del poblado, habiendo tenido seis individuos de tropa y el médico de las Guerrillas de Cuba D. Angel Rodríguez López heridos. El enemigo dejó cuatro muertos en el campo, dos prisioneros, armas de fuego y abundantes municiones, siendo incalculable lo destruido en viviendas, efectos, herramientas, talleres y elementos de vida, especialmente en Peladeros, campamento de Cebreco.

Las tropas han soportado los días de fatiga con excelente espíritu, habiendo recorrido 61 leguas la columna del general Linares.

El general Sandoval, a su regreso a Guantánamo, hizo tres muertos y cinco prisioneros, y el general Linares, en su marcha a Songo con su columna y la de Vara de Rey por «Loma de la Gloria», Ti Arriba y Ponupo, tuvo fuego el día 12; en este último punto, con un grupo enemigo situado en la loma del mismo nombre, el cual fue batido y perseguido por una compañía del batallón de Asia, que tuvo tres individuos de tropa heridos.

El general Linares regresó a esta plaza en el tren de Songo, acompañado de sus ayudantes y el comandante de E. M. Sr. Ramos, después de un mes de operaciones.»

NOTA OFICIAL

Se publica la siguiente:

«Abril 16.—Guantánamo.—La columna del comandante Pérez, Brigada de Guantánamo, tuvo fuego ayer en Blanquizal con un grupo enemigo, causándole dos muertos y ocupando machetes, efectos y una acémila. La fuerza, sin novedad.»

«Ayer se han presentado sin armas, procedentes del campo enemigo, seis insurrectos, uno en la Concepción y cinco, con veinte mujeres y siete niños, en el Caney.»

NOTA OFICIAL

La Prensa local publica la siguiente:

«Día 17 de abril.—Fuerzas de la brigada de Guantánamo, situadas en el cafetal «Florida», Yateras, batieron al enemigo, acampado en las lomas de los Ciegos, apoderándose del terreno que ocupaba después de media hora de fuego, *sin que por nuestra parte hubiera novedad.*»

QUIRCH

Puesto en libertad, don Eduardo Quirch vuelve a hacerse cargo de la administración del Cementerio.

AYUNTAMIENTO

El Alcalde-Presidente manifiesta al Ayuntamiento «que antes de entrar en la orden del día debía hacer presente a la Excelentísima Corporación que corría el rumor de que el excelentísimo señor Capitán General de la Isla, D. Valeriano Weyler, llegaría a esta ciudad dentro de pocos días, y que, por lo tanto, debía acordarse el obsequio que ha de tributarse a un personaje de tan elevada jerarquía y que tanto viene trabajando por el restablecimiento de la paz, la prosperidad de esta Antilla y el bienestar de sus habitantes. Que no necesitaba encomiar los méritos de S. E., porque ningún buen español los desconoce, ni deja de hacer completa justicia a sus relevantes servicios, habiendo reorganizado el Ejército y quebrantado la insurrección en términos que puede ya darse por extinguida en las provincias de Pinar del Río, Habana y Matanzas, alentando apenas en las Villas y las abruptas sierras de esta Provincia. Que había, pues, un doble deber de cortesía y de gratitud para que el recibimiento que se haga a la expresada Superior Autoridad sea lo más entusiasta posible, y el obsequio sea digno de S. E.».

Quedó acordado costear de los fondos municipales un fastuoso banquete en nombre del pueblo de Santiago de Cuba.

Rascón

Es declarado cesante en jefe de la Policía Municipal D. Elías Rascón y es nombrado en su lugar D. Juan Bautista Alonso.

La Cocina Económica

(Día 25, domingo).—A las nueve de la mañana de hoy, se verifica la bendición e inauguración de la Cocina Económica, instalada en la espaciosa casa de la calle de Cristina, esquina a la de San Germán, gracias a los esfuerzos del filántropo D. Germán Michaelsen, eficazmente secundado por la comisión que presidió. Dio la bendición el arzobispo fray Francisco Sáenz de Urturi y asistieron las autoridades y numeroso público. Empezó luego el reparto de raciones, consistentes en sopa de fideos con carne, garbanzos y papas y un panecillo mediante la entrega de una chapa de cobre, del valor de cinco centavos. Los que quieren pueden consumirlas en el comedor del establecimiento, o llevarlas a sus casas. El administrador es D. José Termes e Hill.

Nota oficial

La prensa de la localidad ha publicado la siguiente:

«Día 25.—Durante la madrugada de ayer los insurrectos causaron algunos desperfectos en la línea férrea de Holguín a Gibara, en el punto conocido por «Buenavista», empleando para ello cinco petardos que hicieron explotar. Parece ser que las intenciones de éstos era volar el puente de «Camarones», pero afortunadamente estaba ocupado por fuerzas del Ejército. No se ha interrumpido el movimiento de trenes, transbordándose el pasaje en el citado punto.»

Banes

(Día 26).—El mayor general Calixto García Iñiguez, jefe del Departamento Militar de Oriente, se hallaba ocupando el puerto de Banes desde el 18 de marzo del corriente año y tenía asediada a su guarnición, compuesta de 50 hombres, en el fuerte emplazado en el fondo de dicho puerto. Fue preciso organizar una gran expedición marítima y terrestre para poder atacar a las fuerzas cubanas y desalojarlas de aquel punto, dada la gran trascendencia internacional que tenía el hecho de que la República de Cuba poseyera por tanto tiempo un puerto «en su propio territorio», a despecho del poder de España. Una escuadra integrada por los barcos de guerra *Reina Mercedes, Nueva España, Galicia, Vasco Núñez de Balboa, Magallanes* y *Ligera*, mandada personalmente por el Excelentísimo señor contralmirante D. José Navarro y Fernández, comandante general de Marina del Apostadero de la Habana y de la Escuadra de las Antillas, protegió el desembarco de 1.200 hombres de Infantería del Ejército, 700 de Infantería de Marina y 400 marineros de la misma escuadra, que fueron atacados por las fuerzas libertadoras al mando del brigadier Remigio Marrero, mientras duró la operación, no obstante el fuego de la escuadra protectora. En tierra ya la expedición española, con ella se formaron tres columnas de ataque, a las órdenes del Excmo. señor general de brigada D. Vicente Gómez Ruberté, mandando la primera el teniente coronel de E. M. D. Fernando Kindelán y Griñán, la segunda el de igual clase de Infantería Ayala y la tercera el de la misma categoría y Arma Núñez, y simultáneamente a la ofensiva de éstas, los botes de la división naval que ocupaban posiciones en la costa, limpiaron el cañón de la entrada del puerto, destruyendo en su boca un torpedo que estaba fondeando y tres rollos de alambre. Las tres columnas en tanto atacaron y ocuparon las alturas y fortificaciones, desde donde hizo tenaz resistencia la cubana hueste, y sólo entonces pudo penetrar en puerto la división naval y avanzar hasta poder comunicarse con la guarnición del fuerte español, que sufrió 45 días de sitio riguroso. Retiradas las fuerzas de Cuba a otras posiciones, prosiguió el combate todo el día y la noche, mientras la escuadra y los ingenieros destruían los muelles y el fuerte que ocupaba la guarnición y construían otro, a la entrada del puerto, adonde trasladaron el destacamento retirado del anterior. Los españoles emprendieron la retirada al siguiente día, pero dejaron en el puerto una escuadrilla compuesta de los cañoneros *Nueva España* y *Magallanes,* mandada por el capitán de navío D. José Marenco, jefe de E. M. del Apostadero, con la misión de proteger las obras que se estaban realizando. Por su parte los cubanos se retiraron a Cabonico. Estas operaciones costaron a España 40 muertos y buen número de heridos, aunque no confesados oficialmente. Tampoco se publicó el número de bajas cubanas.

PÉREZ TAMAYO

(Día 30).—Fallece en esta ciudad el Pbro. D. Esteban Pérez Tamayo, cura ecónomo de Guisa.

POLICÍA

Ha tomado posesión del cargo de jefe de Policía de Gobierno en esta provincia D. Gabriel Roca Mir, que venía desempeñando interinamente el cargo de primer alcaide de la cárcel.

FALLECIMIENTOS

Han fallecido en este mes: D.ª Manuela López de Queralta y Landa, D.ª Teresa Barbosa, D.ª Balbina Mancebo y del Castillo, D.ª Irenea Sallés y Rodríguez, viuda de Martínez, el 20; D.ª Trinidad Martínez Vargas de Roch, D. Lorenzo Rafecas, D. Pablo Cros de Moya, el 19; D. José Bernardo López, D. Miguel Cabot, D. Ambrosio Duany Montes, el 27; D. Isidoro Marqués García.

MAYO 1897

CESE Y NOMBRAMIENTO

(Día 2).—El arzobispo fray Francisco Saenz de Urturi nombra canónigo de Cruzada e Indulto al medio racionero D. Santiago Banzo y Blasco, por haber cesado en dicho cargo el canónigo D. Ramiro Herrera y Córdoba.

TORAL

Embarca el 3 en el vapor *Benito Estenger* el general Toral, quien se dirige a Guantánamo, a hacerse cargo del mando de aquella brigada, a cuyo frente estuvo el general Sandoval, que partirá en breve para la Península por enfermo.

OLIVEROS

El mismo día se encarga interinamente del Gobierno Militar de esta plaza el coronel D. Francisco Oliveros y Jiménez, subinspector del XIX Tercio de la Guardia Civil.

NOTA OFICIAL

La prensa local de hoy 5 publica lo siguiente:

«La columna del Cobre al mando del comandante D. Andrés Alcañiz efectuó una operación sobre Buenavista, Monte Real, Palomar, Soto-Arriba y Puerto Maniel en dos fracciones, una a las órdenes del Comandante Militar del poblado, encontrando al enemigo acampado en Maniel, con el cual sostuvo combate desalojándolo de sus posiciones, destruyendo 14 trincheras, quemó campamento de 80 bohíos ocupando un arma de fuego, municiones de varios sistemas, dos caballos con monturas, ropa y efectos. El enemigo dejó en el campo 8 muertos. De nuestra parte 2 muertos, 2 heridos graves y un contuso de tropa.

La columna del Palmar, Guantánamo, compuesta de fuerzas de Simancas, batió al enemigo en San Fernando, causándole dos muertos y ocupándole municiones y 16 caballos.»

NOTA OFICIAL

La prensa local del 6 publica la nota oficial que sigue:

«La guerrilla del primer Batallón del Regimiento de Simancas, Brigada de Guantánamo, en reconocimiento por sitio «Gallego», batió un grupo enemigo, ocupándole cuatro caballos.»

«Procedente del campo enemigo se han presentado en Caney tres individuos, uno de ellos con armas y municiones.»

TRUJILLO

D. José Trujillo y Monagas, habiendo cesado en su cargo de jefe de Policía del Gobierno, embarca en el vapor *Reina de los*

Angeles para dirigirse a Santa Clara, a fin de encargarse de la Jefatura de Policía de aquella provincia.

Beri-beri

Se presentan algunos casos de beri-beri. Las autoridades toman medidas para evitar en lo posible la propagación de dicha enfermedad, de carácter contagioso.

Reparto de sobras

Son tantas las familias pobres que acuden a los muelles en demanda de lo que sobra de las comidas en los buques surtos en bahía, que los señores Menéndez y C.ª, a instancias del señor Michaelsen, deseando contribuir en algo al alivio de tanta miseria, disponen que mientras estén en puerto los vapores del Sur, se reparta a los pobres un número bastante crecido de raciones; pero es tanta la miseria que acuden en demanda de raciones más pobres de los que pueden ser socorridos.

Fallecimientos

(Día 7).—Mueren D.ª Ana Ramírez de Gutiérrez y D.ª Juana Soleliac.

Nota oficial

Publicó la prensa local la siguiente nota oficial:

«Día 7 de mayo.—Ayer por la tarde regresaron a Palma Soriano las columnas de los tenientes coroneles Puñet y Escudero, de los batallones de Constitución y Cuba, que al mando del coronel jefe de la primera brigada D. Joaquín Vara de Rey han operado en combinación durante seis días y practicado minuciosos reconocimientos por Cuchillas, Arroyo Blanco, Aguacate, Cruces, San Francisco, Juan Barón, Descanso del Muerto, Palo Picado, Trocha de Maceo, Remanganaguas, Caney del Sitio, Abundancia y Santa Rita.

En distintos encuentros con el enemigo se le causaron dieciséis muertos, ocupándole tres armas de fuego y municiones, diecinueve caballos, ganado vacuno, de cerda, aves en abundancia y setenta quintales de café. Se destruyeron ochenta y cuatro bohíos y muchas siembras.

De nuestra parte cuatro heridos de tropa y un caballo muerto.»

Velasco

Según noticias recibidas en Gibara, ha sido atacado por fuerzas insurrectas al mando de Irene Muñoz o de Cornelio Rojas el poblado de Velasco, que desde que empezó la guerra parece ser el punto de predilección escogido por los rebeldes para hacerle teatro de sus embestidas y de sus persecuciones. El enemigo fue recibido gallardamente por la guarnición del destacamento, que con sus certeros fuegos le rechazó completamente, obligándole a retirarse a sus guaridas, después de dejar un muerto.

La tropa tuvo tres heridos leves.

Manzanillo

De *La Unión,* del día 9:

«Por noticias particulares sabemos que el día 5 por la tarde llegó a Portillo la columna que al mando del valiente coronel señor Ruiz operaba por aquella zona y a cuya fuerza se habían agregado las guerrillas volantes a pie de Bayamo y local de Niquero, al inmediato cargo del bravo capitán de la última don Marcelo O'Ryan.

Esas fuerzas han visitado los campamentos insurrectos de Brazo Seco, Palma, Ojo de Agua, Sevilla Arriba y Barrio Piedra, pasando de 400 las casas quemadas en los mismos. Nuestros soldados han confeccionado sus ranchos durante cuatro días que duraron la operaciones, con las gallinas y otras aves domésticas halladas en ellos.

De los 1.400 hombres que componían la columna, el que menos cogió diariamente de dos a tres aves y otros las abandonaban por la imposibilidad de cargar con ellas.»

Fusilamiento

(Día 9).—En la Cabaña, Habana, es fusilado Teodoro Menéndez.

Nota oficial

«Guantánamo.—Día 10 de mayo.—El general Toral, conduciendo un convoy a Felicidad (Yateras), sostuvo fuego con el enemigo entre Altos Boquerón y Diamante, teniendo por nuestra parte dos guerrilleros heridos.

El mismo general, practicando reconocimientos con las fuerzas a sus órdenes por el sitio denominado Sorpresa, batió al enemigo, que dejó un muerto en las trincheras.»

MARINA

«El día 10 del actual, cruzando el cañonero-torpedero *Marqués de Molins* frente a la punta de Macha (Cuba) fue hostilizado por el enemigo; maniobró convenientemente su comandante, el teniente de navío de primera D. Joaquín Vega, consiguiendo con sus tiros destruirle las viviendas y rechazarlo. El día 13 volvió a sufrir ataque del enemigo en el fondeadero de la Ensenada de Hora, consiguiendo también apagarle los fuegos con varias descargas de fusilería y cañón.»

NOMBRAMIENTO

D. Alejandro González Olivares, oficial tercero de la Administración de Hacienda.

LOS BILLETES

Por orden del Gobierno General se suspende el canje de billetes. Como consecuencia sobreviene un notable descenso en el valor de éstos, lo que contribuye a empeorar la situación económica de la población, que ya venía siendo muy precaria.

FALLECIMIENTO

El día 11 muere D.ª Manuela Bernal y García, viuda de Trujillo.

GUANTÁNAMO

La Bandera Española del 12 publica lo siguiente:

«Según escriben de la Villa del Guaso, fuerzas de aquella brigada al mando del aguerrido e incansable general Toral, compuestas por dos compañías de Simancas, tres de las Escuadras y una sección de Transportes, salió el día 8 de Jamaica con objeto de hacer algunos reconocimientos, habiéndolos verificado minuciosamente sobre el Palmar, Boquerón, Felicidad y Bella Vista, regresando al punto de salida.

En "Sorpresa" tuvo fuego algo nutrido la pequeña columna con el enemigo, resultando dos bajas por nuestra parte.

Esta operación será el comienzo de las que emprenderá con toda actividad el distinguido general Toral, del que con justo motivo esperamos nuevas victorias y lauros para nuestra noble España.»

Consejo de guerra

(Día 12).—Se celebra en esta plaza el consejo de guerra que debía juzgar a D. Cipriano Rizo Calvo, por quebrantamiento de condena militar.

Ordax

Toma posesión del cargo de gobernador regional y civil don Federico Ordax y Avecilla.

Ayuntamiento

En sesión extraordinaria presidida por el Gobernador Regional, el Ayuntamiento le da cuenta de la situación como sigue:

«Que la actual situación es desgraciadamente muy aflictiva, habiendo observado que la mayor parte de las peticiones convergen a la Administracinó Municipal; que si se tiende la vista por el Hospital Civil se encuentra que tiene que hacer grandes esfuerzos para no cerrar sus puertas y privar de sus benéficos auxilios a los numerosos enfermos allí acogidos, por lo que no es posible pensar en nuevas construcciones para su ensanche, sino en conservar lo existente; que la cuestión de la higiene del vecindario deja todo que desear por el mal estado de calles y plazas, faltos de limpieza y llenas de basuras y de baches, en donde se depositan las aguas que han servido para el baño y otros usos domésticos; que el Acueducto es insuficiente para satisfacer las necesidades de la población, por escasez de agua, sin que sea dable mejorarlo por la anormal situación que se atraviesa...»

Y continuó diciendo en síntesis que hay imposibilidad de hacer nada por no contar con recursos de ninguna clase por lo anormal de la situación y la inercia que a paso de gigante va apoderándose de la población.

Cementerio

Por el aumento de las defunciones en la ciudad, se aumentan dos sepultureros más.

Policía Municipal

El cuerpo de Policía Municipal pide que «le sean pagados sus haberes todos los meses por tener no sólo que atender a las necesidades de la vida, sino tener siquiera un pan para llevar a sus hijos y familia».

Y no es posible atenderlos por lo precario de los fondos municipales.

Martínez Morales

Siguen despertando interés los juicios orales y públicos que se celebran en esta Audiencia, en las diferentes causas que se siguen contra el doctor D. Ramón Martínez y Morales. Nuevos magistrados conocen de dichas causas, bajo la presidencia de don Enrique Saavedra. El mismo procesado hace su defensa.

Nombramiento

Se deja sin efecto el nombramiento del oficial cuarto D. Cándido Martínez para esta Administración de Hacienda, nombrándose en su lugar a D. Eladio Pina.

Cocina Económica

Mil quinientas raciones diarias se despachan en la Cocina Económica establecida en esta ciudad.

El Club Náutico

(Día 15).—El gobernador regional D. Federico Ordax y Avecilla decreta la clausura del Club Náutico, y con la comunicación oficial envía a su presidente D. Germán Michaelsen un atento besalamano, expresivo de lo mucho que sentía haber tenido que adoptar dicha medida que le imponían sus deberes oficiales. Lo cierto es que, en los botes de esa sociedad, los jóvenes socios transportaban correspondencia y efectos para la insurrección.

Fuerte «El Isleño»

Se reciben noticias el 16 de que grupos insurrectos hostilizan el fuerte «El Isleño», situado en la Sierra Maestra. De esta plaza sale en dirección a dicho lugar una fuerza al mando del comandante de la G. C. D. Pedro Salas García, que regresa, sin haber tenido encuentro con el enemigo, conduciendo a dos soldados del fuerte, heridos.

CÁRCEL

El mismo día intentan fugarse tres presos de la Cárcel, de los que estaban en la enfermería, siendo descubiertos cuando ya tenían hecho un agujero en una de las ventanas y preparada la soga por la que habían de descolgarse.

MENSAJE DE MAC KINLEY

«*Al Senado y Cámara de Representantes de los Estados Unidos.*

Informes oficiales de nuestros cónsules en Cuba hacen constar el hecho de que un gran número de ciudadanos americanos residentes en la Isla están en estado de privación por consecuencia de la falta de alimentos y medicinas. Esto sucede en particular en las comarcas rurales de las partes Central y Oriental de Cuba. Las clases agrícolas han sido obligadas a abandonar sus fincas y a concentrarse en las poblaciones inmediatas, donde están sin trabajo y sin dinero. Las autoridades locales de las poblaciones, aun siendo muy bondadosas sus disposiciones, no cuentan con elementos para satisfacer las necesidades de los suyos, y están en completa imposibilidad de socorrer a nuestros conciudadanos.

El último informe del cónsul general Lee calcula que de 600 a 800 americanos carecen de medios de subsistencia. Le he asegurado que se dispondrá inmediatamente lo necesario para socorrerlos. Con tal objeto recomiendo al Congreso vote un crédito de $50.000 a lo menos, para su aplicación inmediata bajo la dirección del Secretario de Estado.

Será conveniente que parte de la cantidad que vote el Congreso se emplee, también a discreción del Secretario de Estado, en la conducción de aquellos ciudadanos americanos que deseen regresar a los Estados Unidos y no tengan los medios para verificarlo.

William Mac Kinley.

Mansión Ejecutiva, 17 de mayo de 1897.»

Silvestre

(Día 18).—Muere en esta ciudad D. Ramón Silvestre y Elías, capitán de volunatrios, comerciante y propietario del Caney.

Ataque al tren

(Día 20).—Una nota oficial da a conocer lo ocurrido hoy en el camino de hierro. Dice así:

«Una partida insurrecta dedicada a la destrucción por medio de la dinamita, incapaz e impotente para combatir frente a frente con nuestras tropas, colocó en esta mañana varios cartuchos en el trayecto de la línea férrea de Cristo a Songo y punto denominado Jagua, explotando algunos de ellos momentos antes del paso de la exploradora del tren, que sin tiempo para detener la marcha, quedó descarrilada.

El enemigo emboscado rompió el fuego sobre la exploradora a la vez que sobre el tren que venía a prudencial distancia y pudo retroceder al Cristo por la imposibilidad de desarrollar sus fuegos la escolta en el lugar de la detención.

La partida, dedicada ya al saqueo de los tres carros de mercancías enganchados a la exploradora y preparando combustible para incendiar el material, vióse sorprendida y atacada con resolución por la guerrilla montada del segundo Batallón de Cuba y el escuadrón de Santiago, formando en total unos 70 caballos que causaron al enemigo tres muertos al arma blanca, cogiéndoles un fusil Remington, recuperaron los efectos robados, impidieron el incendio y pusieron en completa dispersión a la partida rescatando al retranquero del tren.

De nuestra parte el segundo teniente de la Guerrilla de Cuba D. Dionisio Lafuente Vázquez muerto cargando en vanguardia y combatiendo personalmente, y cuatro caballos heridos. El Comandante Militar de Songo, al oír la explosión, ordenó la salida de la guerrilla local y voluntarios a situarse en punto conveniente para cortar la retirada a los insurrectos dispersos, con el acierto de encontrarlos, haciéndoles dos muertos y un prisionero con armas y municiones.

Trescientos hombres de Asia al mando de su Teniente Coronel que a la sazón se dirigía a Dos Caminos cumpliendo órdenes del General de la División oyeron también la detonación y acudieron al lugar del suceso.

En su precipitada huida y dispersión, el enemigo dejó en libertad al maquinista y tres dependientes de la Empresa, que detuvieron en los primeros momentos.

La explosión no causó desgracia alguna personal, ni defecto en el material, encarrilado ya en la tarde de ayer, gracias a la oportuna llegada de fuerza montada de la zona de San Sebastián y a la rápida marcha que efectuó para acudir en auxilio del tren.»

HOLGUÍN

Una nota oficial del 20 hace público lo que sigue:

«Fuerzas del Regimiento de la Habana, al mando de su coronel D. Mariano Salcedo, de regreso de San Agustín, sostuvo un ligero tiroteo en San José de Aguará, donde el enemigo se encontraba emboscado. Atacado por la guerrilla montada de dicho regimiento, abandonó sus posiciones llevando algunas bajas.

Por parte de la columna un soldado muerto y otro herido.

Doce individuos del primer Batallón del mismo Regimiento, al mando del teniente Merino, comandante del destacamento de Yareyal, se encontraban chapeando las maniguas próximas al mismo, cuando de improviso se vieron sorprendidos por unos treinta insurectos que les atacaron al machete. Organizados inmediatamente se defendieron con gran valor, logrando rechazar al enemigo, que dejó un muerto, el cual resultó ser el titulado capitán Desiderio Hernández, al que se le ocupó una tercerola Remington en buen estado, un machete, un cuchillo, una cartera con 41 cartuchos y un diario de operaciones que principia el 24 de octubre.

El cadáver de Hernández fue identificado por los vecinos del poblado.

Al mismo tiempo, un grupo de 20 jinetes se acercó al poblado, haciendo fuego por la parte opuesta al que se acababa de librar la anterior acción, retirándose después de 15 minutos de fuego.

Reconociendo el lugar que ocupó el enemigo se encontraron dos caballos muertos y algunos rastros de sangre; habiéndose notado que al retirarse llevaban dos muertos o heridos.

Nuestras bajas son: teniente Merino, herido; soldado Matías Fernández Santos, que después de herido en un brazo y en lucha personal dio muerte al cabecilla ya citado; paisano José Mola Valencia, herido leve, y soldado Martín Barrios y Antonio García Barbel, contusos.

Expedición desembarcada

(Día 21).—En las costas de Matanzas desembarca una expedición de guerra destinada al Ejército Libertador de Cuba. Viene mandada por el patriota Serapio Arteaga y trae abundantes pertrechos.

Prisión

(Día 22).—En la tarde de hoy fue detenido y conducido a la cárcel D. Antonio Domingo y Calero, más conocido por «El Chivo», donde quedó a disposición de la jurisdicción de Guerra. Se le acusa de habérsele ocupado —caída en el suelo sin que él lo notara— una carta procedente del campo rebelde, por un individuo de la Policía Secreta, que dijo la vio caérsele del bolsillo al sacar Domingo el pañuelo estando en la Plaza de Armas. En realidad, el señor Domingo tiene una agencia revolucionaria establecida en la casa número 36 de la calle alta de San Agustín.

Beri-beri

Sigue desarrollándose el beri-beri, contribuyendo a la propagación de la epidemia el abandono en que se deja a los enfermos pobres, no facilitándoles medicinas y no atendiéndolos debidamente los médicos municipales.

Pasajeros

En el vapor americano *Santiago,* que zarpa de este puerto para el de Nueva York el 22, toman pasaje como cien familias, dirigiéndose unas a los Estados Unidos y otras a Europa.

Bertot

(Día 23).—Fallece en esta ciudad D. Carlos Bertot.

Ordenes eclesiásticos

(Día 23).—El arzobispo fray Francisco Saenz de Urturi confiere, en la capilla del Seminario, el sagrado orden del diaconado a los subdiáconos D. Frutos Díaz de Ilárraza y Fernández, don

Manuel Rodríguez y González y D. Enrique Serrano y Castro.

Linares

El 23 embarca en el vapor *Julia* el general Linares, para Baracoa, acompañado de sus ayudantes, diez oficiales y unos 300 soldados.

Alumbrado público

(Día 24).—El Excmo. Ayuntamiento acuerda suprimir 282 faroles de los 860 que existen actualmente y quedando reducidos a 578, abonando por estos últimos el Municipio a la Empresa del Gas la misma cantidad que venía pagando en billetes por los 860 actuales. Este arreglo regirá durante un mes.

Nota oficial

La prensa local publicó la nota oficial siguiente:

«El día 24 de mayo por la noche un grupo enemigo tiroteó el fuerte de Puerto Bayamo en la Sierra Maestra, contestándole con algunos disparos que le obligaron a retirarse.

Baracoa.—El día 20 una partida insurrecta hostilizó el fuerte situado en la desembocadura del Río Miel, siendo rechazada y resultando herido un soldado del Batallón de Talavera.»

Expedición

(Día 24).—El comandante Ricardo Delgado desembarca con una expedición de guerra cubana en la parte Norte de las Villas, trayendo material de guerra y el personal siguiente:

Dr. Eusebio Campos, Alberto Fernández de Velasco, Carlos Pío Urbach, Anastasio Walls, Antonio Barrios, Juan Barrios, Juan Ramos, Pedro Cárdenas, José Rubio, Enrique Lancís, Gustavo Páez, Armando S. Peña, Antonio P. Landrón, Nicasio Expósito, José Hernández, N. Sigarreta, Manuel González, Miguel R. Marcoleta, Federico Godoy, Lino Varas, Miguel Zaldívar, Lino A. Sowors y F. Castroverde.

Baracoa

La Bandera Española publicó lo siguiente:

«El día 18 salió el señor coronel comandante militar de Baracoa D. Bernardo Areces con las fuerzas disponibles de aquella Zona, distribuidas en tres columnas, cruzando el río Duaba por Paso Real y por su desembocadura.

Puestas en combinación nuestras tropas con el cañonero *Vasco Núñez de Balboa,* le fueron tomadas al enemigo las posiciones atrincheradas que ocupaba entre los ríos Duaba y Toa, ignorándose las bajas causadas al enemigo por no haberse aún recibido el parte detallado de la acción, teniendo por nuestra parte un oficial, tres de tropa muertos, cuatro heridos graves y siete leves y contusos.

El día 19 el enemigo que había sido desalojado de sus posiciones por nuestras tropas se corrió hacia Baracoa tratando de penetrar en el poblado por el barrio de la Marina, siendo rechazado por la guarnición y fuerza de voluntarios, abandonando en su huida dos muertos, sombreros, macutos y efectos, distinguiéndose por su valeroso comportamiento el teniente del Batallón de Talavera D. Ceferino Gómez al frente de la fuerza que atacó y dispersó el grupo de rebeldes.»

La reconcentración

«Don Valeriano Weyler y Nicolau, Marqués de Tenerife, Gobernador General, Capitán General y General en Jefe del Ejército de esta Isla.

»Aun cuando mis bandos previenen clara y terminantemente que la reconcentración de familias debe verificarse en los poblados donde haya fuerza armada, expresando también los únicos que pueden quedar entre ingenios o fincas que representen industria habiendo ocurrido algunas dudas, vengo en resolver:

»1.° La reconcentración de familias o presentados procedentes del campo enemigo, ha de verificarse, precisamente, en puntos que tengan autoridad municipal y fuerza armada para su defensa.

»2.° Las autoridades civiles y militares carecen de facultades para crear nuevos poblados y barrios y para dotar de autoridad municipal a los que no la tuviesen antes de la guerra, sin previa autorización de este Gobierno General, que no la dará en ningún caso sin informe favorable del Estado Mayor General.

»3.° Los ingenios que muelan y fincas que representen industrias y tengan fuerzas propias para su defensa, podrán tener en ellos a los trabajadores con sus mujeres e hijos, siempre que hayan cumplido con las condiciones de haber pagado las contribuciones, justificar la propiedad y presentar previamente a las Autoridades las cédulas de dichos trabajadores y sus familias y relación de ellos, según previenen mis bandos.

»4.° A las fincas cuyos dueños, no obstante de haber cumplido con todas las condiciones anteriores, carezcan de fuerza armada propia, sólo se les permitirá sus trabajadores, pero no sus familias.

»5.° Queda absolutamente prohibida la reconcentración de familias y construcción de poblados en ingenios y fincas particulares, y en caso de solicitarse, deberá el dueño hacer previa cesión al Ayuntamiento de que dependen del terreno para las casas y zonas de cultivo, para que nunca pueda reclamar su desalojo.

»6.° En el caso de que la excesiva aglomeración exija la creación de nuevos poblados, deberán éstos constituirse sobre las vías férreas, si las hubiere, o de las principales de comunicación, previa concesión de este Gobierno General.

»Cuartel General de Sancti-Spíritus, 27 de mayo de 1897.—

Valeriano Weyler.»

BANDO

«Don Valeriano Weyler y Nicolau, Marqués de Tenerife, Gobernador General, Capitán General y General en Jefe del Ejército de esta Isla.

ORDENO Y MANDO:

Artículo 1.° Próximo a emprender las operaciones en la parte oriental de esta Isla, se aplicarán a las provincias de Puerto Príncipe y Santiago de Cuba mis bandos de 30 de enero último, dictados para las Villas y que a continuación se copian, en los cuales se dispone:

1.° La organización de las zonas de cultivo.

2.° La prohibición de que haya tiendas en los lugares que no estén fortificados y cerrados.

Y 3.° La concentración de los habitantes del campo y destrucción de recursos en todos los puntos donde no se cumplieran las precripciones que se señalaban.

Art. 2.° Para el cumplimiento de este Bando concedo el plazo de un mes, a partir desde la fecha en que se publique en el «Boletín Oficial» de la respectiva provincia.

Cuartel General de Sancti Spíritus, 27 de mayo de 1897.—*Valeriano Weyler.*»

NOTA OFICIAL

La Prensa publica la siguiente nota oficial:

«Mayo 27.—Guantánamo.—El día 23 un grupo enemigo tiroteó el Palmar; dejó dos muertos en poder de la fuerza que salió a batirlo. Nosotros, un herido de tropa.

El día 25 el general Toral atacó con dos compañías las posiciones que ocupaba el enemigo en el Alto de San Fernando, dispersándolo y haciéndole dos muertos, que fueron identificados, y cuatro heridos, recogiendo también un mulo y dos caballos. Por nuestra parte, el teniente de Simancas D. Cecilio Sánchez, herido; contuso, el médico Sr. Rojas, y un guerrillero, muerto.

(Día 28).—Ferzas montadas de las Escuadras de Guantánamo sorprendió una pareja exploradora enemiga entre Palmar y Jamaica, matando a uno e hiriendo al otro.

Santiago de Cuba.—En Dos Caminos, de la línea férrea, se ha presentado un individuo, procedente del campo insurrecto.

El día 27 de mayo se presentaron en el ingenio «Isabel», Guantánamo, seis insurrectos de la partida de Silverio Sánchez, con armamento y municiones en buen estado.»

NOTA OFICIAL

La Prensa local publica la siguiente nota oficial:

«30 de mayo.—Las columnas del teniente coronel Mazarredo y comandante Arraiz, de la Brigada de Guantánamo, destruyeron el día 28 los campamentos Los Ciegos y Bertrán, apoderándose de nueve caballos, municiones, ropas y efectos, y ayer, 29, las mismas fuerzas combinadas tomaron el campamento «Juan León», y los guerrilleros montados del Regimiento de Simancas se apoderaron del de San Rafael, siendo ambos destruidos, no ocurriendo novedad a nuestras fuerzas durante los tiroteos sostenidos con el enemigo en estas operaciones.

En la tarde del día 28 un grupo de nueve insurrectos intentó llevarse ganado caballar de las inmediaciones del fuerte de Bayamo, al que hicieron algunos disparos, pero se vio obligado dicho grupo a huir, por el fuego que se les hizo, y sin conseguir su objeto.

En reconocimientos practicados ayer en aquellas inmediaciones por fuerzas de la zona fue encontrado y tiroteado el indicado grupo, que se dispersó, apoderándose la fuerza del capitán Morán, de una res muerta y dos vivas. Por nuestra parte, sin novedad.»

FERNÁNDEZ CUERVO

Dimite la Alcaldía Municipal el Lic. D. Sandalio Fernández Cuervo.

GÓMEZ Y FUENTES

(Día 31).—Nombrado por segunda vez alcalde municipal de este término D. Pascual Gómez y Fuentes, toma poseión en el día de hoy.

NIQUERO

La Unión, de Manzanillo, publicó lo siguiente:

«El día 22 del actual se han presentado al Sr. D. Marcelo S. O'Ryan, comandante de armas y de la guerrilla local del vecino poblado de Niquero, 150 personas, de las cuales unas 120 son mujeres y niños.

Proceden de los montes del Plátano y Durán, y vienen en lastimoso estado.

En la salida efectuada por fuerzas de la guerrilla en número de 44 hombres, un oficial y 15 individuos de tropa, con un sargento y 20 más de voluntarios, se encontró al enemigo en Sabana Jagua, y, batido, resultó muerto uno de los rebeldes, que fue enterrado en Niquero e identificado con el nombre de Francisco Naranjo, haciéndoles un prisionero, herido, llamado Martín Escalona, traído a esta plaza, y se les mató también un caballo, cogiéndoles una cartera, tercerolas, machetes, municiones y revólveres.

La fuerza nuestra no tuvo novedad, y por ello les felicitamos, así como a su capitán, por el servicio prestado.

FALLECIMIENTOS

Doña María Giró de Maqueda.

Don Domingo Martí y Sariol.
Doña María Petra Gutiérrez y Ossorio.
Don Emilio Muñoz y Jústiz.
Don José Palacios y Colás.
Don Francisco Costa.
Doña Braulia Cisneros.
Doña Ana Ramírez de Gutiérrez.
Don Manuel Fernández Pérez.

JUNIO 1897

Presentados

En el vapor *Tomás Brooks,* llegado el 2, vienen seis insurrectos que se presentaron en el ingenio «Isabel», de Guantánamo.

Nombramientos

Han sido nombrados:

Don Paulino Barrenechea, juez de primera instancia del Distrito Sur.

Don Julio Ordax y Gutiérrez, oficial tercero de la Administración de Hacienda.

Hospitales

Siendo insuficientes el Hospital Militar y el Cuartel Reina Mercedes para contener los soldados enfermos, en su mayor parte de paludismo, se dispone la construcción de dos grandes barracones, para habilitarlos como anexos al Hospital Militar.

También se trata de habilitar para hospital el Cuartel de Concha, en construcción paralizada.

Voluntarios

Por la Capitanía General se ha aprobado la propuesta de los siguientes jefes y oficiales para el Segundo Batallón de Voluntarios de esta ciudad:

Coronel primer jefe: Ilmo Sr. D. Vicente Elviras y Menéndez.
Teniente coronel segundo jefe: D. José Marimón y Juliach.
Comandante tercer jefe: D. Angel Norma y de las Cuevas.
Comandante fiscal: D. José María Eguilior y Llaguno.
Capitín secretario: D. Isidro Bonafont Dondá.
Capitán primer ayudante: D. Juan de Coto y Braunat.

Primer teniente segundo ayudante: D. Joaquín Espejo y Jiménez.

Segundo teniente abanderado: D. Juan Grau y Grau.

Médico primero: D. Alejandro Roger y Adema.

FALLECIMIENTOS

(Día 4).—Mueren D. Esteban Shelton y Basse y D.ª María Generosa Bonne.

NOTA OFICIAL

Dice *La Bandera Española* del 5:

«Según el parte detallado recibido de Guantánamo, la captura del titulado capitán insurrecto Mariano Pérez tuvo lugar del modo siguiente:

Hallándose la mañana del 31 de mayo último en un sitio cercano a la línea férrea de Caimanera, no lejos del fuerte número 2, el vecino de Guantánamo, voluntario del Escuadrón de Húsares de Pando, D. Eugenio Gómez Díaz, ocupado en cortar leña para trasladarla a Guantánamo en una carretilla tirada por dos caballos, fue sorprendido por un insurrecto armado, que le exigió la entrega de las caballerías. Indignado Gómez por el despojo que se trataba de hacerle, privándole del único elemento para el trabajo de que disponía, y no bastando a evitarlo sus muchos ruegos, abalanzóse sobre el insurrecto, y en lucha con él logró derribarle al suelo, arrebatándole el machete y la tercerola que llevaba, dándole con ésta algunos golpes en la cabeza, consiguiendo dominarlo y reducirlo a prisión, sufriendo por su parte feroz mordedura que en el brazo derecho le dio el insurrecto. Ayudado Gómez por otro vecino de la misma localidad, llegado en aquel momento al lugar de los hechos, condujo en la carretilla al rebelde vencido, haciendo entrega de él, con las armas, municiones y documentos que le había ocupado, resultando ser éste el titulado capitán Mariano Pérez, sobrino del cabecilla Periquito del mismo apellido.»

NOTA OFICIAL

La Prensa local del 10 publicó lo siguiente:

«En la mañana de ayer, y en ocasión de encontrarse una sección de la Segunda Compañía movilizada del Primer Batallón de Voluntarios de esta ciudad colocando un poste telefónico en San

Miguel de Parada, fue atacada por una partida insurrecta en el punto denominado Cruz del Miradero, sosteniéndose combate durante un cuarto de hora y retirándose los insurrectos en dirección al Ermitaño al acudir otra sección de dicha compañía desde San Miguel de Parada en auxilio de la primera. El enemigo llevó algunas bajas, que se vieron retirar. Las nuestras consistieron en un voluntario muerto, dos heridos y dos contusos.»

NAVARRO

(Día 10).—A las cuatro de la tarde fondea en este puerto el transporte de guerra *Legazpi,* trayendo a su bordo el Excmo. señor contraalmirante D. José Navarro y Fernández, comandante general de Marina del Apostadero y Escuadra de las Antillas.

CONSEJO DE GUERRA

El mismo día 10 se celebró en la Cárcel Consejo de Guerra ordinario para ver y fallar la causa instruida contra el prisionero de guerra José Olivares Baza.

NOMBRAMIENTO

Es nombrado D. Luis Gastón teniente fiscal de la Audiencia.

RECOGIDA DE MUCHACHOS

La autoridad dispone la recogida por la Policía de los muchachos callejeros, que son conducidos al vivac.

LINARES

En el vapor *Julia* regresa el general Linares con 400 soldados. Procede de Baracoa, donde estuvo de operaciones.

NOTA OFICIAL

La Prensa local del 11 publica lo siguiente:

«Cobre.—Al ir a hacer agua al río Santo Domingo la guerrilla movilizada del Cobre, tuvo fuego con una partida insurrecta, la que, desalojada de sus posiciones, huyó, abandonando una tercerola Remington y poniendo en salvo sus bajas, según pudo apreciarse. De nuestra parte hubo dos guerrilleros muertos, y herido, un paisano, que salió del poblado en unión de la fuerza.

Guantánamo.—El general Toral ha recorrido y reconocido durante los días 7, 8 y 9 los términos Santa Rosa por Ildefonso y Monte Sano, Jobito, Palma, Sierra Canasta, Unión, Limones, Aguada de los Bueyes, Confianza y otros sitios, desde Malabé, y después los Caños y Arroyo Hondo, sin ocurrir novedad. El día 10, después de reconocer San Antonio y Loma Castilla, encontró un grupo enemigo en Paso Azul, causándole dos muertos, que fueron identificados, recogiendo macutos, hamacas, municiones y un machete.

Baracoa.—El general Linares, con 900 infantes y una pieza de artillería, y en cuatro expediciones a bordo de los cañoneros *Galicia, Pizarro* y balandros remolcados, desembarcó en el Puerto de Taco, término de Baracoa, los días 3 y 4. Dividida la fuerza en varias columnas, efectuáronse durante los días 5 y 6 extensos y prolijos reconocimientos a siete leguas en contorno, sosteniendo ligeros tiroteos con el enemigo, al que destruyó toda clase de recursos y viviendas. De nuestra parte, un soldado del Batallón de Talavera herido leve y otro muerto por cansancio y asfixia, efecto del penoso flanqueo que tuvo que efectuarse. Al enemigo se le ocuparon cuatro reses, caballos, aves, municiones y varios efectos.»

La causa del «Cristóbal Colón»

(Día 11).—En Madrid, reunido el Consejo Supremo de Guerra y Marina en Sala de Justicia, con asistencia de los generales y ministros togados señores presidente Gamir, vocales Topete, Castro, Martínez de Arce, Martínez y Piquer, y secretario Herrera, vio en consulta el proceso fallado por el Consejo de Guerra ordinario de oficiales generales celebrado en la Habana el 9 de enero último, el cual condenó a diferentes penas a los procesados capitán de fragata D. Pedro Sánchez de Toca y Calvo, marqués de Somio; teniente de navío de primera clase D. Juan Fernández Pintado y Díez de la Cortina, teniente de navío D Rafael Morales y Díez de la Cortina, alférez de navío D. Eduardo Verdia y Caula, cabo de mar de segunda clase Juan Ponce y Montero y marineros Gumersindo Vázquez y Vázquez y Jerónimo Fojo y Rodríguez, comandante, segundo comandante, ayudante de derrota, oficial de guardia e individuos de tropa, respectivamente, del crucero *Cristóbal Colón,* perdido en la costa pinareña, en virtud de haber disentido el comandante general del Apostadero de la Habana de la sentencia dictada. El Consejo Supremo revocó la expresada sentencia, absolvió libremente a todos los procesados y previno al fiscal del tribunal inferior «que en lo sucesivo procure ajustarse en sus escritos a lo preceptuado en el artículo 286 de la Ley de Enjuiciamiento Militar de Marina», y al presidente y vocales del Consejo de Guerra, «que siempre que proceda deben tener presente lo que el Código Penal de la Marina de Guerra previene en su artículo 64».

El Sr. Sánchez de Toca, comandante del crucero perdido, fue defendido ante el Consejo Supremo por el Excmo. Sr. capitán de navío de primera clase D. Ramón Auñón y Villalón, diputado a Cortes.

Ordenes

(Día 12).—El arzobispo fray Francisco Sáenz de Urturi confiere el sagrado orden del presbiteriado, en la capilla del Seminario, a los diáconos D. Frutos Díaz de Ilárraza y Fernández, don Manuel Rodríguez y González y D. Enrique Serrano y Castro.

Estadística de la guerra

(Día 12).—El Ministerio de la Guerra publica en Madrid la siguiente estadística aterradora:

Desde que comenzó la guerra de Cuba, 24 de febrero de 1895, hasta el 31 de mayo del presente año de 1897, han muerto en el campo de batalla, de resultas de heridas recibidas en combate, de la fiebre amarilla, de paludismo y de otros enfermedades, *veintidós mil setecientos noventa y dos* individuos del Ejército, la Armada, Voluntarios, Bomberos y Guerrillas, o sea una proporción de mortalidad del 7 al 8 por 100. Los soldados repatriados a la Península, entre enfermos y cumplidos, ascienden a *once mil cuatrocientos treinta y uno,* siendo el diagnóstico de la inmensa mayoría de los repatriados por enfermos el de cloro-anemia.

La estadística no publicada, más aterradora aún, es la de las víctimas causadas en esta Isla por la reconcentración de Weyler y por los crímenes perpetrados por sus secuaces y amparados por él. Y cuenta que no queremos referirnos a las que por heridas y enfermedades han tenido las fuerzas libertadoras.

NAVARRO

(Día 13).—Embarca en el vapor *Josefita* con rumbo a la Habana el Excmo. Sr. contraalmirante D. José Navarro y Fernández, comandante general del Apostadero.

FALLECIMIENTO

(Día 13).—En Victoria de las Tunas fallece el Pbro. D. Miguel Aparicio y Ortega, cura propio y vicario foráneo de dicha jurisdicción.

MANZANILLO

Dice la Prensa local:

«A las once del día 14 embarcaron las fuerzas de guerrillas en Niquero, compuesta de la volante a pie de Bayamo y la que lleva el nombre del poblado, a las órdenes del capitán O'Ryan, en el cañonero *Cuba Española,* al mando de su intrépido comandante don Luis Pou.

Al llegar frente al «Martillo» hiciéronse algunos disparos de cañón a grupos insurrectos, que fueron dispersados, internándose.

Llegando a Campechuela a las seis de la tarde, desembarcó la fuerza, y el enemigo, posesionado de unas lomas que dominan al pueblo, disparó sobre los nuestros unos 15 ó 20 tiros, como señal.

La guerrilla, a las diez de la noche, con parte de la dotación del cañonero, salió a practicar reconocimientos por las inmediaciones de la costa, destrozándoles algunas siembras y quemándoles casas en Punto Nuevo, Pantico y Santa Rosa, en las que tenían instalados trapiches de moler caña de azúcar.

Al amanecer se sostuvo fuego en dichos puntos, hallándose fraccionado el enemigo, según las distintas líneas de fuego que se observaron, y que duró hasta las siete de la mañana, a intervalos.

Al enemigo se le recogió un muerto, suponiendo que retiró más bajas.

La guerrilla tuvo un herido.

A las ocho se regresó a Campechuela, reembarcando la fuerza a su destino.

El capitán O'Ryan hace elogios del buen tacto y disposiciones del comandante del *Cuba Española,* Sr. Pou, así como del condestable y fuerza de marinería que le acompañó, no mencionando a sus guerrilleros porque ésos ya están acreditados como bravos e incansables.»

CONVOY

Sale de esta plaza un convoy para el Cobre el día 14, llegando sin novedad.

LINARES

Sale en tren para San Luis el día 16 el general Linares, acompañado de sus ayudantes.

FUSILAMIENTO

(Día 18).—A las siete de la mañana es pasado por las armas en el foso de los Laureles, de la Cabaña, Habana, Guillermo Molina y González, por el delito de rebelión.

CLAUSURA DEL CASINO

(Día 18).—Es clausurada la sociedad de pardos titulada «Casino de Santiago de Cuba», después de dieciocho años de existencia prestigiosa.

CABLEGRAMA OFICIAL

(Día 19).—Dijo Weyler al Ministro de la Guerra por cable lo siguiente:

«Batallón de Cuba sorprendió el día 3 a la partida Sáez en campamento Cangua; le hizo 24 muertos, y cogió 18 armas de fuego, 2.100 cartuchos y 44 machetes. Por nuestra parte, tenientes Grado y Mamerto Sánchez y 20 de tropa, heridos.»

FUSILAMIENTOS

(Día 21).—Son fusilados en la Cabaña, Habana, Isidoro Carmona (a) *Lolo,* y Antonio Jordán, por rebelión.

DEPORTADOS INDULTADOS

La *Gaceta de la Habaan* del 22 del actual publica un decreto del Gobierno General por el que se levanta la deportación impuesta a 93 individuos que se hallan en distintos lugares, quedando autorizados para regresar a esta Isla. A otros 13 se les concede igual beneficio, con la condición de fijar por ahora su residencia en la Península. Y a 25 más, que se hallan en la Isla de Pinos, se les deja en completa libertad.

Cabildo extraordinario

En la noche del 23 se reúne el Ayuntamiento en sesión extraordinaria para tratar de la recepción que ha de hacérsele al general Weyler, próximo a llegar a esta ciudad.

Descargas

Al amanecer del 23 se oyen varias descargas de fusilería por los lados del Caney. Luego se sabe que un grupo de insurrectos tiroteó al fuerte situado en la lechería de González, en el camino de Sevilla, devolviendo el fuego los soldados de dicho fuerte.

Zonas de cultivo

Se ha nombrado una junta que ha de entender en la organización de la zona de cultivo, por virtud del bando del General en Jefe que ordena la concentración y zonas de cultivo de esta provincia.

Escuadrón

En el vapor *Manuela,* procedente de Nuevitas, llega el escuadrón del Regimiento Hernán Cortés número 29, el cual embarca el 23 para Sancti Spíritus en el vapor *Antinógenes Menéndez.*

«Somorrostro»

(Día 24).—Una columna española, que conducía un convoy de la Habana a San José de las Lajas, fue atacada por fuerzas del Ejército de Cuba en el potrero «Somorrostro». Otra columna llegó en auxilio de la primera, trabándose combate en la finca «Sabanella». Los españoles confesaron haber tenido muertos al teniente del Batallón de Canarias D. Sebastián Vela y 18 guerrilleros, y que los rebeldes tuvieron ocho muertos. Declararon además que éstos ocuparon el coche-correo y que dieron muerte a varios pasajeros. Weyler ordenó la formación de expediente. Misterios de la... pacificación.

Hospitales para el Ejército

(Día 25).—A las nueve de la mañana, en el despacho de la Alcaldía Municipal, y bajo la presidencia del alcalde, D. Pascual Gómez y Fuentes, se reunió la Comisión gestora encargada de recolectar el donativo patriótico para la habilitación de hospitales destinados al Ejército, que, además del alcalde citado, como presidente, la componen los señores vocales D. Manuel Barrueco y Díez, D. Eligio Ros y Rodríguez, Serra, Castillo, Horruitiner; tesorero, D. Vicente Elvira, y secretario, D. José Marimón.

Se acordó recaudar, basándose en las listas cobratorias, la cantidad de 14.000 pesos, en que han sido presupuestadas por el arquitecto municipal e ingeniero militar las obras que han de llevarse a cabo para la habilitación del Cuartel de Concha, tributando para ello los propietarios de fincas urbanas con un 30 por 100 de la que satisfacen por sus contribuciones, y los industriales y comerciantes, con un 40 por 100, en igual forma.

También se acordó que las obras presupuestadas se dividan en cuatro lotes, dándose principio a las de los primeros lotes, que serán las más fáciles de ejecutar, dentro de treinta días, a lo sumo.

Dichos lotes serán sacados a subasta el día 30.

Zona de cultivo

Se reúnen en la Casa Consistorial varios hacendados de este término, con objeto de constituir la junta que ha de entender en la formación de la Zona de Cultivo de esta plaza, en cumplimiento de lo dispuesto por el General en Jefe del Ejército, quedando consttiuida dicha junta de este modo:

Presidente: Coronel D. Francisco Oliveros y Jiménez, gobernador militar interino, y en su representación, el alcalde municipal, D. Pascual Gómez y Fuentes.

Vocales: D. Antonio Manrique y Mañés, juez de primera instancia del Distrito Norte, decano de los de su clase en esta ciudad; Dr. D. Saturio de la Riestra y Alvarez, cura de la Catedral; propietarios de fincas rústicas D. Pedro Secundino Silva Fernández, D. Manuel Miyar, D. Vicente Sorribes Sánchez, D. Manuel Brioso y Díaz, D. Enrique Giró Oquendo y D. Manuel Barrueco y Díez; vocales supernumerarios: D. Vicente Kindelán y de la Torre, ingeniero jefe de Minas, y D. Manuel Imbernó, ingeniero jefe de Montes, y secretario, el del Excelentísimo Ayuntamiento, licenciado D. Joaquín Fernández Celis. Se publica el siguiente:

«Bando.—Don Pascual Gómez y Fuentes, Alcalde Municipal de esta ciudad y su término y presidente por delegación de la Junta de la Zona de Cultivo de esta plaza. Hago saber: Que debidamente constituida la junta general que con arreglo al artículo 2.° del Bando de 30 de enero último del Excmo. Sr. Gobernador y Capitín General de esta Isla y General en Jefe de su Ejército, ha de llevar a efecto el cumplimiento de las disposiciones relativas al establecimiento de la Zona de Cultivo de esta población, y señalado para ese efecto el perímetro de dos mil metros, a partir de la línea de fuertes limítrofes a la alambrada que cerca a esta ciudad, se hace notorio al público para general conocimiento, en la inteligencia de que las familias y vecinos que lo deseen pueden acudir a esta Presidencia en solicitud de terrenos comprendidos dentro de los límites señalados, siempre que reúnan las condiciones previstas en el citado Bando y para los fines que en el mismo se previenen. Los Alcaldes de Barrio rurales adscritos a este término municipal cuidarán de dar a esta disposición la mayor publicidad posible, por medio de cedulones, a fin de que llegue a noticia de todo el vecindario de los mismos.

Santiago de Cuba, 25 de junio de 1897.—*Pascual Gómez.*»

Ayuntamiento

Han dejado de ser concejales de nuestro Excmo. Ayuntamiento por virtud de los nombramientos hechos por el Iltmo. señor Gobernador Regional: D. Casimiro Suárez, D. Pedro Fiol, don Bartolomé Mestre, D. Ramón Ibarra, D. Luis de Hechavarría, D. Gabriel Ferrer, D. Antonio Balart, D. José Sirgo, D. Manuel Peinado, D. Estevan Divi, D. Juan Estíu, D. José Vías, D. José Marimón, D. Isidoro Márquez, D. Nicolás Monteavaro y don Joaquín Villalón.

El Iltmo. Sr. Gobernador Regional, a virtud de lo dispuesto por el Excmo. Sr. Gobernador General en 24 del mes actual, ha nombrado para cubrir las vacantes de concejales de este Excelentísimo Ayuntamiento a los señores siguientes: D. Pascual Gómez Fuentes, D. José Ferrer Torralbas, D. Pablo Lluveras y Tomás, D. Cecilio Crespo y Abascal, D. Lorenzo Parramón y Rodó, D. José R. Fuertes y Casadiego, D. Antonio Rosés y Misas, don Agustín Magrans y Rivas, D. José Barnet Alvarda, D. Urbano

Guimerá y Ros, D. José Rosell y Durán, D. Pablo Pañellas Beltrán, D. José M.ª Eguilior, D. Pablo Badell Loperena, D. Antonio Veloso Castro y D. Antonio Gutiérrez y Hernández.

Renuncias y nombramientos

Han dimitido sus empleos en las oficinas del Excmo. Ayuntamiento: D. Manuel de Granda, secretario de la Alcaldía Municipal; D. Eduardo Miranda y Cotilla, contador interventor, y don Octavio de Mena y Zabala, depositario-recaudador.

Han sido nombrados: D. Elías Vázquez Jábega para el primer cargo, D. Pedro María Laguna y Tersy para el segundo y D. Octavio de Mena y Zabala para continuar en el último.

Consejo de guerra

En la Cárcel se celebra consejo de guerra para juzgar a Vicente Galindo Salvador, Germán Mullet, Rafael Marrón y Eleuterio Hechavarría, por el delito de rebelión.

Cementerio

Los sepultureros del Cementerio piden aumento de salario por el exceso de trabajo que es hoy hasta horas extraordinarias.

Ayuntamiento

El Gobernador Regional notifica al Ayuntamiento que «en las cuentas de medicinas a pobres ha cometido el Ayuntamiento una infracción de Ley, pues estando consignada en presupuesto anualmente para medicinas la suma de $2.500, lo gastado en estos once meses pasados asciende a $10.372,65 oro, y que por lo tanto hay que suspender el suministro de medicinas a los pobres, no pudiendo tampoco los enfermos pobres ir al hospital por estar completa y constantemente repleto».

Weyler

(Día 27).—A las dos de la tarde de este día, las cornetas de los batallones de Voluntarios y de Bomberos desde diferentes puntos de la ciudad, empezaron a tocar «llamada» para prevenir a los individuos de dichos institutos que debían acudir a sus respectivos lugares de concentración para luego ir a cubrir la carrera por donde debía pasar el general Weyler, a quien se aguardaba esa misma tarde. Un sol abrasador inundaba a torrentes la mísera ciudad, sedienta, hambrienta, y epidemiada por innumerables enfermedades. A las tres, el castillo del Morro avisó con un cañonazo, repetido por el fuerte de Punta Blanca, que el vapor *Purísima Concepción* que conducía a S. E. se hallaba a la vista. Inmediatamente los batallones primero y segundo de Voluntarios, el de Bomberos, la compañía de Artillería y el escuadrón de Caballería del propio instituto de Voluntarios cubrieron las calles, desde el Muelle Real por Marina y Santo Tomás hasta el atrio de la Basílica, en dos filas abiertas, bajo el mando personal del coronel de la Guardia Civil D. Francisco Oliveros y Jiménez, gobernador militar interino de esta plaza. Y como si la naturaleza quisiera protestar de la llegada del feroz procónsul a la afligida capital del heroico Oriente, el sol ocultó sus rayos repentinamente y cuando los cañones avisaron que el huésped indeseable había rebasado la fortaleza del Morro, descargaron las nubes furioso aguacero por espacio de tres cuartos de hora, que aguantaron a pie firme las fuerzas militares. Próximamente a las cinco cesó la lluvia y desembarcó Weyler. En elegante carretela recorrió el itinerario obligado, a los acordes de la Marcha Real y al tronar de los cañones de Punta Blanca, descendiendo en el atrio de la Basílica, por la parte de Santo Tomás, acompañado del general Linares, del arzobispo Saenz de Urturi, del alcalde municipal Gómez Fuentes, del presidente de la Audiencia Ramos y de otros altos funcionarios civiles y militares. Vestía Weyler el uniforme de campaña, no muy limpio por cierto, ciñendo un gran cuchillo de caza en vez de sable o machete. El Clero y Cabildo de la Basílica le aguardaba con el palio en la puerta mayor, y cuando el diminuto general llegó a ella, se arrodilló sobre un cojín de damasco rojo guarnecido de oro, colocado sobre una felpuda alfombra y osculó el *Lignum Crucis,* que le presentó el deán Lic. D. Mariano de Juan y Gutiérrez, y entrando bajo palio fue conducido al amplio sitial con mesa cubierta de tapete rojo y oro, en cuyo centro descansaba un cojín de iguales materia y colores, y delante mullida alfombra con otro cojín donde debían descansar los pies del virrey. Las campanas repicaban sin tregua ni descanso y las trompetas del órgano ejecutaban la Marcha Real. En el acto la orquesta y las voces de capilla entonaron el *Te Deum.* La ciudad depauperada y agónica debía dar gracias al Altísimo por el feliz arribo del Vice Real Patrono de la Iglesia. ¡Honor insigne y beneficio imponderable! Oigamos lo que dijo *La Bandera Española,* del siguiente día, al reseñar la recepción de Palacio, después que el Marqués de Tenerife regresó del *Te Deum.*

«Al presentarse el Excmo. Ayuntamiento en pleno y bajo mazas, el general Weyler contestó a la salutación de bienvenida que le dirigió el Sr. Alcalde, manifestando: que agradecía la salutación y los ofrecimientos que en nombre del Cuerpo Capitular le había hecho, y que esperaba que esos ofrecimientos se cumplirían, porque él venía a iniciar el segundo período de la campaña, y al emprenderla, necesitaba la cooperación de todos y cada uno de los elementos sociales para dar cuanto antes término feliz a la guerra, cuyo término estaba persuadido de que sería muy próximo, pues dejaba las provincias occidentales, si no pacificadas en absoluto, en relativa tranquilidad, y si bien era verdad que escondidas en los montes había varias partidas, las columnas del Ejército se encargaban de perseguirlas, de buscarlas en sus escondrijos, de destruir los recursos con que contaban hasta obligarlas a desbandarse, pues él no les daba descanso y caía como una maza con sus cuarenta batallones, allí donde la rebelión intentaba afirmar el pie y levantar la cabeza, al extremo de que ni Quintín Banderas ni Máximo Gómez habían podido realizar sus planes y se mantenían ocultos sin poder dar un paso por temor de caer en poder de una columna.

Añadió que por su carácter y sus convicciones representaba la política de la fuerza, de la energía, pero al ver vencida la insurrección estaba dispuesto a la benignidad y al perdón con aquellos que abjuraran sus errores y se sometieran a la legalidad, sin preguntarles sus antecedentes, pero a los obcecados, a los que cierran los ojos a la realidad y persisten en su temerario intento de consumar la ruina del país los tratará con excesivo rigor.

Recordó las disposiciones comprendidas en sus bandos para la reconcentración con arreglo a sus planes, que venían dándole buen resultado, y al hacerlos extensivos a esta provincia es cuando necesitaba el auxilio de las corporaciones y los particulares para que las zonas de cultivo se plantearan cuanto antes y en buenas condiciones, con objeto de crear elementos de subsistencia, y que él por su parte procuraría fomentar el trabajo iniciando obras públicas que sirvan de base a la reconstrucción y proporcionen ocupación retribuida a los braceros.

Terminó S. E. manifestando al Cuerpo Capitular que hiciera comprender por todos los medios a los habitantes del término, que él venía con el ramo de olivo en una mano y con la espada desnuda en la otra, y después de ofrecer a todos sus servicios y manifestarles que estaba dispuesto a oír a cuantos quisieran y atender las indicaciones que se les hagan con relación a la obra que va a emprender y al fomento del país, despidió al Excelentísimo Ayuntamiento.

Presentáronse después la Excma. Audiencia, el Cuerpo Consular, la Excma. Diputación y las otras corporaciones, teniendo para todos palabras alentadoras y frases elocuentes.

S. E. recibió a todos con singular agrado, y contestando a las palabras que le dirigió el coronel del primer Batallón, Excmo. señor D. Cástulo Ferrer, dando las gracias por el obsequio, expresó el deseo de que los cuerpos de voluntarios y bomberos se nutrieran, pues en una capital como Santiago de Cuba que cuenta más de cuarenta mil habitantes y estando deslindados los campos porque no puede haber más que españoles y enemigos de España, no comprendía que hubiese quien esquivara su cooperación a la conquista de la paz, dando muestras de patriotismo vistiendo el honroso uniforme del voluntario y del bombero.

Contestando al ofrecimiento que le hizo el Coronel del primer Batallón en nombre de todos de ponerse a sus órdenes para que utilizara sus servicios en campaña, manifestó S. E. que aceptaba y vería con gusto el ofrecimiento y procuraría utilizarlo cuando fuera necesario. Después de esto invitó S. E. a todos a que tomaran asiento y departiendo con los jefes se enteró de muchos particulares, recordando la época en que estuvo algún tiempo, aunque corto, en esta ciudad de la que conservaba gratísimos recuerdos por la buena acogida que le dispensó esta buena y culta sociedad, de la cual echaba de menos algunos miembros distinguidos.»

Algunas casas habitadas por elementos de la actual situación están engalanadas, así como los edificios públicos, desde luego con los colores rojo y gualda.

En el «Círculo Español» Weyler fue obsequiado esa noche con una serenata organizada por los jefes y oficiales de voluntarios y bomberos y por los socios con un refresco.

Weyler es un hombrecillo ágil como una ardilla, que tiene la singular manía de caminar a paso acelerado, de tal modo que siempre deja atrás a sus ayudantes y acompañantes por jóvenes que sean, viéndose muy apurados sus edecanes para poder guardar la distancia reglamentaria cuando caminan con él. Lo mismo hace en la retreta cuando pasea por la plaza. Frisa en los 52 años este famoso *andarín pacificador,* que por cierto es de fisonomía nada simpática y a quien todos miran con repulsión por sus procedimientos que pugnan con los sentimientos humanos.

FUSILAMIENTO

(Día 28).—En Holguín, a las cinco de la mañana, son fusilados Casto Izquierdo de la Cruz, Juan López Espada y el asiático Adolfo Rodríguez, los dos primeros por el delito de deserción y el último por el de rebelión.

WEYLER

(Día 29, fiesta de San Pedro).—A las nueve de la mañana, mientras en la Basílica se celebra la solemne festividad de este día, llega a la misma el general Weyler con su séquito, siendo recibido en la puerta mayor por el chantre Lic. D. Bernabé Gutiérrez y Gutiérrez y un capellán de coro. El primero ofrece a S. E. el hisopo con agua bendita, la toma signándose la frente con ella, y por la nave lateral del Este es conducido a la capilla del Sagrario, donde oye la misa rezada que oficia un capellán del Ejército. Mientras tanto, los dos eclesiásticos antedichos, a uno y otro lado del Virrey, le van pasando las hojas de un gran misal que tiene abierto sobre el cojín colocado en la mesa que está delante y le señalan las partes de la misa, empleando para esto último el Sr. Chantre una larga manecilla de plata sobredorada rematada con un dedo índice extendido en el extremo superior y con una cadenilla cerrada en el inferior.

¡Cuán hermoso y edificante es ver a Weyler oír misa, después de la reconcentración y los fusilamientos por él decretados!

En la tarde del mismo día, la «Juventud Española» celebra una manifestación en honor del *Gran Pacificador*.

Y por la noche se efectuó un asalto de baile en el «Círculo Español».

Excusado parece consignar que el genuino pueblo de Cuba no tomó participación en ninguno de los actos organizados con motivo de la llegada y estancia de Weyler... pues desde el inicio de esta cruenta y duradera guerra nuestro pueblo prescindió de celebrar las máscaras de San Juan, San Pedro, Santiago, Santa Ana y San Joaquín.

Weyler

(Día 30).—En la mañana de este día, el general Weyler visita los hospitales, y por la tarde embarca con dirección a Cienfuegos.

Fallecimientos

En este mes han fallecido: D.ª Cornelia Dombón, viuda de Comas; D.ª Isabel Boudet y Gasa de Rodríguez, D.ª Catalina Escudero, D.ª Emilia Masabó, viuda de Erite; D. Pablo Jiménez y Ortiz, D. Antonio Cortés, D. Francisco G. Riancho y Calderón, D. Juan Francisco Tamés, D.ª Valvanera Rodríguez de Sosa, doña Francisca Montero, viuda de Balán; D.ª María de la Cruz Fuentes y Urdaneta, D.ª Isabel Flores y Cosme, viuda de Cruz; señorita D.ª Micaela Roche y Vareau.

La zona de cultivo

Bajo la dirección del oficial cuarto de la Jefatura de Montes de esta provincia, D. José Dolores Pullés y Palacios, una cuadrilla de trabajadores venía practicando el deslinde de los terrenos que han de constituir la Zona de cultivo de esta plaza, custodiada por fuerzas de guerrillas. Cuando se hallaban deslindando en terrenos de las fincas «Santa Ursula» y «El Dulce Nombre», en el barrio de Las Lagunas, burlando la vigilancia de sus guardadores se marcharon todos a la manigua.

JULIO 1897

Nota oficial

La prensa local del día 1.º publica la nota oficial siguiente: «El general Toral dice desde Jamaica, Guantánamo, que grupos insurrectos dispersos en el encuentro de Pozo Azul el 29 del pasado, fueron batidos ayer por fuerzas del Palmar, a las que había ordenado se situaran en Casisey y Sigual mientras marchaba a Pozo Azul, haciendo un muerto al enemigo y destruyendo un campamento.

El mismo general dice que en Pozo Azul batió una partida tomándole las trincheras y haciendo dos muertos al enemigo.

Nuestras tropas han tenido siete heridos de tropa y un muerto.»

TROPAS QUE LLEGAN

En todos los vapores que hacen la carrera por la línea Sur de la Isla, llegan a esta ciudad tropas de las que han venido operando en las provincias del Centro y Occidente. Inmediatamente son destacadas a diferentes partes de esta provincia, en previsión de las grandes operaciones militares que se dice que en breve se desarrollarán tanto en este departamnto como en Camagüey.

AUDIENCIA

El magistrado de esta Audiencia D. José M. de la Torre es trasladado a la de Pinar del Río, y para cubrir su vacante se nombra a D. Joaquín Escudero.

BATALLÓN DE TOLEDO

Procedente de la Vuelta Abajo llega el 5, en el vapor *Antinógenes Menéndez,* el batallón de Toledo, que pasa a Guantánamo.

ZONA DE CULTIVO

La Junta de la Zona de Cultivo llama a cuantos quieran terrenos para trabajarlos, dentro de los límites demarcados.

«POTRERILLO»

(Día 6).—La prensa española publicó lo siguiente:

«Se reconcentraron las partidas de Rego, Camacho, Carrillo, Clavero, Pancho Pérez y Quintín Bandera, a unos 20 kilómetros al Sur de Placetas, e iniciaron un avance hacia Occidente para salvar a Máximo Gómez, que se encuentra muy hostigado por las columnas que le persiguen sin descanso. En una marcha muy rápida llegaron hasta los poblados y caseríos que se hallan entre Camarones y San Juan de las Yeras. Perseguidos por los batallones de Soria y de Bailén, fueron alcanzados y batidos en Potrerillo, a unas dos leguas de San Juan. Quedaron en el campo 28 insurrectos muertos, entre ellos los cabecillas Clavero y Rafael Contreras.»

Ayuntamiento

(Día 7).—En la tarde de este día toman posesión de sus cargos los concejales nombrados por el gobernador regional D. Federico Ordax y Aveicilla a fines del mes anterior; excepto el Dr. D. Urbano Guimerá y Ros, D. José Barnet y D. Cecilio Crespo, que han renunciado. Renunciaron también D. Agustín Magrans y D. Lorenzo Coll.

Cesantía

Es declarado cesante D. Eladio Cusi, oficial cuarto de la Administración de Hacienda.

Nombramientos

Son nombrados:

D. Antonio L. Francos, oficial cuarto de la Administración de Hacienda.

D. Luis Fernández, juez de primera instancia interino del Distrito Sur de esta ciudad.

Deportados fugados

El periódico *La Republique Francaise* dijo que durante los meses de mayo y junio habían logrado burlar la vigilancia de la policía en Madrid y ganar la frontera francesa los deportados Dr. D. Gabriel Casuso, D. Felipe García Cañizares y Dr. D. Manuel Val Abreu, médicos; Lic. D. Antonio Bravo y Correoso, abogado, y D. Leandro González Alcorta, director del periódico autonomista madrileño *La Paz.*

Partido Autonomista Español

Ciertos elementos del partido conservador tratan de fundar un nuevo partido titulado «Partido Autonomista Español». Se trata de elementos españoles descontentos, guiados por sentimientos personales y que están muy lejos de profesar las ideas autonomistas.

QUINTÍN BANDERA

(Día 11).—En cablegrama oficial de esta fecha, el General Segundo Cabo dijo al Ministro de la Guerra lo siguiente:

«General en Jefe dice a V. E. que presentados a general Ruiz y familias recogidas por éste, aseguran que murió el día 5 en el tiroteo habido en Lomas del Infierno, Papaca, Quintín Bandera. Anticipo el rumor y procuraré confirmarlo.—*Ahumada.*»

Y el general Bandera sin saber nada.

LA GUERRA

Un telegrama de New York, fecha 13, dirigido a Madrid, dice:

«Noticias que acaban de recibirse procedentes de la Habana dicen que el martes último, en un encuentro que tuvo con los rebeldes el Batallón de Guadaaljara, éste atacó con decisión las posiciones de los insurrectos.—Entonces éstos retiráronse hacia un sitio donde se habían colocado previamente varias bombas de dinamita, las cuales estallaron cuando llegaron allí las fuerzas de Guadalajara.—De esta incalificable hazaña de los insurrectos resultaron 43 muertos y unos 50 heridos.»

ALUMBRADO ELÉCTRICO

(Día 17).—En la tarde de este día se verifican las pruebas oficiales de la maquinaria de la planta eléctrica instalada en esta ciudad para el alumbrado privado.

INCENDIO

(Día 18).—En la noche de este día se produjo una alarma de incendio, a consecuencia de un escape de gas que se inflamó, en la tabaquería de D. Teodoro Prior, sita en Santo Tomás entre Marina y Enramadas, sin que ocurrieran desgracias personales.

INDULTO

En el mismo día le fueron conmutadas la pena de muerte

por la inmediata inferior a los reos Guillermo Fuentes Rivero, Domingo González Castillo y Rogelio Camacho.

Nota oficial

La prensa local dijo que el día 18 la columna del teniente coronel D. José Cotrina, primer jefe del primer Batallón del Regimiento Infantería de Asia núm. 55, se había posesionado de Monte Real, Bartolón y Altos del Ermitaño, que estaban ocupados por el enemigo, al que batió sin más novedad que un soldado herido del Batallón Provisional de Puerto Rico núm. 1.

Consejo de guerra

(Día 19).—En la mañana de este día se celebró consejo de guerra ordinario en la Cárcel, para ver y fallar la causa instruída contra el blanco José Martínez López, por el delito de rebelión; en la cual solicita el fiscal la pena de reclusión perpetua.

Nota oficial

Según nota oficial publicada por la prensa, en la mañana del 19, la columna del teniente coronel Cotrina, practicando reconocimientos por el valle de Nima Nima, en la zona del Cobre, sostuvo fuego con el enemigo situado en una trinchera que tenía en el cafetal «Cascaret», la cual fue tomada y destruida igualmente que todas las siembras hechas en el mencionado valle; habiendo recogido muchas aves, caballos y ganado de cerda, sin novedad por nuestra parte.

Consejo de guerra

(Día 19).—A las once de la mañana se celebra en la Cárcel otro consejo de guerra, sumarísimo, que vio y falló la causa instruida contra el prisionero de guerra blanco José Caridad Romero y Abreu, para quien el fiscal pidió la última pena.

Areces

En el vapor *Julia,* entrado en puerto el 21, llegó el coronel D. Bernardo Areces, que por algún tiempo ha estado operando en Baracoa. Para sustituirlo embarca el mismo día el coronel don José Vaquero en el vapor *Avilés*.

Zona de cultivo

Comienzan a ser labradas las tierras destinadas a zona de cultivo.

Indulto

(Día 22).—Se le conmuta la pena de muerte por la inmediata inferior al prisionero de guerra D. José María Valdespina y Toledo.

Indulto

(Día 24).—Le es conmutada la última pena por la inmediata inferior a Claudio Medero Reyes y dos más.

Fallecimiento

(Día 24).—Muere en el Hospital Militar de esta plaza el Pbro. D. José Cambra y García, capellán párroco castrense del mismo establecimiento.

Incendio

A las once menos cuarto de la noche del 24 hubo un conato de incendio en la accesoria de la casa número 4 de la calle baja de la Trinidad, morada de D. Dionisio Betancourt. Fue sofocado por el oportuno auxilio prestado por varios vecinos, quemándose varias piezas de ropa y un rodapiés, habiendo sufrido pequeñas quemaduras en las manos la morena D.ª Modesta Salas.

Pendón de Castilla

(Día 25).—En este día, festividad de Santiago Apóstol, patrono de España, de sus Indias, de este Arzobispado, de esta ciudad, de la villa del Prado vulgarmente conocida por el Cobre y del arma de Caballería del Ejército Español, a las seis de la mañana el fuerte de Punta Blanca abre una salva de veintiún cañonazos, que repite al mediodía y cierra a la puesta del sol.

A las ocho de la mañana se verifica en la Basílica la solemne fiesta costeada por los fondos del Municipio, con asistencia de todas las autoridades, del Excmo. Ayuntamiento bajo mazas y presidido por el gobernador regional D. Federico Ordax y Avecilla, y de las demás corporaciones y funcionarios de diversos órdenes. Predicó el medio racionero D. Santiago Banzo y Blasco, orador español en boga. Terminada ésta, el morado Pendón de Castilla con las armas de España bordadas de oro en realce al centro, es llevado procesionalmente desde la Basílica hasta la Casa Consistorial —en la misma forma que se hizo desde dicha Casa hasta el mismo templo, antes de empezar la fiesta— por un concejal, que tiene a su derecha al Gobernador Regional y a su izquierda al Alcalde-Presidente, yendo con la cabeza cubierta dicho concejal al penetrar en la iglesia —y lo mismo al salir de ella—, donde depositó el símbolo de la dominación de los reyes de España al pie del altar mayor, del lado del Evangelio. En el presente año, el fervor patriótico español, avivado por la guerra, introdujo una novedad en el antiguo ceremonial, la asistencia de señoras y señoritas que formaban un largo cordón, en dos filas, delante del elemento oficial que precedía al Excmo. Ayuntamiento. Excusado parece decir que dichas damas pertenecían a distinguidas familias españolas o españolizantes, pues muchas de ellas eran cubanas, por haber nacido en Cuba. Fuerzas de Voluntarios cierran la marcha, con la música del Regimiento de Cuba, las que al entrar y salir el Real Pendón tanto del Ayuntamiento como de la Catedral, hacen los honores presentando las armas y batiendo la Marcha Real. Al llegar el Cuerpo Capitular a la Casa Consistorial, el concejal que portaba el pendón se detuvo en el mismo dintel del vestíbulo, se volvió al pueblo, permaneciendo él cubierto mientras todos los demás estaban descubiertos, desplegó la bandera, la tremoló sobre el público y penetró en la Sala Capitular, depositándola en la mesa presidencial. Había terminado el acto y allí se disolvió el cortejo oficial, después que el Excelentísimo Ayuntamiento condujo a su palacio al Gobernador Regional. Por la mente de los que componían la numerosa comitiva aquella, no pasó, seguramente, el pensamiento de que ese año era el último en que se verificaría esa procesión, arcaico vestigio de la secular dominación hispana, cuya celebración estaba mandada por las Leyes de la Novísima Recopilación de Indias, y menos pensarían que al año siguiente... ya no habría Indias.

En la noche del mismo día se verificó en la Casa de Gobierno un suntuoso baile, en obsequio de las damas, que realzaron con su presencia el acto matinal reseñado.

Como todas las cosas de este mundo traen cola, también la trajo este baile, y fue que cuando en el próximo cabildo ordinario celebrado por el Excmo. Ayuntamiento se trató de pagar los gastos del baile con cargo a los fondos del procomún, los señores concejales D. José Ferrer y D. José Boix se opusieron, «opinando que la situación no era para hacer gastos, y ya que se habían hecho que se pagasen entre todos los concejales de sus fondos particulares». Estos dos señores ediles, españoles por cierto, tenían clara noción de sus deberes como representantes de una ciudad famélica, flagelada por todos los morbos y sumida en el mayor infortunio, cuando las numerosas y abundantes raciones que despachaba la Cocina Económica apenas bastaban para mitigar el hambre, cuando los hospitales y asilos rechazaban a los menesterosos enfermos por falta de lecho y medicinas y cuando en las plazas y vías públicas caían de inanición, para no levantarse más, vírgenes escuálidas, ancianos esqueléticos y párvulos desmedrados.

Tres reos de muerte

(Día 25).—Por la Sargentía Mayor de esta plaza se comunica a los cuerpos de la guarnición la siguiente:

«Adición a la Orden de la Plaza del día 25 de julio de 1897, en Santiago de Cuba.—Debiendo según lo ordenado por la Superioridad ejecutarse la sentencia de pena de muerte a que han sido condenados en causa núm. 1.343 por rebelión y asesinato Silvestre Guerra, Pablo Hierrezuelo y Ultimio Hechavarría y dispuesto por el Excmo. Sr. Comandante Gral. de la División en resolución de hoy, que la ejecución tenga lugar a las siete de la mañana del martes 27 del actual, se llevará a cabo, siendo los reos pasados por las armas frente a las tapias del Matadero de reses de esta Ciudad por un piquete del Batallón del Príncipe compuesto de un oficial, dos sargentos, dos cabos y veinticinco soldados, que dará la custodia en la capilla establecida en la cárcel de esta Ciudad donde se encuentran los reos y ejecutará la sentencia en el paraje y hora señalados. Con tiempo oportuno el primer Bon. de Voluntarios, sin bandera, con la música del Regto. de Cuba y una sección de cada uno de los demás Cuerpos que se hallen en la Plaza tanto del Ejército como del expresado Instituto y el de Bomberos, así como la fuerza de Marina que pueda concurrir al acto, al mando del Teniente Coronel del Batallón del Príncipe, se encontrarán formando el Cuadro en el punto donde ha de tener lugar, desfilando después que haya terminado, y retirándose a sus cuarteles o alojamientos respectivos. Lo que de orden de S. S. se hace saber en la adición a la de este día para general conocimiento y cumplimiento.—El Comandante Jefe de E. M.—*Gonzalo Gutiérrez.*—Sor. Comdte. Sargto. Mayor de la Plaza.»

Accidente marítimo

En la tarde del 25, al regresar de Cayo Smith el vaporcito *Alcyon,* que conducía para esta ciudad 45 pasajeros, entre éstos dos Hermanas de la Caridad y el Pbro. D. Antonio Barnada y Aguilar, hubo de tener un percance explotando uno de los fluses de la caldera, por el cual se escapó el vapor, que invadió la embarcación, viéndose obligados a hacer rumbo a tierra en el punto nombrado Cinco Reales.

Dos botes que venían en la misma dirección ocupados por caballeros y señoras acudieron en auxilio del *Alcyon,* y además un bote tripulado por dos soldados que salió de Cayo Ratones y otro de la Comandancia de Marina con el ayudante de la misma, alférez de fragata D. Darío Laguna, prestaron a los pasajeros del vaporcito *Alcyon* todos los auxilios del caso hasta ser conducidos al Muelle Real.

Afortunadamente no hubo que lamentar ninguna desgracia personal y sí sólo la confusión y alarma que en los primeros momentos se produjo entre el pasaje.

En capilla

(Día 26).—A las siete de la mañana, después de habérseles notificado la sentencia de ser pasados por las armas, son colocados en la capilla de la Cárcel los reos de muerte Silvestre Guerra y Núñez, moreno, de 50 años, natural de esta ciudad, soltero e hijo de Bernabé y de Ana; Ultimio Hechavarría, pardo, del mismo estado, de 20 años, de igual naturaleza e hijo de Diego y de Gumersinda, y Pablo Hierrezuelo Serrano, de la misma raza, estado y naturaleza, de 24 años, e hijo de Rufino y de Caridad, siendo todos labradores y vecinos del barrio de Demajayabo, término municipal del Caney, campamento minero de «La Folie» y sentenciados a dicha pena por el consejo de guerra ordinario que los juzgó en concepto de autores de los delitos de asesinato y rebelión. Consistieron dichos delitos en haberlos considerado el consejo responsables del asesinato de dos soldados y las heridas graves de otro que supervivió, en connivencia con grupos insurrectos, según declaración del superviviente.

En libertad

(Día 26).—Es puesto en libertad D. Antonio Domingo y Calero (a) «El Chivo», agente revolucionario, en virtud de no haberse podido obtener pruebas de su culpabilidad.

Fusilamiento

(Día 27).—A las siete de la mañana, conforme a lo dispuesto, son pasados por las armas al pie de la fachada del Matadero los reos Guerra, Hechavarría e Hierrezuelo, puestos en capilla el día anterior y de los cuales se ha tratado ya.

Marianao

(Día 28).—A las nueve de la noche, una fuerza perteneciente al Ejército Libertador penetra en el pueblo de Marianao, sostiene combate con la guarnición y saquea los establecimientos. El resplandor y el trueno de las descargas los pudo ver y oír la Capitanía General, que mandó un columna de socorro; pero ya los cubanos habían abandonado al pueblo. Las fuerzas asaltantes ascendían a 100 hombres, que dejaron un muerto.

El comandante militar no pudo reunir más de doce hombres, aparte de los que hacían fuego desde los fuertes, que oponer a los mambises que peleaban en las calles y en las tiendas. Tuvieron los españoles al teniente de alcalde y capitán de Voluntarios señor Echevarreta muerto y varios de tropa y paisanos heridos.

Claro está que este asalto contrarió mucho a Weyler, el gran debelador de Cuba.

Sanidad y Beneficencia

(Día 28).—Por decreto publicado en esta fecha en la *Gaceta de la Habana,* se crea la plaza de inspector general de Sanidad y Beneficencia; siendo nombrado para desempeñarla el general de brigada D. Cesáreo Fernández y Fernández Losada, subinspector general del Cuerpo de Sanidad Militar.

Alcantarillas voladas

(Día 29).—Dos alcantarillas del ferrocarril de Gibara a Holguín son voladas con dinamita por fuerzas del Ejército Libertador Cubano.

Eclipse de Sol

El mismo día se observa en esta ciudad, como parcial, el eclipse anular de Sol anunciado, desde las 8 h. 45 m. a. m. hasta las 11 h. a. m.

Fallecimientos

Han fallecido en este mes: D.ª Rosa Gaulhiac de Lateulade, D.ª Soledad Palomo, viuda de Ferrer; D. Manuel Palacios y Hernández, D.ª Enivina Pérez, viuda de Ochoa; D. Manuel Carreño, D. Francisco Peña, Srta. D.ª Josefina López y Benítez Calzado, D. José Antonio Ballester y D.ª Gertrudis Cos, viuda de Millán, el 27.

AGOSTO 1897

Nota oficial

Los diarios de esta ciudad traen la nota oficial siguiente:

«Baracoa.—El día 26 de julio último tres pequeñas columnas al mando del general Linares y coroneles Vaquero y Chacel cruzaron el río Duaba, por Paso Real, la desembocadura y vado Luis Martín, respectivamente, coronando con precisión y simultáneamente las alturas de Jeniquén, Eduardo Pérez y Guajaca, posición culminante y atrincherada por el enemigo sobre el río y avenidas.

Desconcertado el enemigo con la presencia de nuestras tropas por tres direcciones, quemó su propio campamento, retirándose en dispersión.

Fraccionado el total de la columna en grupos de cien hombres, se practicaron prolijos reconocimientos en todo el terreno comprendido entre los ríos Duaba y Toar, quemando otro campamento en «Loma Vigía», destruyendo más de 50 viviendas y toda clase de recursos. De nuestra parte herido el capitán de Simancas D. Ramón Mella y cuatro individuos de tropa de la columna del coronel Vaquero. Las del general Linares y coronel Chacel, sin novedad.»

Victoria de las Tunas

Después de haber conducido el último convoy a Victoria de las Tunas y de haber regresado a Puerto Padre la columna, el general Luque dirigió a ésta la alocución siguiente:

«Soldados: Desde Maniabón a Victoria de las Tunas, combatiendo con arrojo en Palmarito; sorprendiendo tras admirable y nocturna marcha las formidables trincheras de Sabana Becerra que asaltasteis con singular bravura, dispersando después al enemigo en la Herradura y haciéndole huir en carrera sin freno desde el Mango y la Ceiba, dejando como inequívoca prueba de su derrota muertos, heridos, armas y municiones en vuestro poder, constituyen todos estos hechos de armas hermosas páginas que añadir a la historia brillante de esta División, más hermosa, porque habéis combatido día y noche y soportado las fatigas de la epidemia palúdica que reina.—Soldados: estoy satisfecho de vosotros porque he adquirido la seguridad de que en breve habéis de pasearos triunfantes por todo el territorio de esta jurisdicción, destruyendo todos los recursos del enemigo, como destruísteis las dieciséis trincheras de Sabana Becerra.—Vuestro general, *Luque.*»

El general Luque abasteció a las Tunas de todo... para el general Calixto García y su hueste.

Reo de muerte

«Adición a la Orden de la Plaza del día 3 de agosto de 1897 en Santiago de Cuba.—Debiendo, según lo ordenado por la Superioridad, ejecutarse la sentencia de pena de muerte a que ha sido condenado en causa número 1.710 por el delito de rebelión el paisano José Olivares Baza, y dispuesto por el Excmo. Señor Comandte. General de la División, en resolución de hoy, que la ejecución tenga lugar a las siete de la mañana del jueves cinco del actual, se llevará a cabo siendo el reo pasado por las armas frente a las tapias del Matadero de reses de esta Ciudad.—Un piquete del Regimiento Infantería de Cuba, compuesto de un oficial, dos sargentos, dos cabos y veinte soldados darán la custodia en la Capilla establecida en la Cárcel donde se encuentra el reo, y ejecutará la sentencia en el paraje y hora señalados.—Con tiempo oportuno el primer Batallón de Voluntarios, sin bandera, con la música del expresado Regimiento y una sección de cada uno de los demás Cuerpos que se hallan en la plaza, tanto del Ejército, como del mencionado Instituto y el de Bomberos, así como las fuerzas de Marina que puedan concurrir al acto, al mando del Teniente Coronel de la Guardia Civil, se encontrará formando el cuadro en el punto donde ha de tener lugar la ejecución, desfilando después que se haya terminado y retirándose a sus cuarteles o alojamientos respectivos.—Lo que de orden de S. S. se hace saber en la adición a la de este día para general conocimiento y cumplimiento.—El Comandte. Jefe de E. M.—*Gonzalo Gutiérrez.*»

Reo en capilla

(Día 4).—Al prisionero de guerra José Olivares Baza, natural de Tiguabos, de 21 años, soltero y labrador, que había ingresado en la Cárcel el día anterior, le es notificada la sentencia de muerte, a las siete de la mañana, de este día, quedando en capilla hasta igual hora del siguiente día, donde fue asistido y acompañado por los Pbros. D. Pedro Francisco Almansa, D. Ismael J. Bestard y otros. Asimismo le acompañaron y asistieron varios hermanos de la Archicofradía de la Misericordia. El sentenciado Olivares es un joven valiente y animoso a quien no amedrenta la idea de su muerte próxima y que se entretiene, en sus tristes horas de capilla, en llenar de improperios a los centinelas de vista que le guardan. Es un campesino listo y astuto, como casi todos los guajiros de esta tierra, que con la mayor naturalidad relata que a él no lo hicieron prisionero en combate, sino sólo por haber escapado del campamento sin licencia de su jefe cierta noche en que quería visitar a su novia, que habitaba pocas leguas distantes, y que al regresar por la madrugada cayó en una emboscada puesta por una guerrilla y aunque logró salir de ella gracias a su caballo, sus perseguidores hirieron al animal, que, en su caída, le cogió una pierna debajo, quedando imposibilitado para defenderse o escapar; pero que si él hubiera podido hacer uso de su maüser todo el ejército español no lo hubiera cogido vivo, y concluía pidiendo que le quitaran las esposas y le dieran un rifle y 150 tiros para que vieran quién era él.

FUSILAMIENTO

(Día 5).—A las siete de la mañana y al pie de la fachada del Matadero es pasado por las armas el prisionero de guerra José Olivares Baza.

INDULTOS

(Día 6).—Les es conmutada la pena de muerte por la inmediata inferior a Emeterio Costa, condenado por esta Excma. Audiencia, y a Crescencio Casallas y José Lomba.

REO DE MUERTE

«Adición a la Orden de la Plaza del día 8 de agosto de 1897 en Cuba.—Debiendo, con arreglo a lo ordenado por la Superioridad, ejecutarse la sentencia de pena de muerte a que ha sido condenado en causa núm. 936 por el delito de traición el soldado del Regto. Inf.ª de Cuba número 65 Julián Cortés Gómez, y dispuesto por el Excmo. Sr. Comandante General de la División, en resolución de hoy, que la ejecución tenga lugar a las siete de la mañana del martes diez del actual, se llevará a cabo, siendo el reo pasado por las armas frente a las tapias del Matadero de reses de esta Ciudad. Un piquete del Cuerpo del reo, compuesto de un oficial, dos sargentos, dos cabos y veinte soldados, dará la custodia en la Capilla establecida en el Cuartel Reina Mercedes, donde se encuentra aquél, y ejecutará la sentencia en el paraje y hora señalados. Con tiempo oportuno, el primer Batallón de Voluntarios, con su bandera, en representación del Cuerpo del reo, con la música del expresado Regimiento y una sección de cada uno de los demás Cuerpos que se hallan en la plaza, tanto del Ejército como del mencionado Instituto y el de Bomberos, así como la fuerza de Marina que pueda concurrir al acto, al mando del Teniente Coronel de la Guardia Civil, D. Juan J. Molina Pérez, se encontrará formando el cuadro en el punto donde ha de tener lugar la ejecución, desfilando ante el cadáver del reo una vez terminada y retirándose después a sus cuarteles o alojamientos respectivos. Lo que de orden de S. S. se publica en la adición a la de este día para general conocimiento y cumplimiento.—El Comandante Jefe de Estado Mayor.—*Gonzalo Gutiérrez.*—Señor Comandante. Sargento Mayor.—Plaza.»

Cánovas

(Día 8).—Es asesinado a tiros de revólver por el anarquista Miguel Angiolillo, en el balneario de Santa Agueda, el Excmo. señor D. Antonio Cánovas del Castillo, presidente del Consejo de Ministros, en la mañana de este día. La noticia se recibió en esta ciudad al siguiente día por la noche.

Azcárraga

(Día 8).—El ministro de la Guerra, teniente general D. Marcelo Azcárraga y Palmero, es nombrado presidente interino del Consejo de Ministros, en sustitución de D. Fernando Cos-Cayón, ministro de la Gobernación, que venía ejerciendo este cargo desde el viaje a Santa Agueda del Sr. Cánovas.

Reo en capilla

(Día 9).—A las siete de la mañana, se le notifica la sentencia de muerte, en la capilla del Cuartel Reina Mercedes, al soldado Julián Cortés Gómez, del segundo Batallón del Regimiento Infantería de Cuba núm. 65, natural de Adra, provincia de Almería, de 25 años de edad y soltero, por el delito de traición; habiendo consistido los hechos apreciados por el consejo de guerra ordinario que lo juzgó, en que Cortés desertó de su cuerpo en Pinar del Río y se incorporó a las filas enemigas. Durante su estancia en la lúgubre capilla fue asistido y acompañado por los Pbros. D. Federico Bestard, D. Frutos Díaz de Ilárraza, D. Ismael J. Bestard, don Desiderio Mesnier y otros, así como por varios hermanos de la Archicofradía de la Misericordia. El segundo teniente D. Esteban Lozano, con 25 hombres de su mismo regimiento, le dio escolta y quedó encargado de ejecutar la sentencia. Por la tarde el reo hizo su confesión al P. Frutos.

Honores a Cánovas

(Día 9).—El Gobierno dispuso se tributaran al cadáver del Excmo. Sr. D. Antonio Cánovas del Castillo honores de capitán general muerto en plaza con mando en jefe, y que se celebraran en Madrid, el día que se fije, solemnes exequias por su alma.

FUSILAMIENTO

(Día 10).—A las siete de la mañana de este día, es pasado por las armas junto al muro principal del Matadero, el soldado desertor Julián Cortés Gómez, que se había incorporado a las filas cubanas.

FALLECIMIENTO

(Día 10).—Fallece D. Juan de Moya y Portuondo, primer organista de la Basílica, distinguido maestro del arte musical y fundador y director de la Academia Mozart.

OBJETO RARO

Se expone en la redacción de *La Bandera Española* con el objeto de ser vendido, un vaso de cristal cuyo mérito consiste en haber sido regalado hace doscientos años a un virrey del Perú por un cacique de Araucania y haber hecho la ornamentación un indio, no con pinturas, sino con cristal fundido, procedimiento no conocido aún y que da valor al mencionado vaso.

PLANTA ELÉCTRICA

Llega la comisión técnica que ha de recibir las obras de la Planta Eléctrica. Esta empezará a funcionar en breve.

CÁNOVAS

Carta de ruego y encargo.—«Excmo. Sr.—Habiendo decretado S. M. la Reina invitar a todas las iglesias del Reino a la celebración de sufragios por el alma del Excmo. Sr. D. Antonio Cánovas del Castillo (q. e. p. d.), en su Real Nombre por la presente carta ruego y encargo a V. E. que, como Jefe Espiritual de esa Arquidiócesis, se sirva dar las órdenes oportunas a fin de que tanto en la Santa Basílica Metropolitana de Santiago de Cuba como en los demás templos de esa Arquidiócesis tengan lugar las dichas ceremonias, cumpliéndome manifestar a V. E. que el Gobierno de S. M. abriga la seguridad de que la devoción de V. E. dará, en la pompa y solemnidad de las exequias, una prueba saliente de piadosa consideración al eminente estadista que tantos servicios prestó a la Patria y a la Religión y cuya vida ha sido sacrificada por sectarios renegados de todo respeto divino y de toda disciplina social. Asimismo ruego a V. E. que con motivo de tan doloroso acontecimiento se sirva conceder las gracias espirituales que quepan en su potestad por las preces que se dediquen al alma de tan esclarecido patricio.—Dios guarde a V. E. muchos años.—Habana, 1 de agosto de 1897.—*Valeriano Weyler.* Excelentísimo Sr. Arzobispo de Santiago de Cuba.»

El arzobispo Saenz de Urturi, de acuerdo con el Ilmo. Cabildo Metropolitano, fijó las ocho y media de la mañana del día 28 de este mes para la celebración de las exequias rogadas y encargadas por la Reina Regente, en la Basílica Metropolitana, y ordenó también el prelado, por su propia autoridad, que en todas las parroquias de este Arzobispado se verificaran también honras fúnebres por el mismo motivo; dirigió una Exhortación Pastoral a sus diocesanos invitándolos a la oración por el alma del finado y asistencia a los indicados actos religiosos, y asimismo concedió 80 días de indulgenica a todos los asistentes y 80 más a los que practicaran cualquier acto de piadosa devoción por la misma alma de dicho finado.

No todos los difuntos eran tan *afortunados* como Cánovas.

Marina

Notas oficiales de la misma publicadas por la prensa local.

Cañonero «Cuba Española»

En la tarde del día 13, al pasar la boca del puerto de Niquero el expresado buque, vio en el fuerte de la Marina la señal que con los buques que cruzan por aquellas aguas está convenida para avisar la proximidad del enemigo, en razón a la que tomó el puerto el cañonero; siéndole noticiado a su comandante que un grupo de rebeldes había atacado al poblado, siendo gravemente herido un guerrillero. Enterado de que la partida en cuestión estaba acampada en las proximidades de la costa, se dirigió el cañonero hacia el mencionado lugar, hostilizándolo con fuego de fusilería y ametralladora, haciéndole abandonar el campo en desordenada fuga. Se considera que el enemigo haya sufrido numerosas bajas.—En la eventualidad de que durante la noche el enemigo repitiera sus ataques, permaneció el buque en el puerto hasta el amanecer, en que supuso su comandante que el enemigo estuviese acampado de nuevo en «Los Colorados», lugar de vianda y aguada, siendo sus sospechas confirmadas de nuevo y arrollado el enemigo por los certeros disparos del cañonero, el que, después de esto, continuó su crucero sin la menor novedad.

Pontón «María»

Una embarcación menor de este buque, en reconocimientos por los esteros de Añabal, fue hostilizada por los rebeldes, que ocultos entre las malezas pretendían detener su marcha, logrando únicamente ser dispersados por los certeros disparos de la marinería que navegaba en la citada embarcación.

Cañonero «Vasco Núñez de Balboa»

Ha fondeado en Cienfuegos el cañonero *Vasco Núñez de Balboa,* sin novedad, aunque atormentado por la mucha mar que encontró en el viaje.

Cañonero «Pizarro»

El general Luque, a bordo de este cañonero, ha reconocido los fuertes de la costa de Yumurí y Maisí, visitando a Baracoa y Sagua de Tánamo, haciendo con fuerzas de Córdoba y marinería del buque varios reconocimientos, siendo su viaje a Baracoa el día 12. Elogia a la tripulación del cañonero por penosos trabajos en sus continuos viajes de relevo, cruceros y transporte de tropas, pues no ha encontrado momento de descanso.»

FALLECIMIENTO

(Día 17).—Muere D. José Mariano Espino.

ALUMBRADO

El 19 se reúne la Directiva de la Compañía del Gas, acordando suprimir el alumbrado tanto público como particular por falta de la materia prima (petróleo) para su fabricación, empezando la supresión desde el día 22. El acuerdo es notificado al Gobernador y al Alcalde.

CONSEJO DE GUERRA

En consejo de guerra sumarísimo celebrado el día 20 en la cárcel, contra el prisionero de guerra blanco D. Serafín Rodríguez García, el fiscal pide la pena de reclusión perpetua.

LA GUERRA

En la noche del día 20 es sorprendido un campamento insurrecto en terrenos de la finca «Dulce Nombre», barrio de Las Lagunas, legua y media distante de esta ciudad, ocupándose medicinas y correspondencia.

Detenidos

Con motivo de la sorpresa anterior, fueron detenidos y encarcelados, a disposición de la jurisdicción de Guerra, D. José Guadalupe Castellanos y Lluanis, Dr. D. Luis Felipe Portuondo y Santa Cruz Pacheco, D. Santiago Padró y Griñán, D. Mónico Vinagre, D. Rafael Marrón, D. Timoteo Rodríguez, D. Germán Malleta, D. Magín Borrero, D. Leoncio Miranda y D.ª Silvina Ríos.

Presentado

El propio día 20 se presenta a las autoridades de esta ciudad, procedente del campo insurrecto, el moreno Carlos Herrero, quedando en completa libertad.

Angiolillo

(Día 20).—El asesino de Cánovas, Miguel Angiolillo, es agarrotado en Vergara, en cumplimiento de la sentencia del consejo de guerra que lo juzgó, confirmada por el Consejo Supremo de Guerra y Marina.

Azcárraga

(Día 20).—El general Azcárraga es confirmado en el cargo de presidente del Consejo de Ministros.

Notas oficiales

La prensa local publica las notas oficiales siguientes:

«De Baracoa.—Día 30.—El coronel Chacel con parte de la columna de Sabanilla (Baracoa) simultaneando trabajos de construcción de campamento con reconocimientos en busca de materiales para fuertes, batió al enemigo que lo esperaba en buenas posiciones en San José, distrito de Mata, persiguiendo a los dispersos con objeto de apoderarse de sus bajas vistas, habiendo consistido las nuestras en seis heridos.

Después de destruir numerosa viviendas, regresó la fuerza a su campamento con 30 mulos cargados de materiales y frutos.

De Guantánamo.—La columna del Palmar (Guantánamo) en operaciones por Guisa y Casisey encontró un grupo enemigo, causándole un muerto que resultó ser el prefecto Alberto Pons, ocupándole un revólver.

De Santiago de Cuba.—Fuerzas de la zona de Cuba sorprendieron en la noche del 19 al 20 del corriente en Madre Vieja un grupo enemigo con el que sostuvieron ligero tiroteo, apoderándose de un fusil Maüser, un revólver, dos escopetas, 30 cartuchos, dos sombreros con estrellas de plata, una bandolera con cartera, un frasco lacrado con 900 píldoras de quinina y otros cuatro con 490 cada uno, una montura y una cartera con correspondencia.

De Holguín.—Día 21.—Después de verificado el convoy a la Breñosa, el teniente coronel de Infantería de Marina señor Martínez Carrillo con fuerzas de dicho cuerpo, Sicilia y Hernán Cortés, emprendió operaciones los días 8 y 9 de agosto por Cuatro Veredas y Santo Domingo, sosteniendo diferentes fuegos con grupos enemigos que se hallaban emboscados.

Nosotros tres heridos, causando al enemigo 12 muertos; cogiendo tres prisioneros, todos en deplorable estado de miseria, faltos de salud y de recursos de toda especie.

Encontró también varias familias, destruyó gran número de sembrados, quemando a la vez muchos bohíos.

El destacamento y guerrilla de San Andrés ha tenido un sangriento combate, en las inmediaciones de aquel poblado, en el potrero «Cajilones», con numerosas fuerzas insurrectas. Nuestras fuerzas, compuestas de 45 soldados y la guerrilla del poblado, se batió bravamente: por nuestra parte tuvimos diez guerrilleros muertos y tres heridos y cuatro de tropa muertos y cinco heridos; el enemigo dejó 37 muertos y catorce caballos muertos también.

Ha sido suprimido el destacamento que guarnecía el pequeño caserío de Purnio, trasladándose a la ciudad las fuerzas y familias que habitaban en él.

A las diez de la mañana del 21 regresó la columna del bizarro coronel D. Mariano Salcedo, que condujo un convoy a San Agustín de Aguarás.

Baracoa.—El día 20 el coronel Chacel tuvo fuego con partida enemiga en la Loma Rancho, tomándole posiciones y causándole dos muertos. De nuestra parte, un herido leve de tropa.»

Nueva sociedad

Con una velada bastante concurrida, se inaugura en la noche del domingo 22 la sociedad titulada «Juventud Catalana».

Nota oficial

La prensa de esta ciudad publica la nota oficial siguiente:

«Día 21 de agosto.—Fuerzas de voluntarios del poblado de la Concepción, cerca de Palma Soriano, en reconocimiento por las inmediaciones, sostuvo fuego con partida enemiga, la que causó un muerto a los voluntarios.»

Ataque a la Zona de la Plaza

(Día 28).—Fuerzas cubanas penetran en la Zona de esta Plaza, en la madrugada de este día, y tirotean al fuerte de San Juan y a las guerillas emboscadas en diferentes lugares del sector Este, alarmando a los vecinos de la barriada alta. Todas las fuerzas disponibles, muy escasas ciertamente, reforzadas por las bandas de música y de cornetas del Regimiento de Cuba, forman una columna que sale luego, ya amanecido, a practicar un reconocimiento en el terreno de la acción y a perseguir a las fuerzas agresoras.

Temblor

En la misma madrugada se experimenta en esta ciudad un temblor de tierra. Como se podrá apreciar, no gana para sustos el vecindario.

Cánovas

(Día 28).—Terminados los oficios y la misa de este día, a las ocho y media de la mañana empezaron en la Basílica las solemnes exequias por el alma del Excmo. Sr. D. Antonio Cánovas del Castillo, presidente del Conseio de Ministros. Todos los edificios públicos ostentaban la bandera a media asta y algunos particulares colgaduras negras. Las campanas no cesaban de clamorear. En la nave central de la Basílica se alzaba un artístico y severo túmulo, obra del Cuerpo de Ingenieros Militares, compuesto de una gradería alfombrada de flores, sobre ésta un zócalo que sostenía un cuerpo, de estilo dórico, con hileras de cirios a uno y otro lado, en cuyas cuatro caras, imitación de lápidas de mármol negro, se destacaban las inscripciones siguientes:

Cuba siempre fiel y agradecida
Al lamentar tu muerte te da vida

Descanse en paz y que del cielo goce
El siempre defensor de Alfonso XII.

Cánovas sí murió, mas no su alma,
Que de los buenos Dios le dio la palma.

El alma de ese genio prepotente
Gozará Paz del Dios Omnipotente.

Luego, sobre otro cuerpo, el principal, descansaba un templete coronado por una cruz dorada, que contenía una urna y encima de ella la toga y el birrete de abogado, carrera que estudió el extinto. Otra doble fila de cirios rodea a este segundo cuerpo y entre las numerosas coronas depositadas en el mismo, descuella la del Ilustre Ayuntamiento del Caney, cuyas cintas rojas y amarillas rompen la uniformidad del negro fondo del catafalco. Abajo, en al gradería del zócalo, hay muchas fúnebres coronas, entre ellas las ofrendadas por el Gobernador Regional, Excmo. Ayuntamiento, Excma. Audiencia Territorial, Excma. Diputación Provincial, Partido Unión Constitucional, Círculo Español, Real Hacienda, etc., etc. Las columnas del templo se hallan revestidas de negros tapices franjedos de plata.

En su sitial correspondiente se hallaba el gobernador regional, D. Federico Ordax y Avecilla, presidiendo al Excmo. Ayuntamiento, bajo mazas y con sus maceros en traje de duelo. También ocupa el suyo el gobernador militar interino, coronel de la Guardia Civil D. Francisco Oliveros y Jiménez, presidiendo igualmente a la oficialidad franca de servicio de todos los cuerpos del Ejército, la Armada, Voluntarios y Bomberos. En sus sitios respectivos, el Cuerpo Consular acreditado en esta plaza y los funcionarios y empleados civiles, lo mismo que la Excma. Diputación Provincial e Instituto de Segunda Enseñanza. En el coro, el Ilmo. Cabildo de la Basílica, la Excma. Audiencia, el Cuerpo de Fiscales de S. M., los títulos de Castilla y los caballeros grandes cruces. En el presbiterio, ocupando su trono, el arzobispo metropolitano fray Francisco Saenz de Urturi y Crespo, de capa magna violeta, asistido por el chantre Lic. D. Bernabé Gutiérrez y Gutiérrez y el tesorero D. Andrés Frías y Jiménez, que, lo mismo que el Cuerpo Capitular a que pertenecen, visten capas corales. Y en las naves colaterales el público que invade la amplia basílica.

Después de ejecutar alternativamente el Coro y la Capilla el Invitatorio y el I Nocturno de Maitines, comenzó la misa, oficiada por el deán Lic. D. Mariano de Juan y Gutiérrez, y terminada ésta ascendió al púlpito el Arzobispo y pronunció la oración fúnebre del finado, en la cual enalteció las cualidades que adornaron al mismo, el uso que de ellas hizo, y enumeró los más salientes servicios que prestó a la Religión, a la Patria y a la Monarquía. Acabado el elogio fúnebre, el Prelado fue revestido de medio pontifical y tomando asiento en un gran sitial a la cabecera del catafalco, rodeado del Cabildo Eclesiástico, inició el Oficio de Sepultura, que fue continuado por los sochantres y salmistas del Coro y por los profesores de la orquesta de Capilla, alternativamente, bajo la dirección esta última del maestro de ella D. Jacinto Pagés y Vía. Concluyó el acto con el responso final ejecutado por la Capilla, dando el propio Prelado la absolución postrera a los manes del extinto. Luego, junto a la puerta mayor del templo, el Gobernador Regional con el Ayuntamiento y las demás autoridades despidieron el duelo, y poco a poco se borró aquella gran mancha negra salpicada de uniformes cuajados de oro y constelada de bandas, cruces, placas y encomiendas.

No había de faltar ciertamente una nota que empalideciera el brillo y esplendor del homenaje tributado a la memoria del prócer monárquico caído en Santa Agueda bajo el plomo de Angiolillo: no pudieron tributársele en sus exequias los honores militares dispuestos por el Gobierno Militar de la Plaza. Y fue que a los mambises se les ocurrió en la madrugada de aquel mismo día, precisamente, penetrar en la Zona de la Plaza, hostilizar con sus fuegos al fuerte de San Juan y a las emboscadas situadas por sus contornos, y de paso arramblar con cuanto ganado encontraron y facilitar la incorporación a sus filas de los que tal quisieron; viéndose precisado el gobernador militar Oliveros a disponer que saliera a combatirlos una columna compuesta de las escasas fuerzas que en la plaza había, y dado su poco efectivo, ordenó que para nutrirla empuñaran el fusil y se incorporaran a ella los músicos soldados del Regimiento Infantería de Cuba, y a la hora de las exequias aún no había retornado a la plaza la dicha columna. Los voluntarios no pudieron tampoco ser utilizados, como otras veces, para hacer los honores fúnebres —que era para lo más que servían—, pues mientras un batallón montaba aquel día el servicio de cubrir los cuerpos de guardias y retenes, el otro y las demás fracciones del propio instituto tenían que descansar para poder relevar a los primeros al siguiente día. Por eso la única fuerza armada que concurrió a las exequias fue un piquete del escuadrón de la Guardia Civil —veinticinco hombres pie a tierra— mandado por un capitán, que se situó en dos filas junto a la torre del reloj y que allí permaneció, con las armas descansadas, mientras duraron aquéllas. Como ninguna clase de honores tributó aquel piquete sin música ni cornetas, pensaron algunos maliciosos que su permanencia en aquel lugar y durante el acto que se celebraba, era simplemente una medida de precaucinó por si el orden se alteraba, acaso en relación con el suceso de la madrugada.

Nota oficial

La prensa del mismo día 28 publicó la nota siguiente, que, como todas las referentes a operaciones militares, le facilitaba el Gobierno Militar:

«La compañía del capitán Castellví en reconocimientos por Casa Azul sorprendió junto al río San Juan un grupo insurrecto al que dispersó, haciéndole un herido y matando al que mandaba la fuerza enemiga, que fue recogido con revólver y machete, e identificado resultó ser el titulado capitán Francisco Portuondo. Se recogieron dos caballos y efectos.»

Nota oficial

Los periódicos de esta ciudad insertan esta nota oficial:

«Día 29 de agosto.—El día 24 de este mes el general Linares con fuerzas a sus órdenes desde el Cobre forzó el paso de los Puertos Moya y Maniel, tenazmente defendidos por fuerzas del cabecilla Cebreco, con trincheras escalonadas en las lomas hasta Hongolosongo, sosteniendo nutrido fuego de siete a diez de la mañana y acampando por la tarde en la Esperanza Boudet.

El día 25 la columna del coronel Vara de Rey que había salido de San Luis el día anterior, encontró al enemigo bien atrincherado en Puerto Perú y posiciones sucesivas hasta S. Juan de Wilson que tomó una a una con vigoroso avance sosteniendo parciales combates de la mañana a la tarde en que se unió a la columna del general Linares en San Juan de Wilson.

El mismo día 25, el general Linares con su columna reconoció excavaciones Miguel Sánchez y al pasar Puerto Perú se encontró con el enemigo que lo esperaba y que se había atrincherado durante la noche, habiendo vencido la resistencia puesta por éste y perseguidos los dispersos continuó por Yarayabo hasta Hatillo, donde dejó la columna, siguiendo dicho general con dos compañías hasta Palma. La columna del coronel Vara de Rey fue a acampar a Esperanza Boudet, habiendo reconocido la falda de Santa Clara y Vertientes, Casoto y Hongolosongo con ligeros tiroteos.

El día 27 el general Linares se dirigió a San Luis recogiendo la columna y heridos que habían quedado en Hatillo.

La columna del coronel Vara de Rey reconoció Guajacas, Chicharrones, Puerto Mozo y Manuel, batiendo al enemigo que encontró ocupando las lomas y marchando al Cobre a dejar los heridos y fuerza del Batallón de Asia al campamento del Ermitaño.

En estas operaciones en enemigo dejó muertos en el campo con armas y municiones, un caballo muerto y otro herido, cogiendo otros dos más, todos con monturas, y haciendo prisionero a un titulado subteniente con armas y municiones, habiendo sido arrasados varios campamentos y viandas en considerable extensión.

Nuestras bajas, un soldado muerto y diez heridos, entre ellos los capitanes D. José Bonet Parrilla, leve, y D. Tomás Yáñez García, grave, que lo fue al tomar las trincheras y al que hubo que obligar a retirarse; además un caballo de una guerrilla muerto y el que montaba el general Linares atravesado de dos balazos.

Nuestras bajas, aunque sensibles, lo han sido en reducido número, teniendo en cuenta que las alturas dominadas por el enemigo fueron tomadas por las tropas sin descargar sus armas, si bien protegidas por otras situadas en puestos convenientes. El enemigo mientras defendía sus trincheras retiraba sus bajas, que deben ser en gran número.»

Alumbrado público

(Día 30).—Desde esta noche queda suspendido el alumbrado público por gas en esta ciudad, y empieza a funcionar el de candilejas de petróleo.

Suñé

En los salones de la Cocina Económica se coloca un retrato al creyón de D. Juan Suñé, uno de los fundadores de la benéfica institución, recientemente fallecido.

Nombramiento

Es nombrado D. Nicolás Lillo magistrado de esta Excelentísima Audiencia Territorial.

Nota oficial

La prensa local publicó la nota oficial siguiente:

«Una fuerza de 60 caballos penetra a las nueve de la mañana en la zona de cultivo de San Luis, intentando llevarse ganado. Fuerzas del Batallón de la Constitución, en dos fracciones, mandadas por el coronel Areces y teniente coronel Puñet, rechazan al enemigo, que dejó tres caballos muertos y uno herido. Hubo un soldado herido y dos paisanos de San Luis heridos también.

El coronel Vara de Rey, en reconocimientos, hizo en Arroyito (Cristo) dos prisioneros de las fuerzas del general insurrecto Cebreco.

En el fuerte de la Enramada se presentó con armas el insurrecto blanco José Vidal y González.»

Victoria de las Tunas

(Día 30).—El general Calixto García, con el propósito de tomar la plaza de Victoria de las Tunas, dictó sus órdenes, y en cumplimiento de ellas, una parte de las fuerzas de Oriente llamó la atención del general Luque por el rumbo opuesto a dicha plaza, realizado una serie de diversiones o golpes de efecto; lo que hizo que este general saliera de Holguín al frente de una poderosa columna de 2.000 hombres y cuatra piezas de artillería en persecución de lo que él creía el grueso de las fuerzas cubanas. Mientras tanto, el general García había dispuesto que el grueso de las fuerzas cubanas se reconcentrase en un punto determinado, y verificada ésta, marchó sobre las Tunas. El 14 de agosto, las tropas cubanas empezaron el bloqueo de la ciudad mediterránea, deteniendo a cuantas personas intentaban entrar en la plaza o salir de ella, precisamente el mismo día que el general Luque partía de Holguín con su numerosa columna, dirigiéndose a Banes y Bijarú para «batir al enemigo en su propio domicilio», según carta publicada por la prensa española. El ataque formal a la plaza de las Tunas comenzó el 27 de gosto y duró hasta el 30, en que se verificó la rendición de dicha plaza a las huestes cubanas. Su guarnición se defendió bravamente, pero la artillería cubana, muy bien servida, apagó los fuegos de las dos piezas Krup de los españoles, que quedaron inutilizadas, y destruyó los fuertes. Estaba defendida dicha plaza por 200 hombres del Batallón Provisional de Puerto Rico núm. 2 y otros tantos voluntarios, quedando prisioneros de guerra los supervivientes. Entre los muertos estaba el comandante del citado batallón D. Jacobo Molac. Ocuparon los cubanos un importante botín: 500 fusiles, 125,000 cartuchos, municiones de artillería, caudales públicos, ropas, víveres, medicinas y diversidad de otros efectos. La ciudad, antes de ser evacuada, fue destruida, y en los asaltos se distinguieron los generales Capote, Menocal y otros jefes y oficiales, que dieron señaladas muestras de valor y de pericia.

Fallecimientos

Han fallecido en este mes:
Doña Teresa Gómez de Oñate.
Doña Encarnación Hernández y Navarro, viuda de Pérez.
D. José Joaquín Estrada Alvarez.
D. Amieva Juncos.

SEPTIEMBRE 1897

La Habana pacificada

Weyler dirige al Gobierno Supremo el despacho cablegráfico siguiente:

«Habana 3.—Capitán General a Ministro Guerra.—Acabo de llegar a la Habana después de haber recorrido con 140 caballos el siguiente itinerario: Managua, Portugalete, Tapaste, Desfiladero de la Santa, Canguas, Sabana, Roble, Madonga, Cangre, San Nicolás, Terry, Güines, Merceditas, San Antonio de los Reyes, Lomas Morales, Volcán y Managua, con el fin de enterarme del estado de la provincia y de cómo cumplen mis instrucciones y operan las columnas, habiendo sólo tenido un ligero tiroteo en la Jaula.—En mi marcha he recorrido los puntos escabrosos de la provincia y los más difíciles pasos, habiéndome convencido de que en ésta sólo hay pequeos grupos de los cuales espero den cuenta los batallones que, fraccionados, operan en ella.—*Weyler.*»

La viuda de Cánovas

(Día 4).—La Reina Regente hace merced del título del Reino con la denominación de Duquesa de Cánovas del Castillo, libre de gastos, con grandeza de España, de primera clase, a la Excma. Sra. D.ª Joaquina Osma y Zabala, viuda de Cánovas del Castillo. También se había acordado, en Consejo de Ministros, proponer que se le concediera una pensión vitalicia de 30.000 pesetas anuales, en vez de pensión de viudedad de ministro que por derecho le corresponde.

Luque

(Día 5).—Al frente de su potente columna, entra en Holguín el Excmo. Sr. general de división D. Agustín Luque y Coca, muy ufano de haber realizado una serie de «brillantes operaciones», quemando más de mil bohíos y platanales en Banes y «haciendo a los insurrectos muchas bajas». Según dicho general, «nuestras fuerzas experimentaron las siguientes pérdidas: un oficial muerto, varios heridos y un número considerable de enfermos». Y sigue diciendo Luque: «La plaza de Holguín, en tanto, estaba amenazada y con vagas noticias de ataque a Victoria de las Tunas». Mas he aquí que, a las ocho de la mañana, pocos momentos después de haber llegado a Holguín, Luque *vincitore* con su potentísima columna, las lomas que están sobre el camino de Purnio y el Yareyal fueron coronadas por numerosas fuerzas libertadoras que llegaron a tiro de fusil y que alarmaron grandemente al vecindario, penetrando en las líneas españolas y presentándose luego al general Luque el Comandante Militar prisionero de Victoria de las Tunas, con un pliego del jefe libertador Planas —que entregó a Luque— en el que se le manifestaba que las tropas de la República Cubana traían la misión de entregarle, por orden del mayor general Calixto García, un comandante, tres oficiales y setenta y tres individuos de tropa rendidos en Victoria de las Tunas; exigiendo no se hiciera fuego por la plaza, pues la vida de los prisioneros respondía de la seguridad de la fuerza encargada de entregarlos.

A cincuenta metros de la plaza, salieron los guerrilleros de la escolta de Luque para recibir los prisioneros, que fueron entregados, mediante recibo que firmó el Comandante Militar de Holguín, «retirándose los cubanos en correcta formación», al decir de un testigo presencial, del bando español, en carta que dirigió a un su amigo y que la prensa publicó. De dicha carta es también el siguiente párrafo: «Como ya decía anteriormente, en el momento que se cerificaba la entrega de los prisioneros, llegaba el general Luque con la fuerte columna. Este señor, al llegar a la puerta de «La Periquera», y al ver enfrente a los insurrectos, quedóse estupefacto, lívido, convulso, desesperado. Conferenció con el prisionero Comandante Militar de Victoria de las Tunas, y nada más se sabe; pero este señor está preso, y hay diferentes opiniones, creyendo unos que será castigado y otros lo contrario.»

Jamás general alguno en el mundo ha sufrido, según creemos, burla tan grande como la que el general García supo hacer a Luque.

Holguín

La misma carta a que nos hemos referido, pinta de este modo la terrible situación que se padece en Holguín:

«La epidemia palúdica no decrece: en el hospital hay 1.000 enfermos, y los titulados sanos parecen cadáveres.

La línea férrea está constantemente custodiada por fuerzas numerosas, pues de lo contrario, las bombas de dinamita volarían alcantarillas y puentes. El que de aquí se aleja cien metros en busca de viandas, aparece colgado. En fin, la situación es terrible: esta es la pacificación, o *casi* pacificación de que hablan los periódicos que vienen de ésa, por las referencias oficiales.»

Expedición desembarcada

(Día 6).—En Jaimanitas, costa Norte de Pinar del Río, desembarca una expedición de guerra mandada por el capitán Rafael Gutiérrez Marín y compuesta de once patriotas. El material que trajo fue el siguiente: 500.000 cartuchos Mauser, Remington y Winchester, 250 machetes, 1.000 libras de dinamita, 5.000 pies de alambre forrado, 3 máquinas eléctricas para disparar, 2.000 kilogramos de carnes y maíz en conserva, 100 pares de zapatos, 1.000 mudas de ropa, 70.000 píldoras de quinina, 3 cajas grandes de medicinas y vendajes, 1 fragua de herrería y herramientas varias. Trajo la expedición el vapor americano *Sommer N. Smith* que continuó viaje para desembarcar en la Habana otra expedición al mando del brigadier Rafael de Cárdenas, y otra más en las Villas mandada por el coronel Fernando Méndez. El jefe marítimo de dichas expediciones era el general Emilio Núñez.

Temblor

A la una y media de la tarde del día 7, se siente un temblor de tierra acompañado de truenos subterráneos.

Victoria de las Tunas

El Porvenir, de Gibara, publicó lo siguiente:

«Por el E. M. de esta División y por conducto del Sr. Comandante Militar de esta Plaza, con fecha 5 de septiembre, se nos ha facilitado el telegrama que a continuación insertamos en este número extraordinario: "La guarnición de Victoria de las Tunas, se ha rendido. El Comandante Militar que con tres oficiales y setenta y cinco soldados han sido devueltos por el enemigo sufre prisión y la sumaria depurará si la guarnición cumplió con el deber militar. Al mismo tiempo que ocurría este hecho, dos columnas a lo sumo de seiscientos hombres auxiliados por la Marina, batían al enemigo en Tasajeras, La Juba, Flores, Escondida y Loma de los Ajíes, destruyendo los poblados insurrectos de Tasajeras, Veguitas, Flores y Bijarú; quemando más de mil quinientas grandes estancias; apoderándose de un taller de armas en El Deleite; causando, en suma, grandes perjuicios al enemigo y cuarenta y siete muertos identificados.

Mi objetivo, al comunicar estas noticias, es impedir que el laborantismo exagere el hecho de armas y aminore el triunfo alcanzado por las tropas que han operado por terrenos en que se suponía no podían penetrar nuestros soldados.—*Luque*".»

Romería asturiana

Los asturianos celebran el día 8 una romería en la finca «La Covadonga», antigua lechería de D. Vicente Sorribes Sánchez.

Nota oficial

Los diarios de esta ciudad dan a conocer la nota oficial siguiente:

«Día 10.—Holguín.—El general Luque, por Tasajeras y otros puntos, destruyó 1.500 estancias y un taller, recogiendo 90 cañones de fusil, escopeta y revólver, y sostuvo combates el 25 y 27 de agosto y el 1.°, 2 y 4 del actual, teniendo 2 de tropa muertos, heridos los alféreces de Infantería de Marina, D. José Morote y D. Francisco Sánchez, el teniente D. Manuel Castro Gómez y 34 de tropa.

El enemigo tuvo 61 muertos, entre ellos el titulado coronel Fonseca y el titulado capitán de la Cruz.

Durante la operación se presentaron 9 rebeldes, con armas de fuego, 14 con machetes y 100 sin armas, formando familias.»

Fue esta la brillante jornada de Luque, mientras Victoria de las Tunas bregaba, y al fin se rendía, por falta de socorro.

Victoria de las Tunas

Al telegrama del general Weyler, en el que participaba la rendición a los cubanos de Victoria de las Tunas, contestó el Gobierno Supremo con otro pidiéndole explicaciones de lo ocurrido, y Weyler contestó:

«Habana, 10.—Capitán General a Ministro Guerra.—Enterado de su telegrama cifrado manifiesto que Victoria de las Tunas será recuperada sin grandes esfuerzos.—*Weyler.*»

El desenfado de Weyler es pasmoso. Victoria de las Tunas fue destruida por medio de la dinamita y el incendio y luego evacuada por las fuerzas cubanas. No comprendemos cómo pueda recuperarse una plaza de guerra que ya no existe.

La Bandera Española, de esta ciudad, publicó lo siguiente:

Victoria de las Tunas

«*RELACION nominal de las víctimas vilmente asesinadas por el enemigo en Victoria de las Tunas y que contaban con propiedades urbanas en aquella ciudad, y valor aproximado de las mismas, según consta por declaración de varios manifestantes en el cuerpo de este informativo.*

D. Ramón Díaz Alonso, 2 propiedades valoradas en 2.000 pesos, asesinado; D. José Codaño, una propiedad valorada en 500 pesos, asesinado y 3 hijos; D. Ramón Puello Barba, una propiedad valorada en 800 pesos, asesinado; D. José Brusquet Oduardo, 400 pesos, asesinado; D. Jaime Hipolit Huguet, una propiedad valorada en 4.000 pesos, asesinado; José Infante, una propiedad valorada en 500 pesos, asesinado; Pedro Suárez, una propiedad valorada en 2.000 pesos, asesinado y 3 hijos; D. Francisco Esteban Cancho, una propiedad valorada en 500 pesos, asesinado; José Santana Medero, cuatro propiedades valoradas en 8.000 pesos, quemado vivo; D. Canuto López, una propiedad valorada en 150 pesos, asesinado; Nicolás Vicente Vilches, una propiedad valorada en 500 pesos, asesinado; Manuel Vázquez, una propiedad valorada en 800 pesos, asesinado. Que forman un total de 16 propiedades y 10.150 pesos que suma el valor de las mismas.

NOTA de los asesinados según datos de los presentados aquí.

Nombres.	Número.
Ramón Díaz, C.	1
José Bodaizo y 3 hijos, V. y E.	4
Ramón Puello Barba, V.	1
José Brusquet Oduardo, V.	1
Cayo Lopecino, V.	1
Francisco L. Ortega, V.	1
Pedro L. Ortega, V.	1
Vicente Olivares, V.	1
Ramón Velázquez, V.	1
José Santiago, V.	1
Rafael Matamoros y 1 hijo, Artill.°	2
Bernardino Geygóngora, Artill.°	1
Severino Santiago, V.	1
José García	1
Domingo Pérez, V.	1
Jaime Hipoli, V.	1
Amancio Alaña, V.	1
Julián García Sarmenteros, V.	1
Manuel Castillo, V.	1
José Infante, V.	1
Pedro Suárez y 3 hijos	4
Antonio Sanz Mota	1
Francisco Esteban Camacho, V.	1
José Acebedo Sánchez, V.	1
José Cara Serrillo, V.	1
Juan García Ruiz, V.	1

José Santana Medero, quemado con música, vivo.	1
Alfredo L. García, Artillero	1
Robustiano Cortón	1
Vicente Avilla Rivero	1
Ramón Rubio y 1 hijo de 14 años	2
José Ricardo Blanco, V.	1
Canuto López, V.	1
Bartolo Gonzalo	1
Nicolás N. Pescado y 1 hijo, V.	2
Juan Manchado Cordero, V.	1
Pedro Pérez Serrano	1
Manuel Téllez, V.	1
Manuel Vázquez, V.	1
Francisco Durán, V.	1
Delfín Gallego	1
Narciso Jimeno	1
José Hiriarte, V.	1
Clemente Guara, V.	1
Tomás Guara, V.	1
José Pérez Griñán	1
Alejo García	1
Cecilio Oribe, V.	1
Justo Ayxe	1
Angel Ochoa, V.	1
Nicolás Vicente Vilches	1
Total	61»

Suponemos que la V. significará *voluntario,* la E. *español* y la C. *cubano.*

El órgano del «Círculo Español» —*El Palacio de los Crímenes,* como lo llama el pueblo— a fuer de imparcial y justiciero, creemos que ha debido publicar también la lista inmensa de infelices pacíficos asesinados por el comandante D. Narciso Fonsdeviela en Guanabacoa, por el general D. Cayetano Melquizo en Habana y Pinar del Río, por el gobernador regional Porrúa y su jefe de Policía La Barrera, en la Habana, y, sin ir más lejos, por los capitanes de las guerrillas de Dos Caminos del Cobre y de la entrada del Caney, que no pasa un día sin que macheteen a la gente inerme que sale al campo en busca de frutos y leña para no perecer de hambre. Sí, para todos esos tiene aplausos el diario de la calle de la Marina, que se encarga de disfrazar sus horrendas fechorías con el ropaje de brillantes servicios, y ensalza y loa a los cuatro vientos las siniestras hazañas del jefe máximo de la cuadrilla, de Weyler el sanguinario.

Victoria de las Tunas

El Porvenir, de Gibara, dijo:

«Según noticias que tenemos y que nos merecen entero crédito, los insurrectos han entregado en Maniabón al médico Benedid con su familia, dos oficiales cuyos nombres hasta ahora ignoramos y ciento cuarenta soldados entre enfermos y heridos, que se encontraban en el hospital de Victoria de las Tunas.»

Nota oficial

La nota dada a la prensa hoy por el E. M. de esta plaza, es la siguiente:

«Día 12.—Sagua de Tánamo.—El teniente coronel del Batallón de Córdoba practicó con su columna operaciones por Catalina de René, las Animas, Canarreos; Dolorita, Naranja China y otros puntos batiendo al enemigo diferentes veces destruyéndole el campamento y la prefectura de las Animas, muchas viviendas, siembras, café y efectos, dejando en el campamento 2 muertos, 3 caballos, 1 con montura y una escopeta.

Nuestra fuerza tuvo 4 heridos de tropa, 3 del Batallón de Córdoba y 1 de la Guerrilla Local.»

Woodford

(Día 13).—La Reina Regente recibe oficialmente, en el Palacio de Miramar, San Sebastián, el general Mr. Stewart L. Woodford, nuevo enviado extraordinario y ministro plenipotencia de los Estados Unidos. Se avecinan grandes e importantes acontecimientos que indudablemente harán cambiar la política de España en Cuba.

Nota oficial

La prensa local publicó la siguiente:

«Día 15.—La columna del Batallón de Asia desde Monte Real

practicó reconocimientos por Manacal, La Luisa y el Granjal, sosteniendo fuego con el enemigo en distintos puntos, causándole un muerto a quien se le ocupó revólver y machete; destruyendo viviendas y efectos, recogiendo cartuchos Remington. De nuestra parte dos contusos de tropa.»

Fallecimiento

(Día 15).—Fallece en esta ciudad D. Teodoro Prior.

Nota oficial

La prensa publicó la siguiente:

«Día 16.—Baracoa.—El día 7 del actual el teniente coronel Mazarredo, llevando un convoy de Baracoa a Sabanilla con una compañía de Talavera, una de Simancas y otra de Guerrillas, desalojó al enemigo que ocupaba posiciones sobre el camino, ignorándose sus bajas y teniendo nosotros un herido grave de tropa.

El 12 el coronel Vaquero con fuerza a sus órdenes fraccionada en tres columnas atacó al enemigo atrincherado en Fotuto y Cuesta Colorada, lo batió y destruyó trincheras y campamento, causándole 5 muertos que dejó en nuestro poder; se supone llevaba más bajas; de nuestra parte dos de tropa heridos.»

Victoria de las Tunas

Cablegrama oficial.—«Habana, 17 de septiembre (recibido en Madrid el 18) Capitán General a Ministro Guerra.—Según confidencias dignas de crédito, las fuerzas rebeldes que atacaron Victoria de las Tunas se componían de 700 infantes y 200 caballos.

Entre las bajas del enemigo se cuentan 25 titulados jefes y oficiales.

Los efectos de los proyectiles de dinamita fueron la destrucción de fuertes y casas.

Oficiales prisioneros entregados en Cauto son: Segundos tenientes provisional Puerto Rico, José Ruiz Morera, Francisco González Crespo, Enrique Martínez Romero y Manuel Carrasco Rosa. *Weyler.*»

No podía ser más parco en detalles el general Weyler... cuando de noticias desfavorables para su reputación se trataba.

«SANTA BRÍGIDA»

(Día 18).—«Capitán General a Ministro Guerra.—A consecuencia de activa persecución que sufren grupos rebeldes, titulado comandante Eusebio Díaz, tercer jefe partida Arango, entró en tratos con coronel Aguilera para presentarse con grupo, efectuándolo en campamento Grillo con diez individuos armados, que espontáneamente guiaron a la columna para sorprender en monte Santa Brígida, campamento del resto del grupo, al que se hizo ocho muertos identificados, recogiendo seis u ocho fusiles.—Esto demuestra estado desmoralización rebeldes.—*Weyler.*»

CONSEJO DE GUERRA

En la Comandancia de Marina y Capitanía de este puerto se han visto en la mañana del 20 en consejo de guerra las causas siguientes: una contra Antonio Acosta Hermosilla (a) «Mascota» por hurto, para quien el Fiscal pide la pena de dos años de presidio correccional, y la otra contra Francisco Torres Albert, también por hurto y el Fiscal pide para este procesado la pena de cuatro meses de arresto mayor.

Estos delitos fueron cometidos a bordo de buques mercantes.

NOTA OFICIAL

La Bandera Española, de esta ciudad, publicó la nota siguiente facilitada hoy por el E. M.

«Día 20.—Guartánamo.—El general Toral en operación combinada con el teniente coronel Chacel para apoderarse de Piedra, lugar de la sierra que es un foco enemigo, y dejarlo ocupado, avisó ayer con estación óptica ambulante que llevaba la columna, haberse posesionado del punto sin gran resistencia.»

«Songo.—A las ocho y media de la noche de antes de ayer una patrulla del poblado del Socorro encontróse con grupos enemigos que sigilosamente penetraban por una cañada, entre dos fortines, contra el cual rompió el fuego, generalizándose desde las inmediaciones por otras fuerzas enemigas, situadas en las alturas próximas. Organizados contra-ataque con el sobrante de la guarnición, movilizados y voluntarios, fue rechazado el enemigo, mandado por el titulado brigadier Miniet, antes de que llegaran la guerrilla local y voluntarios de Songo que el Comandante Militar envió rápidamente en auxilio del Socorro.

De nuestra parte el capitán del Regimiento de Cuba comandante de armas del poblado, D. Ambrosio García Lalinde y un cabo de voluntarios muertos, un voluntario desaparecido y un paisano herido. El enemigo que no pudo llevarse efecto alguno de las tiendas, dio fuego en los primeros momentos a algunos bohíos de guano y tuvo dos muertos vistos. Dirigió la defensa y rechazó la agresión un segundo Teniente de la Compañía de Cuba por muerte del Capitán en las primeras descargas.»

Procesión de la Paz

(Día 21).—En la tarde de este día, salió de la iglesia de Santa Lucía procesionalmente la imagen del Smo. Cristo de la Misericordia. Dicha procesión fue organizada por los hermanos de la archicofradía del mismo nombre para pedir a Dios la paz. Recorrió las calles de Santa Lucía, Calvario, Heredia, Santo Tomás, San Pedro y otra vez Santa Lucía; la presidió el arzobispo fray Francisco Sáenz de Urturi, y ofició de preste el cura de Dolores D. Desiderio Mesnier de Cisneros. La asistencia fue bastante numerosa por parte de los fieles de uno y otro sexo, figurando en ella una comisión de oficiales de Voluntarios y Bomberos, y la música del Regimiento Infantería de Cuba, mas no fuerza armada por la escasez de ella en la plaza y lo recargada de servicio que estaba la poca que había. Desde uno de los balcones de la calle de Santo Tomás, entre las de San Basilio y Santa Lucía, varias damas cantaron una plegaria y arrojaron profusión de flores a la imagen de Cristo crucificado, que fue detenida para ello por algún tiempo. De regreso al templo, predicó el Arzobispo y luego terminó el acto con el canto del *Miserere.*

Varadura y salvamento

En los Colorados, frente a Punta Gorda, dentro de este puerto, encalló el vapor mercante *Niágara,* que iba en lastre. Después de tres días de constantes trabajos, realizados por el remolcador *Colón* y el vapor minero *Mameluke,* se consiguió ponerlo a flote, para lo cual previamente hubo que librarlo del lastre, del carbón, de las cadenas y ancla.

Laguna

La Audiencia absuelve a D. Mariano Laguna y Mas, director del periódico *La Patria,* en la causa que se le seguía por supuestas injurias al alcalde municipal, D. Pascual Gómez y Fuentes.

Miranda

En la noche del 23 fallece en la enfermería de la cárcel don Leoncio Miranda, que se encontraba sujeto a la jurisdicción de Guerra.

La Cocina Económica

A 1.304 ascendió el 23 el número de raciones despachadas por la Cocina Económica, en la siguiente forma: en el salón, 182; en cantinas, 577, y en la Sucursal, 545.

El plato se compone de un potaje de garbanzos con carne, patatas y ñame.

Escoriaza

(Día 25).—En la mañana de este día fallece en esta ciudad, a los sesenta y ocho años de edad, el respetable, bondadoso y afable caballero Sr. D. Eurípides de Escoriaza y Cardona, natural de Aguadilla, Puerto Rico, y avecindado de antiguo en Santiago de Cuba. Era presidente de la Cámara de Comercio y socio gerente de la firma J. Bueno y Compañía. Su cadáver embalsamado fue conducido, con selecto acompañamiento, al muelle, en la tarde de este mismo día, y de allí al vapor *Santiago* que le transportó a Nueva York para ser sepultado en su panteón de familia, en la ciudad de Brooklyn.

Alumbrado público

El mismo día 25 volvió esta ciudad a ser alumbrada públicamente por gas, servicio que había dejado de prestarse en esa forma desde el 30 de agosto último.

Nota oficial

La nota facilitada hoy oficialmente a la prensa local, dice así: «26 de septiembre.—Guantánamo.—El general Toral en marcha el 25 desde La Piedra a Jamaica, encontró una partida insurrecta que batió, causándole un muerto, el que identificado resultó ser el titulado oficial Juan Quintero, al que se le recogieron las armas y municiones. Hubo un guerrillero herido y 2 mulos.

En Sagua de Tánamo se ha presentado sin armas el insurrecto Eleano Ramírez Hernández, con su mujer y ocho hijos, y también lo han hecho dos mujeres en el mismo punto procedentes del campo enemigo.»

Escuelas

Quedan clausuradas las escuelas municipales de Ramón de las Yaguas y de El Dajao.

Precio de la carne

Bando del Capitán General fijando el precio a que debe venderse la carne, «manifestando el Ayuntamiento que aquí no es posible darle cumplimiento por grandes dificultades que se presentan para ello».

Rancho

El Gobierno Militar exige al Ayuntamiento el que suministre rancho a los 47 presos que se encuentran en el Morro, «lo cual hará el Ayuntamiento por un mes más, si es que la casa de la compra de menestra admite un acuerdo que se le ha propuesto».

Cárcel

La Cocina Económica se encarga de suministrar el rancho a los presos de la cárcel pública.

Ayuntamiento

La Autoridad Superior excita al Ayuntamiento para que aumente las contribuciones y el Ayuntamiento contesta: que aumentarlas o formar presupuesto extraordinario es completamente ilusorio y ante la evidencia que está en la conciencia de todos, no hay más que resignarse y esperar mejores tiempos que no tardarán dado el visible decaimiento de la insurrección, y las dotes reconocidas en el Ilustre Caudillo que con tanto acierto, como buen éxito, viene dirigiendo las operaciones militares, y entre tanto hay que contar sólo con lo que permite la aflictiva situación que se viene experimentando; que esta situación demasiado conocida ha de pesar en el ánimo de nuestros Superiores Jerárquicos, y tenerse en cuenta los enormes gastos que han tenido que verificar las Municipalidades para la defensa de sus poblaciones y los dispendios que ya van ocasionando las zonas de cultivo, los cuales aumentarán a medida que la bendita paz se aproxime y haya que amparar a los arrepentidos que se abracen a la legalidad y magnanimidad de la Nación Española, y que por las razones expuestas opinan que más honrado es decir la verdad a la Superioridad que exponerse a fracasos irremediables».

Caída del Ministerio

(Día 29).—El ministerio conservador presidido por el general Azcárraga, presenta su dimisión y le es aceptada por la Reina Regente.

Cuabita

«Hay un sello que dice: Primer Tercio de Guerrillas, primera Compañía movilizada de Bomberos. Dispuesto por el señor Gobernador Militar de Cuba que todas las casas enclavadas en la zona (y fuera de cercas) desaparezcan si son de guano, se destechen si son de mampostería, o se desmantelen si son de tabla y teja, al objeto de evitar que el enemigo las utilice albergándose en ellas o en otros usos: tengo el gusto de participarlo a V. para su conocimiento a fin de que proceda a avisarlo a los dueños de las casas que existan en las condiciones expresadas dentro de la demarcación de su bario, haciéndoles presente que previniéndose en los diferentes Bandos de la autoridad superior militar que se considerarán auxiliares de la rebelión todos aquellos que no cumplan las órdenes del Gobierno, espero del buen sentido y patriotismo de todos, no darán lugar a que en este barrio se tomen medidas rigurosas en el caso de no llenar sus deberes.—Del recibo de la presente espero se sirva darme el oportuno aviso.—Dios guarde a Vd. ms. as.—Cuabita, 30 de septiembre de 1897.—El Capitán, Juan Mateos.—Sr. Alcalde de Barrio del Dajao.»

Fallecimientos

Han fallecido en este mes:
Doña Agustina García, viuda de Vera.
Doña Irene Clemenceau.
Doña Catalina Raventós, viuda de Asencio.
Doña Bernarda Bory.
D. Angel Giraudy y Cassard.
D. José R. Fernández Chacón.
Doña Antonia Palacios de Carballo.
D. Juan Bergén, (a) *El Pato,* mecánico del Acueducto.

OCTUBRE 1897

Jefe de Comunicaciones

Llega a esta ciudad el nuevo jefe de Comunicaciones de la provincia D. Ricardo González Murciano.

Fallecimiento

(Día 4).—Muere D. Rafael Labrada, maestro platero.

Ministerio liberal

(Día 4).—El nuevo ministerio liberal, queda constituido así:
Presidente del Consejo.—D. Práxedes Mateo Sagasta.
Estado.—D. Pío Gullón.
Ultramar.—D. Segismundo Moret y Prendergast.
Gobernación.—D. Trinitario Ruiz y Capdepón.
Fomento.—Sr. Conde de Xiquena.
Guerra.—Teniente general D. Miguel Correa y García.
Marina.—Contralmirante D. Segismundo Bermejo.
Gracia y Justicia.—D. Alejandro Groizard.
Hacienda.—D. Joaquín López Puigcerver.

Nombramientos

Han sido nombrados:
D. Félix Trofino, procurador.

D. Juan Aguilar, oficial cuarto de la Administración de Hacienda.

La autonomía

(Día 6).—En el primer Consejo de Ministros celebrado hoy por el gabinete liberal, se acuerda la concesión de la autonomía a las islas de Cuba y Puerto Rico.

Manifestación a Weyler

(Día 6).—A las dos de la tarde los gremios de la Habana realizan una manifestación en honor y obsequio de Weyler. Todos los establecimientos fueron cerrados y las calles del tránsito, engalanadas. A la comisión que se entrevistó con Weyler, éste le dijo: «Agradezco mucho este acto inolvidable que contrasta con la campaña de la prensa separatista y de parte de la nacional. Tengo la seguridad de concluir la guerra en mayo, entendiendo que a la guerra sólo se le combate con la guerra. Compárese el estado presente de la Isla con la época en que tomé el mando. Entonces el pánico dominaba en la misma Habana y era inminente el temor de un ataque de los rebeldes a esta capital, según consta en un bando que se publicó entonces. El gobierno del Sr. Cánovas me envió a terminar la rebelión sin preguntarme cuáles eran mis opiniones políticas. Permanezco fiel a mi sistema, y abandonaré el gobierno de esta Isla y el mando de este ejército antes de modificarlo.» Estas declaraciones produjeron muchos vítores entre los manifestantes, y excusado parece decir que el padre de la manifestación fue el propio Weyler, que pretendía vivir en el gobierno de Cuba, por lo menos, hasta el mes de mayo.

Se envió al Gobierno Supremo el correspondiente telegrama así redactado:

«Al Presidente Consejo Ministros.—Comercio unánime calles Neptuno, Galiano, San Rafael, suplican V. E. continúe general Weyler, por ser hecho pronto paz.—Lizana, Díaz y Compañía, Inclán y García, Aparza y Santaclara.»

La contestación fue ésta:

«Presidente Consejo Ministros a Lizana.—Recibo telegrama. Manifestaré en respuesta a ese Comercio que sólo al Gobierno toca juzgar de los medios que debe emplear para llegar pronto a la pacificación, por lo cual espero le ayudará ese Comercio, tan directamente interesado en ella, procurando evitar manifestaciones perjudiciales a aquellos fines.—*Sagasta.*»

La nota de E. U.

(Día 6).—Se lee en Consejo de Ministros la nota del Gobierno de los E. U. al de España, presentada por el embajador Woodford, inquiriendo cuándo podrá quedar pacificada la Isla de Cuba, rogando se le conteste antes del 31 del actual, a fin de comunicar la respuesta a las Cámaras en el mensaje presidencial de noviembre.

Weyler al Gobierno

«Habana 6.—Gobernador General a Ministro de Ultramar.—Comunicado cable de V. E. a autoridades, ejército, armada, voluntarios, clero y leales habitantes Isla, cumplo gustoso con el deber de saludar a V. E. en nombre de aquéllos y en el mío, por la confianza merecida de S. M. ofreciéndole mi patriótica y leal cooperación, mientras permanezca en este puesto.—*Weyler.*»

Admitía Weyler, como se ve, la posibilidad de quedar en el mando de Cuba.

Otro cable de Weyler

(Día 6).—«Al Presidente del Consejo de Ministros.—Si el cargo que el Gobierno de S. M. me confirió fuese sólo el de gobernador general, cual he hecho siempre obedeciendo a mis principios, al dirigir a V. E. respetuoso saludo por haber merecido de la Corona el honor de constituir gobierno, me apresuraría a elevarle mi dimisión; mas el doble carácter y mi deber de general en jefe de este ejército al frente del enemigo, me veda dimitir el puesto de honor; pero, y aun cuando cuento en términos absolutos con el incondicional apoyo de los partidos autonomista y constitucional y de la opinión de este país, amante de España, no es bastante si a la vez no se tiene la confianza decidida del gobierno, que dadas las manifestaciones y censuras hechas por personalidades y prensa del partido liberal, del que V. E. es su jefe, la opinión, y muy particular la de los Estados Unidos en la que tuvieron singular éxito dichas manifestaciones y censuras, han de estimar carezco de aquélla y del incondicional apoyo tan necesario como imprescindible para terminar la guerra, vencida desde la trocha de Júcaro hasta el cabo de San Antonio, conforme he manifestado recientemente al digno antecesor de V. E.—*Valeriano Weyler.*»

El Gobierno dio a Weyler esta contestación:

«Presidente del Consejo de Ministros al Gobernador General de Cuba.—Contesto su telegrama de felicitación agradeciendo su franqueza y diciéndole que el obierno, después de reconocer los servicios prestados por V. E. y de estimarlos en cuanto valen, considera que el cambio de política que representa, exige para su éxito autoridades con él identificadas.—Nada tiene esto que ver con la confianza que V. E. inspira al Gobierno, pues siempre han sostenido los liberales que la responsabilidad de la política no corresponde a las autoridades que la practican, sino a los gobiernos que las inspiran y aprueban.—Fundado en estas consideraciones, comunicaré en breve a V. E. la resolución que el Gobierno cree debe tomar en vista de sus manifestaciones.—*Sagasta.*»

Verdaderamente sabíamos que Weyler era *indinamitable,* pero ignorábamos que fuera también *indimitible.*

WEYLER

(Día 9).—Por Real Decreto de esta fecha, se dispone el cese del general Weyler en el mando de esta Isla.

BLANCO

Por otro Real Decreto de esta misma fecha, se nombra para el propio mando al Excmo. Sr. Capitán General de Ejército don Ramón Blanco y Erenas, marqués de Peña Plata.

WEYLER

A la petición de explicaciones hecha a Weyler por el Gobierno con motivo de lo acontecido en la manifestación del Comercio, contestó el general cesante de este modo:

«Presidente del Consejo de Ministros.—La espontánea manifestación que acaban de realizar los fabricantes de esta Isla, la que no me ha sido posible evitar, no ha tenido más fin que el de expresarme su personal sentimiento de cariño y afecto, despojado en absoluto de todo alcance político ni de petición alguna al Gobierno, que mientras permanezca en este puesto de honor no he de consentir el acto o demostración más insignificante que dificultar pueda las resoluciones y propósitos del Gobierno, que yo soy el primero obligado en mantener, respetar y cumplir por amor a la Patria y al principio de autoridad.—*Weyler.*»

El Gobierno de Madrid no se quedó corto y le dio la enérgica respuesta que sigue:

«El Presidente del Consejo al Gobernador General.—Habana. Recibo telegrama comunicándome la manifestación celebrada en esa capital.—Deploro que V. E. no haya podido impedirla, por el mal efecto que aquí y en el extranjero puede producir.—Los telegramas atribuyen a V. E. palabras que supongo no ha pronunciado, y que, en todo caso, convendría rectificara.—Confío en que V. E. evitará en adelante estos actos, que sólo pueden producir complicaciones y contrariar los propósitos del Gobierno que, como V. E. dice, representa a la Patria y al principio de autoridad.—*Sagasta.*»

Weyler y su relevo

«Habana 9.—Gobernador General de Cuba a Presidente del Consejo.—La Redacción del *Herald* de Nueva York, en telegrama recibido hoy, me dice:—Cablegrama de Madrid contiene la versión, que afirman saber de buena fuente, que el general Weyler se resistirá a ser relevado de Cuba y ha dado a entender que si se le releva, usará su influencia con el ejército para crear perturbaciones en España o que defenderá la causa carlista.—¿Haría usted el favor al *Herald* de contestar a estos cargos?—Habiendo contestado lo siguiente:—La severidad de principios que constituyen mi diáfana historia militar, son firme garantía de que jamás he creado ni crearé al gobierno constituido sea cual fuere, ninguna situación difícil, pues siempre, y en todas ocasiones, he sido y seré el primero en acatar, respetar, obedecer y hacer cumplir sus resoluciones, no teniendo tales manifestaciones más alcance que el del afecto a mi persona y política.—*Weyler.*»

La Virgen del Pilar

Los aragoneses de esta ciudad celebran el domingo 10, en la iglesia de San Francisco, una fiesta en honor de su patrona la Virgen del Pilar. Asiste el Arzobispo.

La Asamblea de La Yaya

(Día 10).—En La Yaya se reúne la Asamblea Constituyente,

en cumplimiento de lo preceptuado en el artículo 24 de la Constitución de Jimaguayú, integrada por los delegados siguientes:

Por el 1er. Cuerpo de Ejército: Manuel Despaigne y Rivery, Enrique Collazo y Tejada, Tomás Padró y Griñán y Aurelio Hevia y Alcalde. Suplente: Modesto Tirado.

Por el 2.º Cuerpo de Ejército: Carlos Manuel de Céspedes y Quesada, José Fernández Rondán, Manuel Rodríguez Fuentes y José Fernández de Castro. Suplente: Modesto Tirado.

Por el 3er. Cuerpo de Ejército: Salvador Cisneros Betancourt, Pedro Mendoza Guerra, Manuel Ramón Silva y Lope Recio Loynaz.

Por el 4.º Cuerpo de Ejército: Domingo Méndez Capote, Eusebio Hernández, Ernesto Fonts Sterling y José Alemán. Suplente: Saturnino Lastra.

Por el 5.º Cuerpo de Ejército: Fernando Freyre de Andrade, Fermín Valdés Domínguez, Ernesto Fonts Sterling y Andrés Moreno de la Torre. Suplente: Manuel Alfonso.

Por el 6.º Cuerpo de Ejército: José Lacret Morlot, Cosme de la Torriente y Peraza, Eusebio Hernández y Fermín Valdés Domínguez. Suplente: Lucas Alvarez Cerice.

Fallecimiento

(Día 11).—Fallece D. Rafael Martínez de la Junquera y Mancebo.

Nota oficial

La nota suministrada hoy a la prensa por el Gobierno Militar dice así:

«Día 14.—El general Toral practicó extensos reconocimientos en los días 9 al 12 por Monte Rus, y otros puntos, destruyendo campamento insurrecto, siembras y prefecturas con continuo fuego todos los días, y haciendo 30 bajas al enemigo entre ellos el prefecto de la Luisa, Hilario López.

De nuestra parte, 4 muertos y 6 heridos de tropa, el capitán Imbert de las Escuadras contuso, el teniente de Simancas Maroto herido leve y muerto de un balazo el caballo que montaba el general Toral.

PANDO

(Día 14).—Ha sido nombrado jefe de E. M. General del Ejército de Cuba, el teniente general D. Luis Manuel de Pando y Sánchez.

GONZÁLEZ PARRADO

En la misma fecha anterior, se nombra segundo cabo de la Capitanía General de esta Isla, al general de división D. Julián González Parrado.

INDULTO A LOS DEPORTADOS

En el Consejo de Ministros celebrado el mismo día, se acuerda la concesión de indulto a todos los deportados políticos de Cuba.

ALMANSA

(Día 17).—En la tarde de este día, falleció en esta ciudad el licenciado D. Pedro Francisco Almansa y Viamonte, racionero de la Santa Basílica Metropolitana, catedrático del Seminario Conciliar y capellán de la iglesia de Santa Lucía.

El entierro de su cadáver se efectuó en la tarde del día siguiente; haciéndolo el Muy Venerable Deán y Cabildo en dicha iglesia de Santa Lucía, en vista de haber descargado un furioso aguacero y de ser la referida iglesia la más próxima al domicilio del finado.

Asistió al acto el arzobispo fray Francisco Sáenz de Urturi y Crespo.

FALLECIMIENTO

En la madrugada del mismo día, falleció, en su residencia de San Francisco, el R. P. Manuel Abete y Medina, de la Congregación de la Misión.

FALLECIMIENTO

(Día 18).—Muere D. Ricardo Benítez.

TEMPESTAD DE AGUA

Desde el día 1.º del actual está lloviendo furiosamente y sin interrupción en esta ciudad y sus cecanías, de tal manera que hoy, 19, aún no ha abonanzado el tiempo. Las calles se hallan convertidas en lagunatos y horribles lodazales, haciendo imposible casi el tránsito; alcanzando las salpicaduras de las caballerías y los vehículos a la altura de la cornisa de los edificios. Es un verdadero problema transitar por el camino del Cementerio, y el ganado y los coches de los innumerables entierros se atascan en los asquerosos y enormes baches, de donde cuesta trabajo y tiempo poder sacarlos. Los buques permanecen en puerto, sin atreverse a salir. Los trenes no circulan. Todos los barrios bajos están inundados, habiendo quedado destruidas diez casas y con averías más o menos importantes seiscientas. La paralización en los negocios y en el tráfico ha traído consecuentemente el aumento del grandísimo malestar económico que venían sufriendo las clases todas y muy especialmente el proletariado. Tal parece que hasta la naturaleza se conjura en contra de esta ciudad que vegeta agonizante.

BLANCO

(Día 19).—El general Blanco, destinado al relevo de Weyler, embarca en el vapor *Alfonso XIII*, que zarpó de La Coruña para esta Isla, conduciendo además varios generales, jefes y oficiales.

BESTARD

(Día 20).—Es nombrado el Pbro. D. Ismael José Bestard y Romeu capellán de la iglesia de Santa Lucía de esta ciudad.

ESPAÑA A LOS E. U.

(Día 22).—El Consejo de Ministros acuerda contestar la nota del Presidente de los E. U., diciéndole, que España estaba dispuesta a admitir los buenos oficios de los E. U., siempre que esta nación empezase por evitar las expediciones filibusteras, sin las cuales la guerra no existiría.

MARINA

(Día 23).—«El Comandante General del Apostadero al Ministro de Marina.—El cañonero-torpedero *Nueva España*, con fuerzas del Ejército, durante los días 17, 18, 19 y 20 en San Antonio y Corrientes, destruyó viviendas y plantaciones, hizo bajas al enemigo y resultó uno de tropa grave. Se apresaron carteras con documentos de interés, 110.500 cartuchos, machetes, armamentos y herramientas.—*Navarro.*»

Chorrera y Managua

(Día 25).—Entre Chorrera y Managua, Habana, fuerzas libertadoras a las órdenes del coronel Adolfo Castillo Sánchez, traban combate con una columna de la Guardia Civil y otros cuerpos, mandada por el comandante de Artillería D. Eduardo Tapia Ruano. Cayó bravamente en esta nefasta jornada el bizarro adalid de Cuba coronel Castillo, al frente de su aguerrida legión, y cuatro patriotas más.

Fallecimiento

(Día 27).—Muere en esta ciudad D. Santiago Causse y Dupuy.

La Asamblea de La Yaya

(Día 29).—La Asamblea Constituyente reunida en La Yaya, promulga la Constitución del mismo nombre en sustitución de la de Jimaguayú, y procede a la designación de las personas que han de desempeñar los altos cargos, del modo que sigue:

Presidente del Consejo de Gobierno.—Mayor general Bartolomé Masó Márquez.

Vicepresidente del mismo.—General Domingo Méndez Capote.

General en jefe del Ejército.—Mayor general Máximo Gómez y Báez, confirmado en el mismo cargo.

Lugarteniente general del Ejército. — Mayor general Calixto García Iñiguez.

Weyler

«*Gobierno General de la Isla de Cuba*:

HABITANTES DE LA ISLA DE CUBA:

Relevado por el Gobierno de S. M. del mando civil y militar en esta Isla y próximo a salir con dirección a la Madre Patria, me despido de vosotros. De mí no esperéis frases galanas o artificiosas, como tampoco vacilaciones ni rodeos, en la exposición de la verdad. Habituado a la inclemencia del campamento más que a los tranquilos y enervantes goces del salón, soy rudo y conciso.

No ignoráis el estado de abatimiento de ánimo y desconfianza en el porvenir que dominaba en Cuba, cuando a ella vine para encargarme de su Gobierno General y del mando del Ejército; y bien veis cómo queda. Si por erróneos juicios, por desconocimiento de lo ocurrido o por otras causas no falta quien niegue la verdad, vosotros, que la tenéis al alcance de la vista, os sentís convencidos de que muy en breve habría llegado para toda la Isla la hora de la paz, y de que, tan completa y eficazmente como cabe a raíz de una lucha sangrienta y destructora, ya se extiende rápida la bienhechora influencia de aquélla en las provincias de Pinar del Río, Habana, Matanzas y Santa Clara, hasta la trocha de Júcaro a San Fernando. Los ingenios prepáranse a la molienda; las vías de comunicación están expeditas a pasajeros y mercancías; se pueden recorrer los campos sin tropezar de continuo con la emboscada; y ha cesado ya el antes no interrumpido y asolador incendio. Al congratularos por este espectáculo halagüeño, no debéis olvidar nunca los sacrificios que cuesta, principalmente los representados por pérdida de vidas; y así como tenéis lágrimas para el muerto que perteneció a vuestra clase, tenedlas también para el heroico soldado que aquí dio sonriente su existencia por la Patria en defensa de la integridad nacional; y tenedlas abundantes y compasivas para los dolores de tantas madres que no volverán a estrechar entre sus brazos a sus hijos.

Vine a la Isla con el ánimo decidido a que no terminase el próximo marzo sin que se viera obligada la insurrección a refugiarse en sus guaridas de Oriente; a restablecer y mantener muy alto el principio de autoridad, para que nadie fuera osado a llegar hasta él, a reafirmar la soberanía de España en esta preciada antilla.

Los hechos hablan por mí; y ya elocuentemente lo han realizado, porque las demostraciones de vuestro afecto a mi persona, grandes, sentidas y espontáneas, como todo lo que no es sugerido por la envidia o por la ambición personal, han estremecido a los enemigos de España y de su propia tierra natal. Todas y cada una de esas manifestaciones han conmovido mi corazón; pero más que ninguna la última, porque, en realidad, no fue otra cosa que la indignación que rebosó de los pechos españoles, al notarse el júbilo que la noticia de mi probable relevo en el mando se esparcía entre los enemigos de nuestra patria. Impedir, o restringir, como algunos hubieran querido, ese movimiento de opinión; nacido de tan pura fuente, hubiera sido acto antipatriótico; no lo hice, y estoy satisfecho de mi resolución.

Si para conseguir el estado actual de la Isla, en ocasiones he tenido que extremar el rigor, cierto que no fue sin que le precedieran ofrecimientos de perdón y olvido, hechos en nombre de la generosa España a esos hijos desnaturalizados, que desgarran el seno de su propia madre y tan prontos a huir frente a iguales fuerzas, como dados al exterminio, al pillaje y al incedio, si tienen de su lado el número y la ocasión.

Os dejo la rebelión a tal extremo reducida que no debe hacerse esperar su último latido; el principio de autoridad reconocido y respetado, porque ésta, en todo el tiempo de mi mando, ha sido cosa real y verdadera, ajena a las luchas y ambiciones de las parcialidades políticas, y no la fuerza y la justicia simbolizadas en un cadáver; y la soberanía de España tan afirmada, que nadie intentará arrancarla de esta tierra, como no sea por medios arteros y contando con el auxilio y la complicidad de españoles indignos.

Esta profunda convicción se fortalece y arraiga aún más en mi ánimo, al recordar las relevantes dotes militares y políticas, por vosotros tan conocidas como estimadas, del ilustre caudillo que va a sucederme en el mando; y abrigo, no ya la esperanza, la seguridad de que, agrupados junto a él con la lealtad y adhesión que os son propias y que a mí me habéis prestado, cooperéis eficazmente al fin que todos anhelamos: la total e inmediata pacificación de Cuba, objeto de mis más fervientes votos.

Habitantes de la Isla de Cuba: recibid mi cariñoso adiós y con él la expresión del sentimiento que me causa el apartarme de vosotros. La sinceridad me obliga a añadir que, entre todos, tienen derecho preferente a mi gratitud los que componen las clases obreras, porque ellas han ofrecido al mundo hermoso ejemplo de sano patriotismo, dedicando parte de sus salarios o remuneración de su trabajo personal al fomento de la Marina de Guerra; ellos, los más perjudicados por el estado económico de la Isla. Habrá quien les iguale en patriotismo; mas quien los supere, no. Para ellos serán mis más gratos recuerdos y mi más entusiasta admiración, lamentando que mi sólo esfuerzo no pueda trocar en abundancia la escasez de sus hogares, y en alegría sus tristezas.

Al pisar esta tierra, en todo el trayecto recorrido hasta llegar a Palacio, a vuestra no interrumpida aclamación de mi persona, respondía: ¡Viva España!, porque España es ante todo y sobre todo; y ¡Viva el Rey! porque él simboliza a nuestra Patria. Al separarme de vosotros, llevándoos en la cabeza y en el corazón, como al llegar os digo: ¡Viva España! ¡Viva el Rey! y ¡Viva Cuba española!

Valeriano Weyler.

Habana, 29 de octubre de 1897.»

«A LOS VOLUNTARIOS Y BOMBEROS:

Al encargarme de este Gobierno General y del mando del Ejército, os expresé los gratos recuerdos que tenía de vosotros en la anterior campaña y cuanto esperaba de vuestra actitud, vuestro patriotismo y vuestra constancia, confiando que con ello contribuiríais de una manera poderosa a restablecer por la fuerza de las armas la paz en esta Antilla.

Mis esperanzas se han visto cumplidas con creces, y hoy, próximo a cesar en el mando y a separarme de vosotros, con la conciencia de haber hecho con vuestro apoyo cuanto he podido para conseguirla y con el sentimiento de no ver cumplidos mis deseos cuando tan poco falta para ello, no puedo menos de significaros mi gratitud y mi afecto, esperando seguiréis siendo el más firme baluarte para que Cuba, siempre española, pueda admiraros como os admira quien se ha honrado estando a vuestro frente como Gobernador General y Capitán General,

Valeriano Weyler.
Marqués de Tenerife.

Habana, 29 de octubre de 1897.»

«SOLDADOS DEL EJERCITO DE CUBA:

Al encargarme del mando en Jefe de este Ejército, os saludé expresando confiaba en vuestro nunca desmentido valor y en vuestra constancia en resistir las penalidades de esta campaña, para lograr la paz en esta Isla; hoy, próximo a cesar, por haber sido relevado por el Gobierno de S. M., no puedo menos de significaros que mis esperanzas han sido cumplidas con creces; a vosotros, vencedores siempre en cuantas ocasiones habéis combatido con el enemigo, sin haber experimentado derrota alguna, os debo muy principalmente haber aniquilado tan imponente insurrección, desde el Cabo de San Antonio a la Trocha de Júcaro, consiguiendo también disminuirla en la restante parte de esta Isla.

Me separo con el sentimiento de no haberla acabado en Oriente, como esperaba, en la próxima camapaña de invierno, compartiendo con vosotros las penalidades y la gloria; os expreso mi agradecimiento, deseando que lo consigáis a las órdenes del distinguido General que me sucede en el mando, para que podáis regresar victoriosos a la Madre Patria, haciendo votos para ello vuestro General en Jefe,

Valeriano Weyler.
Marqués de Tenerife.

Habana, 29 de octubre de 1897.»

«A LOS MARINOS DE GUERRA:

Al partir para la Metrópoli y despedirme de vosotros, os reitero una vez más mi reconocimiento por vuestros servicios a la causa nacional.

En Cuba me habéis demostrado, como en Filipinas en otra época, que, dentro de los recursos y barcos que contabais, sois los de siempre, los bravos y valientes marinos españoles, que no reparan el medio y contrariedades cuando se trata de defender la Patria.

Weyler.

Habana, 29 de octubre de 1897.»

WEYLER

(Día 30).—El general Weyler embarca, en la había de la Habana, a bordo del vapor *Monserrat* que debía conducirlo a España, con objeto de aguardar embarcado la próxima llegada de su sucesor el general Blanco, y una vez a bordo, entregó el Gobierno eneral de la Isla al Excmo. Sr. contralmirante D. José Navarro y Fernández, comandante general del Apostadero y de la Escuadra de las Antillas, y la Capitanía General y el cargo de General en Jefe del Ejército de Operaciones al Excmo. Sr. general de división D. Adolfo Jiménez Castellanos y de Tapia.

Expedición desembarcada

(Día 30).—Conducida por el general Joaquín Castillo Duany, desembarca una expedición de guerra.

Fallecimientos

En este mes han fallecido:
Doña Asunción Soler, viuda de Roca.
Doña Josefa Isalgué y Ruiz.
D. Felipe Veranes.
D. Manuel Magdariaga y Arias.
D. Jorge Domingo.
D. José Joaquín Mata y Raventós.
D. Pablo Cardonne y Mouragues.
Doña Rosa Font, viuda de Arriaga.

Blanco

(Día 31).—Llega a la Habana el Excmo. Sr. capitán general del Ejército, D. Ramón Blanco y Erenas Riera y Polo, marqués de Peña Plata, acompañado de los Excmos. Sres. teniente general D. Luis Manuel de Pando y Sánchez, generales de división D. Julián González Parrado, D. Juan Salcedo y Mantilla de los Ríos, D. Ernesto Aguirre de Bengoa, y D. Francisco Fernández Bernal, y varios jefes y oficiales. Tan pronto como estuvo a la vista el vapor correo, el general Weyler reasumió los cargos de Gobernador General y Capitán General de la Isla y General en Jefe del Ejército de Operaciones, y pasando a bordo del vapor *Alfonso XIII,* que trajo al general Blanco, luego que fondeó, le hizo entrega a este general de los antedichos cargos, y retornó al vapor *Montserrat,* después de celebrar con su sucesor una conferencia reservada que duró dos horas.

Entre vítores y aclamaciones de reformistas y autonomistas, desembarcó el general Blanco y siguió por la carrera, cubierta de tropas, hasta la Capitanía General, donde recibió a las autoridades y comisiones oficiales. Luego se disolvió la manifestación reinando el mayor orden. Una comisión del Partido Autonomista, presidida por su líder D. José María Gálvez, saludo a S. E.

Weyler, desde el *Montserrat,* pudo presenciar la manifestación hecha a su sucesor.

NOVIEMBRE 1897

Weyler

(Día 1.°).—Sale del puerto de la Habana con rumbo a La Coruña, el vapor correo *Montserrat,* llevando al general Weyler.

Fallecimientos

El mismo día fallecieron, en esta ciudad, el capitán de la Guardia Civil D. Antonio Aceituno Núñez y doña Agustina Bonne.

Blanco

Al tomar posesión del Gobierno de esta Isla, el general Blanco dirigió la alocución de rúbrica a los habitantes de la misma, y en ella decía: «Vuelvo entre vosotros, no sin preocupaciones, pero lleno de sinceridad, de buen deseo y de esperanzas. Dichoso me llamaré si logro dejar salvados los intereses de España, más queridos para mí que si fueran míos, que el Gobierno me ha confiado. Encárgame éste de plantear las reformas que constituyen su programa, además de conceder a Cuba el *self guvernement,* han de afirmar la soberanía de España. Para ser intérprete fiel del Gobierno que aquí me envía, propóngome seguir una política de expansión, de generosidad y de olvido, encaminada a restablecer, por medio de la libertad, la paz en Cuba. Yo vengo encargado de hacer a todos justicia, de abrir plaza a todo interés legítimo, de restablecer la riqueza y la prosperidad de este hermoso país, esperando que todos contribuyáis a esta obra en que España quiere acreditar todo el amor que siente a esta su hija predilecta. Yo vengo a arrojar de la Isla al enemigo que empuña las armas contra la Madre Patria. Vengo, en fin, para proteger a cuantos vivan al amparo de la ley; pero también para hacer sentir con toda energía el rigor de las armas a los ingratos, a los obstinados y pertinaces que pretendan continuar los horrores de la guerra en este rico suelo que España descubrió e hizo prosperar».

En iguales o parecidos términos dirigió también otras alocuciones a los soldados, marinos, voluntarios y bomberos.

INDULTO

(Día 2).—El Gobierno Supremo indulta a los periodistas antillanos procesados, presos o sentenciados por delitos de imprenta.

FALLECIMIENTO

(Día 3).—Fallece en la Habana, Sor Manuela Tellechea, superiora de la Real Casa de Beneficencia de esta ciudad.

BANDO

En un bando del 4 publicado por el general Blanco, delega éste en los Comandantes Generales de las Divisiones de Santiago de Cuba, Puerto Príncipe y Santa Clara la jurisdicción que le corresponde como Capitán General y General en Jefe en las citadas provincias, reservándose ciertas facultades.

INDULTO

Se hace público el siguiente Bando:

«Don Ramón Blanco y Erenas, Marqués de Peña-Plata, Gobernador y Capitán General de la Isla de Cuba y General en Jefe del Ejército de Operaciones:

»En uso de las facultades ordinarias y extraordinarias que me corresponden e interpretando fielmente los magnánimos sentimientos de S. M. la Reina Regente y firme propósito del Gobierno de la Nación, tengo a bien disponer lo siguiente:

»1.º—Indulto totalmente de las penas que pudieran corresponderles, por delitos comprendidos en el tratado segundo, título sexto, capítulo primero del Código de Justicia Militar, a todos los procesados que no sean responsables de delitos comunes independientes del de rebelión, cometidos en satisfacción de venganza o lucro personal o que atente a la honestidad.

»Los que se encontraren en el caso últimamente expresado, quedarán indultados del delito de rebelión y se seguirá el procedimiento por sus trámites ordinarios por lo que se refiere a los mencionados delitos comunes.

»2.º—A los que estuviesen cumpliendo condena por los delitos y en las condiciones expresadas en el número anterior, también se les aplicará la gracia del indulto, en la extensión que se estime oportuna, pudiendo llegar hasta declarar extinguida por completo la pena impuesta.

»3.º—Para el debido cumplimiento de lo expuesto en el número 1.º, tanto por esta Capitanía General como por las Autoridades Judiciales Militares de la Isla, se darán las convenientes órdenes sin pérdida de tiempo, para que, por los jueces instructores, se les remitan los procedimientos que instruyan por los reeptidos delitos en el estado en que es encuentren, con un breve resumen de su resultado en el que se fijará concretamente el delito o delitos que en cada procedimiento se persigan y personas que aparezcan responsables. Cada juez instructor remitirá los procedimientos con una relación nominal de los mismos.

»4.º—Para el cumplimiento de lo dispuesto en el número 2.º, se interesará del Gobierno General de esta Isla ordene a los jefes de los establecimientos penales en los que se encuentren cumpliendo condena los comprendidos en este Bando, la remisión de duplicadas propuestas de indulto, con informe de la conducta que hayan observado los comprendios en ellas.

»Para llevar a efecto lo anteriormente dispuesto se dictan con esta fecha las convenientes disposiciones.

»Habana, 7 de noviembre de 1897.—*Ramón Blanco.*»

Los gobernadores para Cuba

(Día 7).—El Gobierno Supremo nombra para esta Isla los gobernadores siguientes:

Habana.—D. José Bruzón.

Pinar del Río.—D. Fabio Freyre.

Matanzas.—D. Francisco de Armas y Céspedes.

Santa Clara.—Lic. D. Marcos García Castro.

Puerto Príncipe.—D. Rafael Vasallo, teniente coronel del Ejército.

Santiago de Cuba.—D. Enrique Capriles y Osuna, teniente de navío de primera clase.

«Las Hormigas Bravas»

(Día 10).—El Excmo. Ayuntamiento, en sesión ordinaria celebrada hoy, al conocer de una comunicación de la Presidencia de la Junta Patriótica en la que le participa la iniciativa del señor Gobernador Regional, relativa a que se forme otra junta, bajo el amparo de aquélla, con objeto de proteger y educar al infinito número de niños que pululan por las calles, desamparados y sin albergue; acuerda por unanimidad: acoger con el mayor entusiasmo el humanitario pensamiento, viendo con agrado el interés demostrado a favor de los niños desvalidos procurando darles amparo y protección, y designar siete concejales para que formen parte de la junta referida. Los muchachos de que se trata fueron recogidos en el Vivac Municipal, alimentados con raciones de la Cocina Económica, vestidos de dril crudo donado por el comercio e instruidos por un ayo que se les nombró. Por donativo de varias personas caritativas, se les proveyó de libros de texto. Se les empleaba en pequeños trabajos de limpieza y saneamiento de calles. Y como eran unos grandísimos pilluelos el público los denominó con el gráfico mote de *Las Hormigas Bravas.*

Marcos García

(Día 12).—Toma posesión del cargo de gobernador civil de Santa Clara el Excmo. Sr. D. Marcos García y Castro, alcalde municipal de Sancti Spíritus y antiguo brigadier insurrecto de la guerra de los Diez Años.

Díaz de Villegas

Es nombrado secretario del Gobierno Civil de Santa Clara D. Marcelino Díaz de Villegas.

Fallecimiento

(Día 13).—Muere la señora D.ª María del Carmen Téllez de Girón y de las Cuevas, viuda de Vaillant.

Puerto Príncipe

(Día 13).—Al pasar un tren de la línea de dicha ciudad a Nuevitas, que conducía una cuadrilla de trabajadores y escolta, cerca del Fuerte 21 y dentro de la curva llamada de O'Donnell, estalló una bomba de dinamita debajo del carro blindado en que iba la tropa, y acto seguido los insurrectos hicieron fuego sobre el tren. La escolta tuvo diez soldados muertos y veinticinco heridos. Quedaron destrozados el carro blindado, una plataforma y 25 metros de vía.

Nota oficial

La prensa española publicó la siguiente:

«Habana 13.—El general Hernández de Velasco ha batido en Pinar del Río las partidas de Perico Díaz, Delgado, Ducasse y otros cabecillas, tomándoles cuatro campamentos y dos armerías. Hízoles 41 muertos y muchos heridos. Recogió gran cantidad de armas y caballos. Nosotros tuvimos un oficial y 13 de tropa muertos y tres oficiales y 39 de tropa heridos. En Puerto Príncipe los rebeldes han volado un tren. Hubo 10 muertos.»

Se deroga la reconcentración

En un bando del 14, el Gobernador General dispone que los reconcentrados que posean fincas rústicas pueden trasladarse a ellas y comenzar las faenas agrícolas; así como también se autoriza a los operarios y jornaleros, tanto reconcentrados como presentados del campo rebelde, para volver a los ingenios, cafetales y demás fincas de labranza.

Se faculta, previas ciertas formalidades, el uso de revólveres y machetes a los dueños y labradores que los necesiten para la defensa de sus propiedades y personas.

Se establecen en las capitales de provincia y términos municipales, juntas protectoras de reconcentrados, las cuales con los auxilios del Estado y de la caridad pública, atenderán a las familias que por imposibilidad física o por no tener predios donde trabajar, están faltas de recursos.

Voluntarios

El día 18 el general Pando invitó a los coroneles de Voluntarios, de la Habana, para que los individuos de dicho instituto salieran a campaña.

Fallecimiento

(Día 18).—A los 92 años de edad fallece en Puerto Príncipe el Pbro. D. Félix Riverol, cura de Cubitas.

Los presos del «Competitor»

El día 18, en la fortaleza de la Cabaña, Habana, fueron entregados a los cónsules de la Gran Bretaña y de los E. U. los presos de la goleta *Competitor* que eran ciudadanos de dichas naciones respectivamente. Los demás, que eran súbditos españoles, fueron indultados y deportados a España.

Presentaciones

«Habana 22.—Capitán General a Ministro Guerra.—Ayer en Palos se presentó a general Parrado partida hermanos Cuervo, compuesta de un titulado coronel, un teniente coronel, tres comandantes, nueve oficiales y 103 individuos, de los cuales 17 montados, todos con armas y municiones.—Se espera próxima presentación resto partida que llegará hasta 300 hombres.—*Blanco.*»

Los hermanos José y Adolfo Cuervo pensaron presentarse con 300 hombres, pero temerosos de la *guásima* se precipitaron a verificarlo con sólo 103.

Presentaciones

(Día 22).—Se presentan en Nueva Paz el comandante Torres y cinco soldados del E. L. Cubano, acogiéndose a indulto.

En Los Palos se presentan también 15 más. Todos proceden de las fuerzas de los hermanos Cuervo, que se presentaron ayer en este último lugar.

Santa María del Rosario

A las siete y media de la noche del mismo día es atacado el pueblo de Santa María del Rosario. Ni la autonomía ni las presentaciones hacen decaer el ánimo de los patriotas verdaderos e irreductibles.

La autonomía

(Día 25).—Por Real Decreto de esta fecha, la Reina Regente concedió el régimen autonómico a las islas de Cuba y Puerto Rico.

Ley Electoral e igualdad de derechos

Por otros dos reales decretos de la misma fecha, se establece la igualdad de derechos políticos entre los españoles residentes en las Antillas y los que residen en la Península, y se adapta a Cuba y Puerto Rico la Ley Electoral de la Península, de 26 de junio de 1890.

Cuartel de Concha

El Alcalde Municipal hace entrega al ramo de guerra del nuevo cuartel de Concha, realizadas ya las obras de reparación y adaptación.

González de la Fuente

Parte para Guantánamo, con objeto de tomar posesión de su doble destino de comandante militar y alcalde corregidor, el coronel de Milicias de Caballería D. Sebastián González de la Fuente, ayudante honorario del general Linares.

Nuevo bando

Se publica un nuevo bando del general Blanco, referente a la reconstrucción de toda clase de fincas rústicas, a fin de que se emprendan los trabajos agrícolas.

Se dictan disposiciones para que las autoridades militares presten eficaz protección a los trabajos que empiezan a realizar las fincas, con especialidad las azucareras, pudiendo todas las fincas rústicas empezar sus trabajos agrícolas, estén o no al corriente en el pago de sus contribuciones.

Por el mismo bando quedan derogados todos los que prohíben el uso en el campo de los diversos útiles de labranza, y se deroga también la autorización que tienen concedidas las empresas ferrocarrileras para cobrar un veinte por ciento sobre sus tarifas.

Ayuntamiento

El Ayuntamiento, para recaudar fondos, intenta sacar a subasta todos sus arbitrios porque es tan malo el estado de los fondos municipales que es imposible de todo punto cumplir nada de lo que se ordena.

GÓMEZ

El alcalde municipal, D. Pascual Gómez y Fuentes, presenta excusa por motivo de salud y entrega el cargo al primer teniente de alcalde.

EGUILIOR

D. José María Eguilior, primer teniente de alcalde, solicita licencia por enfermo.

AYUNTAMIENTO

La Casa de Enajenados de la Habana reclama lo que se le adeuda.

El Hospital de San Lázaro pide se le pague con urgencia lo que le adeuda el Ayuntamiento.

SOLÁ

Se hace cargo de la Alcaldía Municipal el segundo teniente de alcalde D. Gabriel Solá y Colón.

PAÑELLAS

El concejal D. Pablo Pañellas pide licencia para ausentarse.

ORDAX Y AVECILLA

Embarca para la Habana, en el vapor *Villaverde,* el gobernador regional D. Federico Ordax y Avecilla.

LA AUTONOMÍA Y CAPRILES

Circula en esta ciudad profusamente la siguiente hoja suelta:

«*Al pueblo de Santiago de Cuba.*

El Gabinete presidido por el Sr. Sagasta, que se inspira en

las ideas expansivas y justas de la democracia, para alcanzar en Cuba la paz basada en la conjunción fecunda del amor entre hermanos, ha designado para gobernador de esta Provincia al Ilustrísimo Sr. D. Enrique Capriles y Osuna, cuyos antecedentes son prenda segura de honradez, de lealtad, de inteligencia y de justicia.

La sola enunciación de su nombre da motivos para que los habitantes de este pueblo, recordando el anterior período de su gobierno, sientan en lo íntimo de la conciencia fe suprema en la gestión al Sr. Capriles encomendada, porque templado su carácter al calor del sentimiento patrio caben en su alma los sacrificios y heroísmos que nos admiran en su historia.

Pues bien: dentro de pocas horas llegará a esta Ciudad el vapor *Mortera,* que conduce al ilustre gobernante. Demostrémosle, con nuestra presencia en la solemne manifestación que le prepara la gratitud de todos, que este pueblo sabe hacer justicia a los gobernantes que la merecen.

Y mientras tanto digamos, para repetirlo en el momento oportuno:

¡Viva España! ¡Viva la Autonomía! ¡Viva el Sr. Capriles!— LA COMISION.

Santiago de Cuba, noviembre 29 de 1897.
Imprenta *La República.*»

FALLECIMIENTO

Muere D. Manuel García y García.

DICIEMBRE 1897

FALLECIMIENTO

(Día 2).—Muere el estimado caballero D. Buenaventura Bergues y Riera, de familia distinguida, teniente coronel que fue del Segundo Batallón de Voluntarios.

NOTAS OFICIALES

La Bandera Española de hoy, 2, publica las siguientes:

«Holguín.—Durante las primeras horas de la noche del jueves 11 de noviembre, se sintieron muchas descargas en dirección al fuerte de Santa Rita, las cuales no produjeron más que la consiguiente alarma.

La misma noche, entre once y doce se oyeron fuertes detonaciones en dirección de la vía férrea, cuyos resultados fueron de muy poca importancia, consistiendo éstos en pequeños desperfectos que quedaron reparados a las pocas horas, saliendo el tren para Gibara a las nueve de la mañana del día 14.»

«Guantánamo.—Día 2.—Un grupo enemigo, como de 30 hombres, penetró en el poblado de Caimanera de una a dos de la madrugada en combinación con la fuerza de voluntarios que guarnecía uno de los fuertes del recinto, de un oficial de dicho Instituto y dos empleados en el ferrocarril; llegando cautelosamente hasta el muelle, donde se apoderaron de tres cajas de caudales de las doce con que desembarcó del vapor *Mortera* a las once de la mañana el Habilitado de las Escuadras y Guerrillas de Guantánamo, que quedó en dicho punto en espera del tren para llevarlos a su destino al siguiente día; hostilizaron al Cuartel de la Guardia Civil inmediato y saquearon una tienda sin incendiar un solo bohío.

Apercibida la guarnición, huyeron los autores del hecho y con ellos el oficial y los 16 voluntarios que hicieron traición, dejando en el muelle las otras nueve cajas de caudales.

De nuestra parte resultaron muertos el Celador de Policía y dos guardias civiles y herido gravísimo con cinco machetazos recibidos en defensa de los caudales el Tte. Habilitado de las referidas Escuadras.»

Los que se alzaron fueron: el segundo teniente de Voluntarios D. Angel Montes de Oca, empleado del ferrocarril; sargento Ezequiel Sosa, cabos Darío Díaz y Emilio Montes de Oca, y voluntarios Antonio Reyes, Carlos Pérez, Nemesio Moya, Emilio Sosa, Francisco Pérez, Francisco Sánchez, Gerardo Socías, José Cruz González, Juan Moné, Ramón Pérez, Manuel Guzmán y Juan Vargas.

También se marchó con los insurrectos D. Rafael Jústiz, empleado del ferrocarril, y se desapareció un movilizado. Además desaparecieron aquella madrugada tres botes con algunas familias.

Capriles

A las siete de la mañana del día 3 llega en el vapor *Mortera* el nuevo gobernador regional, D. Enrique Capriles y Osuna. Las autoridades y representaciones de los partidos y de las corporaciones y un público numeroso acuden al puerto a recibirlo y al desembarcar le acompaña hasta la Casa del Gobierno una manifestación popular que se hace ascender a mil almas, aclamándole y dando vivas a la autonomía.

El nuevo gobernador dirige una alocución al pueblo, diciendo que viene a cumplir estrictamente la ley por encima de todos los intereses particulares y a apoyar la política del gobierno liberal, de la cual esperaba la pacificación de la Isla.

La Diputación Provincial le obsequia con un espléndido almuerzo.

Por la noche se da en su honor una serenata.

Partido Autonomista

Se está organizando en esta ciudad el Partido Autonomista y hay el propósito de fundar un periódico que lo represente en la prensa.

Fallecimiento

(Día 3).—Muere el segundo teniente D. Martín Maiques y García.

Cesantías y nombramientos

Han sido declarados cesantes D. Gabriel Roca Mir, jefe Principal de Policía de la Provincia, y nombrado en su lugar D. Francisco Gutiérrez Rodas. También ha sido declarado cesante don José de Roca, oficial quinto de la Administración de Hacienda. Ha sido nombrado registrador de la Propiedad el Lic. D. Angel Clarens y Pujol.

Fallecimiento

(Día 5).—Muere D. Narciso Brea Bruler, escribiente de Oficinas Militares.

Cauto

El jefe de E. M. G. del Ejército, teniente general D. Luis M. de Pando, después de acumular numerosas fuerzas en Manzanillo, salió el 7 para la reconquista de la importante vía fluvial del Cauto, en poder de las fuerzas del Ejército Cubano. Por el río marchaba remontando su curso un gran convoy de barcazas y goletas, custodiado por los cañoneros *Lince, Centinela, Dependiente* y *Guardián,* y los remolcadores *Eulalia, Peralejo* y *Pedro Pablo.* Dos fuertes columnas marchaban por las orillas del río, mandadas por los coroneles D. Ramiro Bruna y García-Suelto, de Ingenieros, y D. Juan Tejeda y Valera, de Infantería. A vanguardia de la escuadrilla marchaban varios botes con fuerzas de Ingenieros practicando reconocimientos por el fondo del río, hallando a los dos días de navegación y exploración varias embarcaciones menores y tres grandes torpedos eléctricos sujetos a las orillas con alambres, los cuales fueron levantados. Cada torpedo contenía dos arrobas de dinamita, y llevados a tierra fueron inutilizados. Además de las fuerzas citadas, cooperaron también por tierra otras dos columnas al mando de los generales D. Enrique Segura Campoy y D. José García Aldave; esta última libró combate en Laguna Itabos contra las fuerzas cubanas del general Calixto García. Durante dos horas el bregar fue rudo y terrible, confesando los españoles haber tenido: muertos los capitanes don Agustín Hidalgo, D. José Garrido y 21 de tropa, y heridos el médico D. Vicente Badía, los tenientes D. Antonio Larrosa, don Eustaquio Escabroso y 92 de tropa. El día 10 pudo llegar la columna en auxilio del fuerte de «El Guamo». Como de costumbre, los españoles supusieron bajas enormes a los cubanos.

Guisa

La prensa publicó que los rebeldes, al mando de Calixto García, habían sitiado y atacado al pueblo de Guisa el 28 de noviembre, tomándolo el 29, logrando apoderarse de él. Dejémosle la palabra a un corresponsal español:

«Cuando la columna Tovar hubo reconquistado a Guisa, practicóse un minucioso reconocimiento cuyo resultado espanta. Se hallaron restos de cadáveres carbonizados entre los escombros de las casas y de la iglesia, que había sido convertida en fuerte. Se han encontrado en el cementerio muchas sepulturas recientes. Se sabe que el enemigo enterró allí 43 cadáveres. En los fortines se han visto huellas de haber sido quemados sus defensores. Entre los escombros se han encontrado cadáveres sujetos con alambres a los hierros de las ventanas, lo cual demuestra que los desgraciados defensores de los fortines fueron atados para que no pudieran librarse y perecieran abrasados entre las llamas. También se han encontrado restos de niños, y pozos llenos de cadáveres, que no han podido ser examinados por el olor pestilente que exhalan. La matanza llevada a cabo por los rebeldes en Guisa supera en horror a cuantas escenas de bárbara venganza recuerda la historia. Víctima del furor rebelde ha perecido toda la población civil de Guisa. En las palmeras que rodean al poblado han aparecido ahorcados 57 vecinos. Respecto a la guarnición, se sabe que los supervivientes fueron conducidos prisioneros por el enemigo. Así lo demuestra el haberse encontrado en un árbol un papel escrito en que se dice que el enemigo se ha llevado 45 prisioneros, únicos supervivientes del combate.»

La guarnición de este poblado se componía de 140 hombres del Regimiento Infantería de Isabel la Católica núm. 75, mandados por el capitán D. Rafael Ceballos Gavira y los tenientes don Antonio Vidal Fernández y D. Manuel Castro Montes, que fueron hechos prisioneros. El 4 de diciembre actual llegó la columna de auxilio, fuerte de 3.000 hombres, al mando del coronel Tovar; después de librar recios combates contra las fuerzas cubanas, entró en las ruinas de Guisa, habiendo tenido durante la marcha tres de tropa muertos y 80 heridos, entre éstos siete jefes y oficiales.

Gibara

El Porvenir, de dicha villa, en su edición del 9 de este mes, publicó:

«Según noticias particulares que hemos recogido, el martes como a las ocho de la noche penetró por entre dos fuertes de los que guarnecen el poblado del Embarcadero —distante una legua de esta villa— una partida insurrecta como de cincuenta hombres.

Tan pronto como el Comandante Militar se apercibió de que el enemigo se encontraba en dicho poblado, salió a la calle con toda la fuerza disponible compuesta de voluntarios y tropa a batir al enemigo, trabando combate por algunos instantes, hasta que el enemigo se puso en precipitada fuga, saqueando al salir dos tiendas.

Al día siguiente se practicó un minucioso reconocimiento, y se encontraron tres carteras con municiones, un fusil, un machete y tres cadáveres, los cuales no pudo recoger el enemigo, el cual debió de sufrir muchas bajas. La fuerza del destacamento no tuvo novedad; del poblado resultó un hombre muerto. La misma noche fue tiroteado el poblado de Cupeycillos, sin duda, con objeto de distraer la atención de nuestras fuerzas.

El Sr. Comandante Militar hace grandes elogios de las fuerzas de Voluntarios, los cuales se batieron heroicamente.

Como se ve por las notas que publicamos, una nueva victoria ha coronado de gloria a nuestro valiente ejército y voluntarios, los cuales no dudamos que serán recompensados como se merecen sus buenos servicios.

Según noticias particulares, se han encontrado grandes charcos de sangre en las inmediaciones del poblado del Embarcadero, que, como sabrán nuestros lectores, fue atacado en la noche del 7.

También se han encontrado señales de una hoguera, en la cual el enemigo debió quemar sus muertos, a juzgar por los restos de ocho cadáveres allí encontrados.»

Cocina Económica

La Cocina Económica, que ha venido llenando tanta necesidad realmente sentida, está amenazada de desaparecer por falta de recursos.

Carne

La libra de carne, no completa, se está vendiendo a cincuenta centavos plata.

Filipinas

(Día 12).—Se verifica la sumisión a España de Emilio Aguinaldo y las fuerzas revolucionarias filipinas.

Fallecimiento

(Día 12).—Fallece, a edad avanzada, la respetable matrona señora D.ª María de la Caridad Genoux, viuda del inolvidable educador Lic. D. Juan Bautista Sagarra y Blez, y madre de distinguida familia. Esta virtuosa y caritativa dama reunió en el palacio del gobernador, mariscal de campo D. Juan Tello, el 28 de mayo de 1842, a varias señoras de esta ciudad, para fundar una Casa-Cuna y de Beneficencia, proyecto que habían presentado, en 1831, a la Real Sociedad Económica de Amigos del País, los señores D. Hilario Cisneros y D. Juan Manuel Valerino.

Por la propia iniciativa de la señora Sagarra de Genoux se estableció la benéfica asociación «Hijas de María», y luego las Conferencias de San Vicente de Paúl y las Juntas Domiciliarias para llevar limosnas a los pobres vergonzantes, los más pobres de todos.

En todo esto empleó su vida D.ª Caridad, dedicada a la práctica de las virtudes cristianas. Sus funerales, celebrados en la parroquia de Dolores en la tarde del siguiente día, fueron una gran manifestación de duelo social, a la que acudió lo más selecto de esta sociedad.

Nota oficial

La Bandera Española insertó la siguiente:

«Día 13.—En la línea telegráfica recientemente construida entre San Luis y Palma Soriano causó desperfectos una partida enemiga, la que también hostilizó los fuertes de Loma Auras, Paraíso y destacamento del ingenio «Hatillo», dejando en este último punto un muerto identificado.

En el fuerte de Loma Auras resultó herido leve el segundo teniente del Batallón de Constitución D. Manuel Estévez.»

Ruiz

(Día 13).—Salió de la Habana con objeto de hacer proposiciones de paz, mediante la aceptación de la autonomía colonial, al coronel cubano Néstor Aranguren, el teniente coronel de Ingenieros D. Joaquín Ruiz, ayudante del general en jefe Blanco. Como pasaran varios días y nada se supiera de su suerte, varias personas de la amistad del señor Ruiz, entre ellas el cónsul de Rusia, D. Regino Truffin, lograron del de los E. U., Mr. Lee, que interviniera en el asunto practicando gestiones encaminadas a averiguar el paradero de Ruiz y en todo caso a libertarlo, si estaba prisionero. Anuente Mr. Lee a la petición que se le hizo, comisionó al señor Tosca, empleado del Consulado Americano, y a D. Juan Manuel Chacón, quienes salieron de la Habana el 18 para Campo Florido en busca de Aranguren. El teniente coronel Ruiz fue pasado por las armas, de orden del general Alejandro Rodríguez, por haber llevado a las fuerzas cubanas proposiciones de paz basadas en la autonomía y tendientes a provocar deserciones en el Ejército de la República Cubana, con manifiesta infracción de sus leyes y de los bandos del general en jefe Máximo Gómez.

«San Francisco»

(Día 13).—Con objeto de llevar un convoy a Bayamo, mientras se desembarazaba la vía fluvial del Cauto, salió de Manzanillo el general D. Enrique Segura y Campoy con una fuerte columna de 4.000 hombres de los batallones de Zamora, Colón, Alcántara y Vizcaya y tres cañones. En los Altos de San Francisco le disputaron el paso las fuerzas cubanas, en lucha empeñada y sangrienta, que costó a España, según el parte oficial, siete muertos de tropa, el médico D. Enrique Gavaldá, segundo teniente del Batallón de Colón D. José Alicat y 22 soldados heridos graves, el capitán de dicho batallón D. Felipe García, segundo teniente del de Alcántara D. Ildefonso Puigdengola y seis de tropa leves, tres caballos muertos y cinco heridos. Los españoles nada dijeron de las bajas cubanas, pero sí que el convoy llegó a su destino.

Partido Autonomista

Citados por D. Eligio Bueno y Blanco se reúnen en su morada, en la noche del 15, buen número de autonomistas, para cambiar impresiones y tratar de la reorganización del Comité Provincial. Acuerdan citar por medio de la prensa local a todos los afiliados al partido en esta provincia para una segunda reunión que habrá de verificarse el 18, con el objeto de nombrar a los que habrán de formar la Junta Provincial Provisional.

Martínez Morales

Del Hospital Civil se fuga en la noche del 16 el ex secretario de la Audiencia de este territorio, D. Ramón Martínez Morales, que se encontraba guardando prisión en la cárcel y que había sido trasladado por enfermo a una sala de distinción del mencionado hospital.

Filipinas

Con motivo de haberse recibido en la mañana del 17 un cablegrama del Gobernador General, transcribiendo el del Ministro de Ultramar participando la pacificación de Filipinas, por la noche hay iluminación en varias sociedades y edificios públicos.

Diputación Provincial

A los empleados de la Diputación Provincial y de la Secretaría de la Junta de Instrucción Pública se les adeudan 16 meses de sus haberes, sin esperanzas de que se les abone ni siquiera un mes.

Partido Autonomista

El día 18 quedó constituido en esta ciudad el Comité del Partido Autonomista, con el personal siguiente:

Presidente.—D. Ignacio Casas Saumell.

Vicepresidente.—1.°, D. Leonardo Ros Rodríguez; 2.°, Licenciado D. Manuel Yero Sagol.

Vocales.—1.°, D. Rafael P. Salcedo Cuevas; 2.°, D. Eligio Bueno Blanco; 3.°, D. Gabriel Ferrer Somodevilla; 4.°, D. Lino Horruitiner y Jústiz; 5.°, D. Lino Salazar Alvarez; 6.°, D. Eligio Ros Pochet; 7.°, D. José Francisco Díaz; 8.°, D. Calixto Loperena; 9.°, D. Porfirio Carcassés García; 10, Dr. D. Juan M. Ravelo Asencio; 11, D. Pablo Rimbau y Maffrán; 12, D. Prisciliano Espinosa y Julivert; 13, D. Andrés Domingo Romero; 14, don Nicasio Escobar y Ramos; 15, D. José Rosell Durán; 16, don Sebastián Catalá y Costa; 17, Lcdo. D. Manuel Planas Tur; 18, D. Lino Caraballo y Quiala; 19, D. Manuel Brioso Díaz.

Tesorero.—D. Ricardo Valiente y Corona.

Secretario.—Dr. D. Luis Fernández Marcané.

Vicesecretario.—Lcdo. D. Erasmo Regüeiferos Boudet.

Demografía

La Bandera Española dijo:

«La Obra de la Muerte

Nadie creería al divisar hacia la parte N. O. de la bahía esos puntos blancos que se destacan sobre la verde alfombra que tapiza las lomas vecinas y que parecen fantasmas envueltos en albos sudarios, que aquélla es la necrópolis de esta ciudad donde descansan los restos de millares de seres que fueron y que a levantarse de sus tumbas evocados a la vida por el poder y la voluntad de Dios duplicarían la población actual.

No es pequeño el recinto de la ciudad de los muertos, pero para que reúna las condiciones aconsejadas por la higiene en materia de enterramientos y para que sea digno de esta Capital, deja mucho que desear ese asilo de la muerte.

Doloroso es e ineludible el tributo que tenemos que pagar los que para morir hemos nacido, pero más sensible es cuando ese tributo se triplica a consecuencia de las calamidades que afligen a la humanidad como sucede en estos últimos años.

El año anterior, 1896, fue un año terrible El número de cadáveres sepultados en aquel recinto desde el 1.º de enero hasta el 31 de diciembre fue de 3.920. Los primeros meses de enero a mayo fueron relativamente benignos, pues las cifras de adultos fueron de 70, 80, 87, 93 y 92 y 79, 99, 86, 74 y 149 de párvulos, respectivamente, pero desde junio hasta diciembre las cifras aumentan en los siete meses hasta sumar 3.092, de los cuales 1.823 fueron párvulos.

A este contingente de la ciudad hay que agregar los cadáveres procedentes del Hospital Militar y de los asilos como el de San José y el Hospital Civil. El primero, el Hospital Militar, condujo en todo el año al Cementerio 464 cadáveres. El Hospital Civil condujo 281 cadáveres y el asilo de San José 52. Además fueron enterrados en el Cementerio no católico 65 cadáveres.

Viene el año de 1897 y las cifras son aterradoras. De enero a noviembre acusa la estadística el enterramiento de 1.710 cadáveres de adultos y 1.202 de párvulos.

En estos once meses el Hospital Militar ha dado un contingente de 481. El Hospital Civil, de 505. El Asilo de San José, 59. En el Cementerio no católico se enterraron 78 cadáveres.

El total de enterramientos verificados en veintitrés meses es el de 8.248, la cuarta parte de la población de Santiago de Cuba.

Fijando la atención en las sumas parciales, se ve que el aumento de mortandad en los últimos once meses no puede atribuirse más que a la miseria y a las enfermedades que de ella se derivan.

Los niños son los que han dado mayor tributo a la muerte, pues en los veintitrés meses han sucumbido 3.162, cifra enorme, pero sin embargo inferior a nuestros cálculos, porque teniendo en cuenta el estado de las familias sumidas en la miseria, que las madres no podían lactar a sus hijos porque no había ya ni sangre roja en sus venas y que en estas condiciones las enfermedades que tomaron carácter de epidémicas no hallaron resistencias en esos organismos depauperados, suponíamos que sería mayor el número de víctimas. Una observación muy importante. Los once meses decursados del año actual han sido más crueles que los doce del año anterior y, a pesar de eso, las defunciones de párvulos han sido menores y en nuestro concepto esta disminución obedece a la instalación de la *Cocina Económica,* a la que deben la vida centenares de personas porque apareció esta benéfica institución en los momentos más críticos, cuando la crisis producida por el papel plata creó una situación desesperada para las clases proletarias. La *Cocina Económica* ha realizado un inmenso beneficio del que debe de estar el pueblo agradecido a sus fundadores y sostenedores, y lo está realizando todavía merced a la incomparable administración, de la que es alma y nervio principal el señor D. Germán Michaelsen, a quien Dios bendiga y prospere.

Otro hecho se desprende de los datos estadísticos que estamos examinando y es el número relativamente insignificante de cadáveres procedentes del Hospital Militar, pues en los veintitrés meses sólo suman 946, lo que acredita el esmero e inteligencia de la administración y asistencia de este establecimiento. Por más que este trabajo hecho a vuela pluma no sea tan perfecto como desearamos, basta para dar una idea de la obra de la muerte como consecuencia inmediata de la obra de la guerra.

Siendo la mortandad en tiempos normales de 1.080 al año es indudable que la guerra ha llevado al Cementerio 7.000 víctimas en menos de dos años, y atendiendo a que Santiago de Cuba ha sido en medio de todo la más favorecida y que nos hemos librado de otras epidemias asoladoras, contrista el ánimo el pensar cuál será el número de víctimas de la rebelión en el resto de la Isla.»

El Guamo

Habana, 19.—Capitán General a Ministro Guerra.—«Destacamento de Guamo, compuesto de 60 hombres de Baza, a orillas del río Cauto, estuvo sitiado del 8 al 12 del mes pasado, rechazando valientemente al enemigo. Este volvió a atacarle rudamente el 27 con fuerzas numerosas y dos piezas de artillería que, situadas a cubierto, a 200 metros, hicieron 150 disparos, acribillando el fuerte y destruyendo factoría. Los rebeldes llegaron a penetrar en la alambrada, intimando inútilmente se rindiera guarnición, que desoyó la intimación con heroica altivez propia sola de nuestra raza y nuestro ejército, continuando bizarra defensa desde el foso hasta el 10 del actual, que llegaron columnas Aldave y Tejeda en auxilio. El enemigo dejó dentro alambrada del fuerte 20 muertos con armamentos y municiones que utilizaron nuestros soldados para prolongar defensa desesperada. En reconocimientos practicados por Aldave en alrededores de Guamo, encontró tres muertos más con armamentos y municiones, muchas sepulturas y otros indicios, que acusan que el enemigo fue duramente escarmentado, con más de 200 bajas, por aquel puñado de héroes que, después de tener seis muertos, 31 heridos y contusos todos los restantes, incluso oficiales, destruido fuerte, inutilizadas raciones, interceptada aguada, aislados, incomunicados, prolongaron resistencia épica durante 18 días, rodeados de cadáveres, respirando atmósfera pestilente, comiendo sólo algún tocino sacado de escombros factoría, y bebiendo escasa agua de un charco del mismo foso, único abrigo conservado para defensa, del que aún hicieron salidas ofensivas, con gran destrozo de un enemigo provisto de artillería, con gran superioridad numérica; página gloriosa que recordará a todo el mundo que nuestro ejército es siempre el mismo, nunca más grande y más sublime que en situaciones para cualquier otro desesperadas. Pálidamente lo transcribo a V. E. porque esas hazañas no pueden describirse, sólo sentirse con emoción vivísima, con noble orgullo, que siente y sentirá todo el que vista uniforme y el que haya nacido en nuestra amada España, que nunca deja de dar tales hijos. General Pando me pide juicio contradictorio para cruz San Fernando, cuya apertura ordeno, para comandante del fuerte, segundo teniente Arcadio Murazabal Ruano, al que concedo por telégrafo, en nombre de S. M., el empleo de primer teniente, por ataque del 8 al 12 de noviembre, y empleo de capitán por su comportamiento heroico, en última defensa, que considero trascendental por quebranto moral y material del enemigo. Autorizo también juicio contradictorio para los demás individuos de la guarnición de Guamo, y concedo empleo superior inmediato al segundo teniente Valentín Lasheras y sargentos Faustino Sánchez y Marcelino Herrero, y a los cabos, y cruz vitalicia con la mayor pensión a todos los soldados, sintiendo no exista en mis atribuciones mayores y más altas recompensas, para otorgárselas desde luego.—*Blanco.*»

Siempre la hipérbole, la paradoja y el quijotismo, en ridículo consorcio, para poder paliar las más tremendas derrotas infligidas por los cubanos a las armas de España.

Holguín

De *El Eco* del día 20:

«Otra vez la dinamita.

El miércoles como a las nueve y media de la noche se oyeron en esta ciudad algunas detonaciones que hicieron suponer fueron algunos petardos colocados en la vía férrea. Efectivamente; al amanecer del jueves nos enteramos de que los insurrectos habían volado con dinamita dos alcantarillas, una en el kilómetro 17, próximo al poblado de Auras, y la otra en Piedra Picada, distante 7 kilómetros de esta ciudad.

Los desperfectos han sido reparados inmediatamente, circulando los trenes como de costumbre.

Tiros

Anoche como a las siete de la misma se dejaron oír algunas descargas en las afueras de esta ciudad, las cuales no hicieron daño alguno, más que la alarma consiguiente.»

González y Columbié

Una sociedad representada por D. Luis González y Columbié arrienda a la Compañía del Gas todas sus obras, enseres y materiales.

Fallecimiento

(Día 24).—Muere D.ª Matilde Fabré y Bory.

Canalejas

A bordo del vapor *Argonauta,* entrado en puerto el 24, llega D. José Canalejas y Méndez, acompañado de D. Alejandro Saint Aubin y D. Baldomero Vega Seoane.

El señor Canalejas se hospeda en casa del jefe de la Primera División de esta provincia, general Linares y Pombo.

Pareja

Llega a esta ciudad, el día 24, el general de brigada D. Félix Pareja y Mesa, acompañado de sus ayudantes, de paso para Guantánamo, cuya brigada va a mandar.

Fallecimiento

(Día 25).—Muere D.ª Trinidad Riera.

Reyes, alzado

(Día 25).—Al amanecer de hoy, el músico Amalio Reyes se lanza al campo insurrecto, partiendo de la agencia revolucionaria situada en esta ciudad, San Agustín alta, número 36, a cargo de D. Antonio Domingo.

Contra la autonomía

(Día 25).—En la madrugada de hoy, varios grupos que festejaban la Nochebuena en el Parque Central, Habana, se dirigieron ante el edificio del *Diario de la Marina* y formaron un gran tumulto dando gritos de ¡Abajo la autonomía! y ¡Vivan los voluntarios! El Orden Público disolvió los grupos, pero al poco ratos éstos se volvieron a reunir y repitieron los mismos gritos. Esta vez las fuerzas del O. P. de a pie y montadas tuvieron que disolverlos dándoles golpes de plano.

Pando

En el vapor de la costa sur entrado en puerto el 28, llega a esta ciudad el jefe de Estado Mayor General señor Pando, acompañado de su cuartel general. Acuden al muelle autoridades y amigos de dicho general, quien continúa viaje en el mismo vapor con dirección a Manzanillo al siguiente día 29.

Losada

Con el general Pando llegó a esta ciudad el subinspector general de Sanidad Militar D. Cesáreo Fernández Losada, que ha quedado aquí para asuntos de servicio.

Toral

Procedente de Guantánamo llega el 29 el general de brigada D. José Toral y Velázquez para hacerse cargo del Gobierno Militar de esta plaza, cesando el coronel de la Guardia Civil D. Francisco Oliveros y Jiménez.

CAPRILES Y OLIVEROS

Por ausentarse para la Habana el gobernador regional don Enrique Capriles y Osuna, se hace cargo del Gobierno Regional el coronel de la Guardia Civil D. Francisco Oliveros y Jiménez.

AYUNTAMIENTO

(Día 31).—Nombrados por el Gobierno General, a propuesta del Regional, los señoles que han de constituir interinamente el Excmo. Ayuntamiento hasta tanto se celebren las elecciones municipales, toman hoy posesión de sus cargos, quedando constituida la Corporación de este modo:

Alcalde Municipal Presidente: Excmo. Sr. D. Leonardo Ros y Rodríguez. Concejales: D. Lino Horruitiner y Jústiz, Dr. don Urbano Guimerá y Ros, D. Ricardo Valiente y Corona, D. Agustín Fernández de Granda, D. Sebastián Catalá y Costa, Dr. don Manuel Salazar y Villalón, D. Rafael P. Salcedo y de las Cuevas, D. Pablo Rimbau y Maffran. Lcdo. D. Luis de Hechavarría y Limonta, D. José Guadalupe Castellanos y Lluanis, D. Gabriel Ferrer y Somodevilla, D. Buenaventura Rosell y Carrión, D. Rafael Garí, D. Bartolomé Mestre y Robert, Dr. D. Ramón Cros y Sosa, D. Daniel Gramatges y Molina y D. Rafael Vera y Moya.

Dijo el alcalde señor Ros: «Que su programa, con el concurso de todos, estaba condensado en cumplir la Ley y procurar que todos la cumplan y respeten, atendiendo a todos por igual, como base de justicia e imparcialidad; que a la escasez de recursos del Ayuntamiento para cubrir las atenciones del presupuesto, venía a unirse la miseria que invade ya muchos hogares, existiendo multitud de personas que carecen de lo más indispensable para la vida, y cuyo estado era preciso remediar; que su misión era muy difícil, pero que la afrontaba con fe en el porvenir, y confiaba que el año que iba a principiar sería fecundo en acontecimientos que han de traernos la paz y con ella la tranquilidad, el progreso y el bienestar, pero que si, desgraciadamente, no conseguía ver realizado sus propósitos en este sentido, le quedaría siempre la satisfacción de haberlo intentado y tranquila su conciencia ante el deber cumplido».

El Consistorio formuló las ternas a la Superioridad para el nombramiento de los tenientes de alcalde.

El Gobierno insular provisional

(Día 31).—El general Blanco propone al Gobierno Supremo, y éste acepta la propuesta, a los señores que han de constituir el gobierno insular provisional de Cuba, en virtud de la Constitución Autonómica de la Isla que empezará a regir en el día de mañana. El gabinete autonomista quedó constituido así:

Presidente sin cartera.—Excmo. Sr. D. José María Gálvez (A).

Gracia y Justicia y Gobernación.—Excmo. Sr. D. Antonio Govín y Torres (A).

Hacienda.—Excmo. Sr. D. Rafael Montoro, marqués de Montoro (A).

Instrucción Pública.—Excmo. Sr. D. José M. Zayas (A).

Agricultura, Industria y Comercio.—Excmo. Sr. D. Laureano Rodríguez (A).

Obras Públicas.—Excmo. Sr. D. Eduardo Dolz y Arango (R).

Las letras A. R. indican autonomista, reformista.

Telegrama de felicitación

«Santiago de Cuba, 31 diciembre de 1897.—Laureano Rodríguez.—Habana.

Cámara felicítale vivamente merecido nombramiento Secretario.—El Presidente, Ros.»

Fugado

Desaparece de esta ciudad, ignorándose su paradero, el habilitado del Gobierno Regional, D. Hernán Cortés.

Fallecimientos

Han fallecido en este mes:

D. Rafael Valiente y Correoso.

D. José Rodríguez Chacón.

D.ª Petronila Valdés.

D.ª Jacoba Estrada de Fortún.

Srta. D.ª Mariana Castillo.

D. Manuel Fernández Ortiz.

Srta. D.ª Francisca Vila y Varona.
D. Enrique Llopis Bover.
D. Francisco Cerret y González.
D. Pedro Lesseps y Hadlet.
D. Hermenegildo Pérez.
Srta. D.ª Gregoria Palacios.
D.ª Josefa de la Guardia de Espino.
D. Juan Hechavarría.

Renuncia de Alcaldes

Presentan la renuncia de sus cargos todos los Alcaldes de los Ayuntamientos de esta provincia.

Censo de población

Hoy 31 de diciembre deberá efectuarse en toda la Isla el Censo de Población que servirá de base para las próximas elecciones autonómicas.

ENERO 1898

El Gobierno Insular

(Día 1.º).—Ante el Gobernador y Capitán General de la Isla, juran sus cargos y toman posesión los secretarios del Gobierno Insular nombmrados ayer; excepto el Sr. Govín que lo hizo en Madrid ante la Reina Regente, con el mismo ceremonial que los ministros de la Corona.

«Oropesa»

(Día 3).—Dijo la prensa española que el Batallón de Barbastro mandado por el coronel Rodríguez, encontró en Oropesa (Habana) a la partida del cabecilla Collazo, fuerte de 200 hombres, bien atrincherados en un campamento formado por 44 bohíos, rodeados de doble línea de troncos de palmas con relleno de tierra, y fosos, y que después de una hora de combate huyeron los rebeldes, dejando 10 muertos, y que la columna tuvo 4 muertos y 14 heridos de tropa.

NOTA OFICIAL

El E. M. de la División facilita a la prensa local la nota oficial siguiente:

«Noticias de la guerra cuya publicación se autoriza.—4 de enero de 1898.—La columna del teniente coronel Chacel en reconocimientos practicados ayer por Ramón de Guaninao, batió unos grupos enemigos apoderándose de cuatro caballos.

Guantánamo.—El general Pareja con tres columnas reconoció Monte San Juan, Méjico, La Clarita, San Andrés, Guayabal, Monte Verde y La Perla, destruyendo un campamento y haciendo dos muertos y dos prisioneros. Se recogió un fusil, un revólver, dos machetes, dos carteras con municiones y efectos.—De nuestra parte un sargento de las Escuadras herido.»

YERO SAGOL

Es nombrado secretario de la Alcaldía Municipal el Lic. don Manuel Yero Sagol, en lugar de D. Elías Vázquez Jábega, que cesó.

GARCÍA

El Dr. D. Alfredo García y García, concejal, renuncia el cargo de síndico municipal.

AYUNTAMIENTO

Suspensión de los apremios a los deudores por fincas rústicas.

CUEVAS

El comerciante D. José Cuevas se niega a satisfacer el arbitrio voluntario de descarga de buques.

ORTIZ

Es nombrado jefe de la Policía Municipal D. Manuel de J. Ortiz y González, en lugar de D. Juan Bautista Alonso.

Capriles

El gobernador regional Sr. Capriles, presenta la dimisión de su cargo, con sentimiento de los que ven en él un hombre recto y honrado.

Salvajada

En la noche del sábado 8, unos individuos que pretendían entrar en una reunión familiar, encolerizados porque no se les permitía la entrada, dispararon por una ventana varios tiros de revólver sobre la concurrencia, siendo herido gravemente en la cabeza el joven comerciante de esta plaza D. Salvador Casals, que conducido en estado preagónico al Centro Benéfico, falleció once horas después. Han sido detenidos dos individuos como presuntos autores del atentado.

Hospital Militar

Terminada la gran cocina del Hospital Militar es bendecida e inaugurada el domingo 9. Efectúa la bendición el arzobispo Sáenz de Urturi, asistiendo al acto el gobernador militar general Toral.

Los concurrentes a la ceremonia son obsequiados después con un almuerzo.

Pando

A las diez de la mañana del día 9 y a bordo del vapor *Panamá,* llega el general Pando acompañado de su E. M. En la noche del 10 embarca en el *Reina de los Angeles,* con dirección al ingenio Media Luna.

Bomberos

El domingo 9 se celebra la función benéfica organizada por los jefes y oficiales del Batallón de Bomberos, para allegar recursos con que uniformar a los individuos del mismo. No da el resultado que sus organizadores esperaban, por haber negado su concurso la mayoría de las casas de comercio.

Minas

Los Sres. Geldemeister y Karnó, de Coblenza, han sido nombrados agentes generales en Europa, de la Cía. Hispano Americana de Hierro, explotadora de las minas de Daiquirí. Parece que hay empeño en tratar de vender en Europa los productos de dichas minas, por la dificultad que hay de llevarlos a los Estados Unidos.

Puga

(Día 9).—El capitán de Infantería D. Antonio Puga, comandante militar de Santiago de las Vegas, salió de ese pueblo con un práctico en dirección al campo cubano con propósitos de atraer al nuevo régimen a varios amigos suyos que militaban en las filas de la revolución. Transcurridos cuatro días sin que regresara, partió en su busca una guerrilla, encontrando los cadáveres del capitán Puga y su práctico.

La Zafra

No obstante lo adelantado de la estación, continúan parados todos los ingenios de la jurisdicción y nada hay que indique preparativos de molienda. Quedan defraudadas las esperanzas de que este año hubiera zafra.

Nota oficial

El E. M. de esta División facilitó a la prensa la siguiente:

«Noticias para la prensa cuya publicación se autoriza.—Día 11 de enero de 1898.—La columna de Sagua de Tánamo, compuesta de fuerzas del Batallón de Córdoba y guerrilla local de aquel punto al mando del teniente coronel de dicho batallón D. Feliciano Velarde, en operaciones practicadas desde el día 26 al 31 de diciembre próximo pasado, por las cordilleras de los montes de la Güira, Plátano y Tenemé y siguiendo por Guaguí, Vega Grande, Rancho Triste, Verraco, Quemado de Cabonico, Lomas Pacheco, Barredera, Cuchillas del Tánamo y Río Grande, sostuvo diferentes encuentros con el enemigo, desalojándolo de sus posiciones, causándole siete muertos recogidos, de ellos identificados cuatro; hizo dos prisioneros; destruyó varias prefecturas, rancherías, dos campamentos; ocupó un mulo y dos caballos; recogió varias familias y dos presentados sin armas. De nuestra parte hubo tres individuos de tropa muertos, tres más heridos y dos caballos muertos.»

Presentación

En Sagua la Grande se acogieron al nuevo régimen, presentándose a indulto, el teniente coronel Soto, un capitán, dos tenientes y veinte hombres armados de las fuerzas del general José Luis Robau.

Nota oficial

El E. M. de esta División facilitó a la prensa la siguiente:

«Noticias de la guerra cuya publicación se autoriza.—12 de enero de 1898.—Un grupo enemigo hostilizó ayer tarde los trabajos del fuerte de Arroyo Blanco. Fue rechazado, causándonos un herido leve de tropa de la columna del teniente coronel Chacel».

Motines en la Habana

(Días 12 y 13).—Con motivo de los ataques dirigidos por el periódico *El Reconcentrado* contra el general Weyler, el exgobernador D. José Porrúa, el excomandante militar de Guanabacoa, comandante D. Narciso Fonsdeviela y otros que ejercieron cargos de autoridad durante el período weyleriano —y más que todo eso— por el deseo de producir graves perturbaciones que hicieran fracasar el nuevo régimen político establecido en esta Isla; los elementos reaccionarios, incondicionales amigos de Weyler, prepararon y ejecutaron actos que tuvieron por escenario la capital y que trajeron a la memoria los lejanos días en que mandaba el general Dulce. El director del periódico citado D. Ricardo Arnautó, que había tenido un incidente con el capitán Calvo, antiguo oficial del Orden Público, insertó en su periódico el suelto siguiente: «FUGA DE GRANUJAS.—En el vapor *Montserrat* marcha para la Madre Patria el capitán Sr. Sánchez, ejecutor de aquellas órdenes terribles del señor Maruri que todos recordamos.—El capitán Sr. Sánchez ha tenido la desgracia de perder a su esposa, pero en cambio ha hecho verter mucha sangre y muchas lágrimas a infinidad de madres cubanas». El Sr. Maruri había sido alcalde de Guanabacoa. En la noche del 11, numerosos oficiales del Ejército asistieron al teatro Albisu, llevando cada uno un número de *El Reconcentrado,* en el que aparecía inserto el suelto de referencia, y en alta voz profirieron denuestos contra el autor del mismo y expresaron que la publicación de dicho suelto resultaba intolerable. Luego celebraron esos oficiales un conciliábulo, en el cual llenos de la mayor indignación, acordaron asaltar la redacción del periódico ofensor. El gobernador regional D. José Bruzón, que debió saber lo que se tramaba, nada hizo por evitarlo, si lo supo. A las nueve de la mañana del siguiente día 12, sesenta oficiales de todos los cuerpos de la guarnición, se dirigieron a la redacción e imprenta de *El Reconcentrado,* y no encontrando allí al director ni a los redactores, ningún caso hicieron a los empleados que trataron de impedirles la entrada en masa y propinándoles algunos golpes los pusieron en fuga, y luego destruyeron todo el mobiliario, arrojándolo por las ventanas. En la imprenta también destruyeron las máquinas, empastelaron todas las cajas y embadurnaron las paredes y el suelo con la tinta de imprimir. Pasaron después a las oficinas del diario *La Discusión,* al grito de *No maltratar a nadie* y lo mismo que en las oficinas de *El Reconcentrado,* causaron grandes destrozos. Entonces prorrumpieron en la Acera del Louvre en gritos de Viva España, mueras a la autonomía y a los insurrectos disfrazados, nombre con que designaban a los autonomistas. La policía, que intentó detener a los oficiales, fue arrollada por éstos. El general Garrich, gobernador militar interino de la plaza, se presentó en el lugar de los hechos y abriéndose paso por entre la multitud, arengó a los oficiales tumultuosos y les ordenó que se retiraran. Obedecieron éstos el mandato y se disolvieron; pero un grupo numeroso de paisanos quedó allí y empezó a gritar *Al Diario de la Marina.* Aunque el general Garrich trató de impedirlo, los paisanos llegaron antes que él; pero los empleados de dicho periódico ya habían cerrado puertas y ventanas, y entonces los amotinados apedrearon el edificio y rompieron los cristales. Logró el general Garrich abrirse paso y pudo disolverlos y hacerlos retirar, pero una fracción numerosa del grupo sedicioso, recorrió varias calles, destacándose entre ella un hombre que portaba una cuerda que había de servir, como decía, para ahorcar al director de *El Reconcentrado.* Los generales González Parrado y Solano consiguieron disolver a esta fracción sediciosa, restableciéndose la tranquilidad aparentemente. A las nueve de la noche, varios grupos que recorrían el Parque Central y la calle del Obispo, se reunieron en la Plaza de Armas, y frente a la Capitanía General prorrumpieron en vivas a España y mueras a la autonomía. De nada valieron las exhortaciones de varios jefes del Ejército para hacer retirar a los tumultuarios, y fue preciso ordenar a las fuerzas de caballería que los disolvieran, lo que se realizó sin que las fuerzas tuvieran que usar sus armas. Durante toda la noche continuó la excitación pública. En el patio del palacio del Capitán General, permaneció formado esa noche y en disposición de salir al primer aviso, el 5.° Batallón de Voluntarios, al mando de su coronel D. Cosme de Herrera. Entre los alborotadores figuraban muchos voluntarios armados, que se situaron frente al Casino Militar dando vivas a España; pero a la voz del general González Parrado que los llamó al orden, formaron y se retiraron. Al siguiente día 13 la situación era la misma. Todos los establecimientos permanecían cerrados. Los puntos céntricos de la capital estaban ocupados militarmente por fuerzas del Batallón del Orden Público y dos escuadrones de la Guardia Civil. También se ordenó la concentración de otras fuerzas que estaban en las inmediaciones de la plaza. Grupos pequeños circulaban por las calles, en actitud pacífica, fraternizando con la fuerza pública. Al mediodía volvieron los levantiscos a alborotar con sus gritos de vivas a España y mueras a la autonomía. El general Arolas, gobernador militar propietario de la plaza —que se había hecho cargo de su mando la noche anterior— acudió inmediatamente a disolver los grupos sediciosos, en momentos que unos recorrían las calles alborotando y otros se estacionaban frente al *Diario de la Marina,* apedreaban este edificio e intentaban asaltarlo. Arolas penetró entre la masa humana y colocándose en el centro de la misma se encaró con los que más vociferaban y los increpó con estas palabras: «Sois indignos de gritar viva España. Ese grito sacrosanto, sólo puede darlo quien respeta el orden y acata al gobierno y a la representación de la Patria.» Y seguidamente ordenó a las fuerzas que le seguían que cargasen sobre las turbas. Al relucir los sables de la caballería y al sentir el chasquido peculiar de la infantería que armó sus cuchillo-bayonetas, los amotinados se diseminaron en todas direcciones y el orden quedó restablecido.

Se aseguró entonces que el cónsul americano, Mr. Lee, había cablegrafiado a su gobierno, exponiéndole la gravedad de la situación y pidiéndole el envío a la Habana de dos barcos de guerra; pero este funcionario consular desmintió dicho rumor.

Lo cierto es que esos sucesos causaron pésimo efecto tanto en España como en los Estados Unidos; que en la Habana se comentó mucho que el gabinete autonomista y —especialmente el gobernador regional Sr. Bruzón— nada hiciera por apaciguar los ánimos y que pocos días después el gobierno de los E. U. acordara enviar a Cuba, en visita de «cortesía», sin previo anuncio diplomático, al crucero *Maine*...

Expedición apresada

En la noche del 13 entra en puerto el cañonero *Galicia,* conduciendo a remolque un balandro que apresó el día 10 al sur de Portillo y que conducía seis toneladas de carga, en su mayor parte víveres, destinados a los insurrectos.

De los cuatro tripulantes del balandro, dos perecieron ahogados al arrojarse al agua para escapar y los otros dos quedaron prisioneros de guerra, siendo entregados a las autoridades de marina de este puerto.

El balandro procedía de Jamaica, siendo su patrón Justo Pérez (a) *El Gallego,* que es uno de los prisioneros. También se le ocupó correspondencia.

Cooperó a la captura la guerrilla de Niquero, que sostuvo fuego con fuerzas cubanas que estaban en la costa y con la tripulación del balandro.

Capriles

Cuando ya se creía seguro el embarque del Sr. Capriles para la Península, por haberse recibido un cable de la Habana anunciándolo así, llega a manos del presidente del Comité Autonomista, D. Ignacio Casas, otro cablegrama anunciando que vuelve a ponerse al frente de este Gobierno Civil el Sr. Capriles.

Un suplemento extraordinario del periódico *La Patria* hace pública la noticia, que es generalmente bien recibida.

Nota oficial

Por el E. M. de esta División se facilitó hoy a la prensa las siguientes:

«Noticias para la prensa cuya publicación se autoriza.—Día 13 de enero de 1898.—El teniente coronel Chacel, de Ingenieros, dirigiendo trabajos en Arroyo Blanco, tuvo noticias de que desde la torre óptica del Aguacate se veía un campamento enemigo en Fray Juan, distante más de tres leguas desde aquel punto.—Con tres compañías de Ingenieros y dos del Batallón de San Fernando, practicó reconocimientos el referido jefe encontrando al enemigo en posiciones en las que hizo resistencia, pero con el ataque de la columna y carga dada por fuerza montada de San Fernando, fue puesto en dispersión, retirando sus bajas y abandonando en la huida cinco caballos, ranchos, viandas, monturas y otros efectos.—Continuando la persecución del enemigo encontró la fuerza nuevas viviendas con multitud de efectos.—Las bajas de la columna han consistido en un teniente y dos soldados contusos y dos heridos de tropa.»

BOCA CAMARIOCA

(Día 14).—La brigada del general D. Luis Molina Olivera sostiene combate durante dos horas en Boca Camarioca, Mantanzas, con fuerzas cubanas. Dijeron los españoles que ellos tuvieron 3 soldados muertos del Batallón de Cuenca y heridos los tenientes D. Emilio Cervera y D. Manuel González más 28 soldados, y que los cubanos abandonaron 6 muertos y abundantes municiones.

PRESENTACIÓN

(Día 15).—En Santa Clara se presentó a indulto el jefe cubano José Loreto Cepero con un sobrino suyo.

EJÉRCITO

Se dispone que a todos los batallones del Ejército se les aumente una compañía, que se denominará la 7.ª, cuyo efectivo será de 125 plazas; y que la guerrilla afectada a cada batallón eleve su efectivo al doble.

MARCOS GARCÍA

(Día 16).—En la tarde de este domingo, mientras presenciaba en Santa Clara un juego de pelota, en compañía del general Aguirre, el gobernador civil de dicha provincia Excmo. Sr. don Marcos García Castro, un individuo le disparó por detrás tres tiros de revólver, sin lograr hacerle blanco por haber fallado el primer disparo y por haber sido sujetado y desarmado el agresor por el general Aguirre y su ayudante D. Antonio Gómez Torres, así como por haber empujado y derribado al Sr. García otro señor que estaba inmediato para quitarle el blanco al asesino. Sin la oportuna intervención del general Aguirre, el pueblo hubiera linchado al agresor. El hecho acecido estaba relacionado con los disturbios promovidos en la Habana y Cienfuegos por muchos oficiales del Ejército y otros elementos exaltados que habían visto con malos ojos el relevo de Weyler y la implantación del régimen autonómico.

«El Fomento»

Aparece *El Fomento,* semanario de intereses generales y de anuncios.

Capriles

El 17, a bordo del vapor *Purísima Concepción,* llega el gobernador regional y civil D. Enrique Capriles y Osuna. Acuden a recibirle numerosos elementos, que le manifiestan la simpatía con que le ven de nuevo al frente de este Gobierno.

Campechuela

(Día 17).—Fuerzas del Ejército Cubano atacan con artillería al poblado de Campechuela, desde las seis hasta las once y media de la mañana, haciendo 56 disparos de cañón y continuas descargas de fusilería. A las tres de la tarde llegó el cañonero *Centinela* con una columna de 500 hombres, logrando levantar el asedio del poblado. Confesaron los españoles solamente 2 heridos y 3 contusos.

Tren dinamitado

(Día 17).—En el kilómetro 57 del ferrocarril del Oeste, cerca de Alquízar, explotaron dos bombas de dinamita, al paso de un tren de pasajeros. La máquina quedó inutilizada, tres vagones volcados y destrozados y los demás descarrilados. Los insurectos, según la prensa española, hicieron fuego sobre el convoy descarrilado, que fue contestado por 12 hombres del Batallón de Baleares que escoltaban el tren. Resultó muerto de un balazo un moreno que iba en el mismo.

Los motines de la Habana

El Capitán General dijo por cable al Ministro de la Guerra.—

«Habana, 18.—Tranquilidad completa. Restablecido orden por las fuerzas del Ejército y Voluntarios, de cuyo comportamiento, en estas circunstancias, estoy sumamente satisfecho; completamente dominado conflicto, sin temor de que se reproduzca y sin haberse derramado una gota de sangre, los coroneles y primeros jefes de Voluntarios han venido a felicitarme, reiterándome sus sentimientos de lealtad al gobierno de la nación y a mi autoridad. En nombre de V. E. les di las gracias.—Población ha recobrado su aspecto normal. Mando regresar tropas a sus zonas de operaciones.—*Blanco.*»

Masó Parra

(Día 19).—El brigadier del Ejército Cubano Juan Masó Parra, jefe de la Brigada de Trinidad, con la fuerza de su mando compuesta de los tenientes coroneles Augusto Feria y José del Carmen Hernández, los comandantes Feliciano Quesada, Saturnino León y Victoriano Gómez, el capitán Santiago Cabrera, 5 tenientes y 110 de tropa, convienen su presentación en Fomento y acompañados del coronel de E. M. del Cuerpo de Ejército de las Villas D. Julio Alvarez Chacón, se dirigen a Cuchillas de Placetas y deponen las armas ante el comandante en jefe de dicho Cuerpo, general D. Ernesto Aguirre de Bengoa, y gobernador civil de Santa Clara, D. Marcos García Castro, debido a las gestiones de éste y D. Antonio Govín y Torres, secretario de Gracia y Justicia y Gobernación.

En Santa Clara se hizo una gran manifestación al general Aguirre y al gobernador García, a su regreso de las Cuchillas de Placetas.

La Esperanza

(Día 20).—Fuerzas del Ejército Cubano a las órdenes del general José de Jesús Monteagudo, ataca al pueblo de La Esperanza, en las Villas, durante la noche, penetrando en él. Trabado combate en las calles entre los asaltantes y la guarnición, dijeron los españoles que los rebeldes fueron rechazados dejando 9 muertos y que pasaron de treinta los heridos que retiró y que por parte del destacamento hubo un cabo muerto y dos soldados heridos.

NOTAS OFICIALES

El E. M. de esta División facilita a la prensa las siguientes: «Noticias para la prensa cuya publicación se autoriza.—Día 21 de enero de 1898.—Al hacer la descubierta fuerzas de las Escuadras de Guantánamo destacadas en Polanco tropezaron con un grupo enemigo en Loma Piña sosteniendo con él en un corte de madera nutrido tiroteo, hasta que llegaron pequeños refuerzos de la Plaza, abandonaron sus posiciones en precipitada fuga por farallones y montes retirando sus bajas, ocasionándonos un muerto y tres heridos, persiguiéndole la fuerza hasta Limones y Caridad. Fuerzas de las Escuadras de Guantánamo en Felicidad haciendo reconocimientos seis leguas en Montes Cabezas del Toa por Peña Prieta, sorprendieron Prefectura Peña Prieta, sosteniendo tiroteos con el enemigo, matando a Rufino López y otro, cogiéndoles dos escopetas, dos machetes, un mulo, siete caballos, cuatro útiles, una mujer y una niña, que fueron conducidos a Felicidad.—La columna sin novedad.»

PRESENTACIONES

(Día 22).—En Vueltas se presentan a las autoridades el jefe cubano *Yeyo* Jiménez y 5 más armados, que entraron en dicho pueblo vitoreando a la autonomía. En Mapos, Sancti Spíritus, lo hicieron Agustín Román y otros cinco, de la escolta del general Máximo Gómez; los cuales manifestaron que este general había hecho fusilar al capitán Néstor Alvarez porque inducía a los mambises para que se presentaran, y que había 20 más que deseaban presentarse, pero que estaban muy vigilados. Estos últimos presentados pidieron, y se les concedió, ingresar en una guerrilla.

BLANCO

(Día 24).—Sale de la Habana por ferrocarril el general Blanco. En Batabanó toma el vapor *Purísima Concepción* para dirigirse a Manzanillo. El general segundo cabo D. Julián González Parrado quedó encargado del mando militar, y por primera vez en la historia de la Colonia, quedó hecho cargo del mando civil el secretario del Gobierno General, D. José Congosto. Parecía más lógico y natural que este último mando fuera encargado al Excmo. Sr. D. José María Gálvez, presidente del Consejo de Secretarios, por ser, en el orden civil, la autoridad más caracterizada después del Gobernador General, dentro del régimen autonómico que impera, pero... este señor es cubano y la confianza de los españoles en los autonomistas tiene sus límites.

Rivero

(Día 25).—Después del oficio vespertino, toma posesión de una silla de racionero de esta Basílica el Pbro. D. Celestino Rivero y Muñiz.

El «Maine»

(Día 25).— Entra en el puerto de la Habana el crucero acorazado *Maine,* de la marina americana, en visita de «cortesía». Después de estar fondeado dicho buque fue que el gobierno español tuvo conocimiento, diplomáticamente, de la visita.

Presentaciones

(Día 26).—El Cónsul de España en Nueva York participó al Ministerio de Estado, que en su Consulado se presentaron los jefes y oficiales insurrectos Carlos García Menocal, Alberto Broch y O'Farrill, Alberto Fernández Velasco, Pedro Betancourt y el Dr. Casuso, médico de la Delegación Cubana en dicha ciudad, ofreciendo no conspirar contra la soberanía de España, y que firmaron una declaración de aceptación del régimen legal instaurado en Cuba. El último manifestó su propósito de partir para la Habana el día 30.

Néstor Aranguren

(Día 27).—Fuerzas de los Batallones de la Reina y de Canarias y del Regimiento de Pizarro, mandadas por el teniente coronel Benedicto, obedeciendo órdenes del coronel Aranzabe —que obtuvo una confidencia de un prisionero— asaltó un bohío de la finca «Pita», entre Campo Florido y Tapaste, logrando dar muerte al esforzado coronel Néstor Aranguren y a cuatro patriotas más. También hizo cinco prisioneros, entre ellos, según la prensa española, la amante de Aranguren y el padre de ésta. El cadáver del malogrado jefe cubano fue conducido a la Habana, adonde llegó por la tarde en una camilla, siendo expuesto al público en el patio del Gobierno Militar de la Plaza, donde fue reconocido e identificado, y luego trasladado al Necrocomio Municipal.

Por un niño supo la columna el lugar donde estaba sepultado el cadáver del teniente coronel de Ingenieros D. Joaquín Ruiz, que el 30 fue exhumado y trasladado también a la Habana, en donde se le volvió a dar sepultura con los honores correspondientes.

El jefe de la columna regaló al niño dos mudas de ropa.

BLANCO

(Día 27).—En la noche de este día llega a Manzanillo el general Blanco, quien desembarcó al siguiente día y fue recibido con todos los honores de Ordenanza.

BLANCO

(Día 29).—En las primeras horas de la mañana de este día llega a esta ciudad, a bordo del vapor *Purísima Concepción,* procedente de Manzanillo, el Excmo. Sr. capitán general del Ejército D. Ramón Blanco y Erenas Polo y Riera, marqués de Peña Plata, gobernador general y capitán general de esta Isla y general en jefe de su Ejército. Pasaron a bordo con objeto de saludar a S. E. todas las autoridades, corporaciones, funcionarios, jefes y oficiales del Ejército, la Armada, Voluntarios y Bomberos, Comité Provincial Autonomista y varios particulares de nota, que acompañaron a Blanco a la Basíilca por las calles de la Marina y Santo Tomás, cubiertas por las tropas y voluntarios de la guarnición en dos alas abiertas, entre salvas de artillería, repiques de campanas y las notas de la Marcha Real. Serían las ocho y diez minutos cuando S. E. llegó a la puerta mayor de la Catedral, llevando a su derecha al arzobispo Saenz de Urturi y a su izquierda al gobernador Capriles, y seguido del general Toral y su numerosa comitiva. En aquellos momentos el Cabildo Eclesiástico rezaba la hora canónica llamada Prima y al terminar la lección del Martirologio Romano, interrumpió el rezo y se dirigió a la puerta principal para recibir al Vicepatrono Regio. El deán Lic. D. Mariano de Juan y Gutiérrez ofreció al general Blanco el *Lignum Crucis* que éste besó de rodillas sobre un cojín colocado encima de una alfombra, en el umbral de la puerta mayor. Seguidamente entró S. E. bajo palio y fue conducido al sitial que se le tenía preparado. Allí oyó el *Te Deum* ejecutado por la orquesta y voces de capilla y terminado fue despedido por el órgano —como a su entrada— con los acordes de la Marcha Real y por el Clero y Cabildo Catedral con el mismo ceremonial que a su llegada. El general Blanco fue el último gobernador y capitán general de la Colonia que vino a esta ciudad y a quien se le tributaron en la Basílica los honores que, como a Vice Real Patrono, le concedían las Leyes de la Novísima Recopilación de Indias. De la Catedral se dirigió el general Blanco a la Casa de Gobierno, desde donde presenció el desfile de las fuerzas que habían cubierto la carrera, declinando la guardia de honor que se le ofreció. Allí recibió a todas las autoridades y corporaciones civiles y militares. Con el general Blanco, entre su numeroso séquito, viene como ayudante de campo suyo el comandante de Infantería don Ernesto March y García, conocido *sportman* que ha figurado mucho en esta sociedad. En la tarde de hoy visitó S. E. los cuarteles y hospitales.

Ordenes

(Día 30).—En la iglesia de San Francisco, el arzobispo Saenz de Urturi confirió el presbiterado al diácono Lucas Salom Olivé, de la Congregación de la Misión, y los órdenes menores a varios seminaristas, asistido del chantre Lic. D. Bernabé Gutiérrez y Gutiérrez y del medio racionero D. Santiago Banzoy Blasco.

Voladura de un tren

Entre siete y media y ocho de la mañana del día 30 es volado por la explosión de dos bombas de dinamita el tren general de pasajeros del ferrocarril de Sabanilla y Maroto, que subía al pueblo de San Luis, teniendo lugar la explosión en el sitio conocido por «Mao», lugar distante unos diez kilómetros de esta ciudad, entre los poblados de Boniato y San Vicente. El tren quedó dividido en dos, habiendo sido destrozados dos carros y resultando treinta y dos víctimas entre muertos y heridos.

La escolta del tren es atacada por los insurrectos, logrando sostenerse hasta la llegada de refuerzos.

Al tenerse conocimiento del hecho en esta ciudad, las autoridades ordenan la salida de un tren de auxilio para el lugar del siniestro.

Blanco

(Día 30).—En la noche de este día, la Excma. Diputación Provincial obsequia al general Blanco con un espléndido banquete de 75 cubiertos. El presidente de dicha corporación brindó por el Ejército, la Marina y los Voluntarios, y el general Blanco lo hizo por el Rey, la Reina Regente y la pronta pacificación de la Isla, para cuyo fin esperaba que coadyuvaran todos los elementos sociales. Después visitó S. E. al Círculo Español y al Club de San Carlos, en cuyas sociedades se le dispensó un afectuoso y cordial recibimiento. Al visitar ayer a los oficiales y soldados heridos en el Hospital Militar, el general en jefe les otorgó varias condecoraciones. A una comisión de damas que acudió a él para recabar donativos con que aliviar la miseria de las clases pobres —hoy las más numerosos que nunca— contestó que había ordenado a la Real Hacienda que entregara mil pesos por cuenta del Estado para tan caritativo fin. En la madrugada del siguiente día 31, embarcó en el vapor *Manuel L. Villaverde* con rumbo a Gibara, para continuar su visita de inspección y de... atracción. Aquí, en Oriente, es seguro que Blanco no conseguirá siquiera alguna que otra presentación parcial de fuerzas cubanas, como en algunos puntos de la Vuelta Abajo ha conseguido. Los caudillos orientales no muerden el cebo de la autonomía.

Autonomistas y Reformistas

Se ha llevado a efecto la fusión de los Comités provinciales Autonomista y Reformista, entrando a formar parte del primero once miembros del segundo, en la siguiente forma:

Tercer vicepresidente: D. Agustín Massana y Miret; vocales: D. Enrique Camp y Nonell, D. Román Martínez, D. Cayetano Tarrida, D. Bartolomé Mestre y Robert, D. Andrés Vidal y Martorell, D. Ramón Cros Sosa, D. Antonio Polanco, D. Magín Mirabent, D. Pablo Pañellas y Beltrán y D. Remigio Fernández.

En sesión celebrada el día 29, toman posesión los nuevos vocales, a excepción de los señores Mestre y Pañellas, ausentes.

Diputación Provincial

En la noche del 31 toman posesión de sus cargos en la Excelentísima Diputación Provincial los señores siguientes:

Presidente, D. Ignacio Casas y Saumell.
Vicepresidente, D. Agustín Massana y Miret.
Vocales, Dr. D. José Antonio Alayo, D. Román Martínez y González y D. Pedro Martínez de la Junquera y Creagh.

ROBO SACRÍLEGO

En la iglesia de la Santísima Trinidad se comete un robo durante la noche del 31, llevándose los ladrones todas las prendas de algún valor, así como los «milagros» encerrados en la urna de la Virgen de los Dolores.

FALLECIMIENTOS

En este mes han fallecido: D. Generoso Fernández y Caignet, D.ª Rosa Flores y Corona, D.ª Micaela Norma y Vidal, Dr. don Ignacio de Arze y Millán, D.ª Caridad Jiménez, viuda de Abreu; D.ª Mariana Rodríguez, viuda de Anaya; D. Manuel Brioso y Díaz, D. Francisco de P. Martínez Cordero, redactor de *La Patria;* doña Francisca Rizo y Díaz, D. Pablo Rizo y Rosell, Sor Ramona Treserra, hermana de la Caridad; D. Manuel Solí y Magri; D. Pedro Rodríguez Olascuaga, D.ª Mariana Pita y Blanco.

FEBRERO 1898

BLANCO

(Día 1).—Llega a Gibara el general Blanco, y es recibido con aclamaciones a la autonomía, a España y a Cuba Española, *Te Deum* y revista de fuerzas militares. Continuó viaje el 3 para Nuevitas.

REGÜEIFEROS

El Ldo. D. Erasmo Regüeiferos y Boudet ha sido nombrado abogado consultor del Excmo. Ayuntamiento.

DIPUTACIÓN PROVINCIAL

D. Ignacio Casas y Saumell, presidente de la Excma. Diputación Provincial, con objeto de aliviar en lo posible la aflictiva situación en que se encuentran los empleados provinciales, a los que se adeuda 18 meses de sus haberes, dirige una comunicación a todos los alcaldes de los Ayuntamientos de la Provincia, rogándoles traten de enviar una parte de lo que adeudan por contingente provincial.

Guerrillas

Procedente del río Cauto llega el comandante D. José Gavaldá y Figuerola, quien tiene autorización para formar un Batallón de Guerrillas de mil plazas, con el haber de 30 pesos mensuales, hallándose abierta la recluta en esta plaza y en San Luis.

Carne de caballo

A un conocido médico de esta ciudad le roban el caballo, del cual se encuentran, en las cercanías de la Trocha, las patas y la cabeza. Se rumorea que quizás la carne del animal sacrificado haya sido vendida para el consumo público.

Operaciones electorales

(Día 5).—En la mañana de hoy se constituye, en el salón de sesiones del Excmo. Ayuntamiento, la Junta Municipal de Escrutinio, bajo la presidencia del juez de primera Instancia del Distrito Norte D. Antonio Manrique y Mañés, decano de los de su clase, y actuando como secretario el notario público D. Pedro Secundino Silva y Fernández. Al abrirse la sesión, el elector autonomista D. Ramón Regüeiferos Tristá hizo una interpelación, que fue estimada como obstruccionista por la presidencia, y después de un ligero incidente, el señor Regüeiferos la retiró y continuó el acto. Como es natural, triunfaron los autonomistas.

Fallecimiento

El día 5 fallece el honrado vecino D. José Ruiz Guerra.

«Quintana»

(Día 5).—Las fuerzas cubanas mandadas por el general Pedro Betancourt libran combate en «Quintana», Matanzas, con el tercer Batallón del Regimiento Infantería de María Cristina núm. 63.

Confesaron los españoles nueve muertos de tropa y el comandante D. Agustín Aparicio y 22 de tropa heridos.

Las bajas cubanas fueron dos muertos y 12 heridos.

Americano presentado

En el camino de Holguín se presentó a la columna del general Luque, procedente del campo insurrecto, un americano bien vestido, con $5.000 en el cinto, que dijo ser capitán de artillería, y que se presentaba a las autoridades porque los insurrectos no le habían cumplido la promesa de pagarle su soldada mensual. Dicho individuo llegó a esta ciudad, donde estuvo varios días, frecuentando el café y restaurante «La Venus», el «Círculo Español» y paseándose en la plaza de Armas.

San Vicente

Cerca de la estación de San Vicente estallaron dos bombas de dinamita al paso de un tren que conducía trabajadores para Mao, inutilizando la plataforma de un coche y la jaula del ganado. Dijeron los españoles que el cabecilla Cebreco asaltó el tren con 100 hombres, pero que los 17 números que componían la escolta del tren, con nutrido fuego contuvieron el ataque; que el tren quedó dividido en dos secciones, continuando la máquina, a toda velocidad, para San Vicente, y que desde allí salieron la guerrilla local y un escuadrón de caballería, poniendo en dispersión a los rebeldes, que dejaron en el campo cinco muertos y armas. El tren tuvo, según los españoles, un trabajador muerto y diez heridos graves, y la tropa tres soldados muertos, cinco heridos y tres más por efecto de la explosión.

Notas oficiales

OPERACIONES IMPORTANTES DIRIGIDAS POR EL GENERAL EN JEFE

«Sabiendo el Excmo. Sr. General en Jefe que Calixto García marchó con sus fuerzas hacia Holguín para atacar a Samá, amenazando a Mayarí, dispuso que el general Linares fuese a Holguín con las tropas disponibles de su división para ejercer acción combinada con la división Luque, que reforzó con el batallón de Vergara y dos piezas, trasladándose S. E. a Gibara para dirigir personalmente la operación. El general Linares llegó a Holguín el 27 del pasado, realizando hábil marcha desde Cuba por Bayamo.

El general Luque desde el día 21 al 27 procuró encuentro con Calixto, practicando reconocimientos que originaron el combate en Camasán en que el enemigo tuvo muchas bajas y nosotros dos muertos de tropa y heridos el comandante Camarero, el teniente Luque y veinte de tropa.

Convencido Calixto de la imposibilidad de realizar el plan que le llevó a Holguín, dividió sus fuerzas para eludir persecución, regándolas en extensa zona que dispuso fuese minuciosamente reconocida, subdividiendo las columnas, sin perder enlace, para aumentar su número y contrarrestar con movimientos rápidos y combinados la diseminación de los rebeldes obligándoles a empeñar combate.

Cumpliendo las instrucciones del General en Jefe, fraccionó el general Luque sus fuerzas en tres columnas que partieron de Fray Benito, de Guabajaney y Holguín, con orden de penetrar en Umbelones y reconocer después las Margaritas. Sostuvieron fuego en el lindero La Palma y en Oleta de Umbelones.

Dominadas las lomas por nuestras tropas atacaron éstas de revés las trincheras, forzando al enemigo a retirarse a San Juan de las Puercas y Báguano, de donde habían de salir al encuentro de las tropas del general Linares, que las escarmentaron duramente, trabando reñido combate en Hato de la Ubina, Doña María, Báguano y Rejandón de Báguano. Desmoralizado el enemigo al verse sorprendido y enérgicamente atacado en puntos donde aún no habían penetrado fuerzas del ejército, se retiró con grandes pérdidas abandonando muertos, armas de fuego, caballos y ganados.

Nuestras fuerzas, en columnas de cien hombres, continuaron acorralándoles sin descanso, practicando entonces reconocimientos, destruyendo cinco factorías y dos prefecturas, recogiendo municiones, víveres y ganado en abundancia. Por nuestra parte, cuatro muertos de tropa y heridos el capitán de Zamora D. Armando Mantilla de los Ríos y teniente de Constitución D. Alfredo Vara de Rey con 40 de tropa. En los combates sostenidos y penosas marchas por terrenos abruptos han puesto de relieve una vez más las columnas su bizarría, entusiasmo y resistencia.

Para completar el éxito alcanzado sobre Calixto García, al salir de Gibara dejó S. E. órdenes para continuar las operaciones. Gibara, 7 de febrero de 1898.—El Coronel Jefe de E. M., *Arturo de Ceballos.*»

«SAGUA DE TANAMO

Obedeciendo órdenes del general Rubertè, jefe de la Brigada, salió el coronel Ros con fuerzas de Extremadura y Zaragoza, a continuar operación emprendida por Extremadura, reconociendo el campamento de Arroyo Hondo, que encontraron quemado, como de 600 a 700 hombres, cinco zanjas llenas de cadáveres, se desenterraron tubos y cajas cargadas de dinamita, se batieron pequeños grupos que en Lomas del Viento abandonaron dos muertos. En las Nueces después de ligeros tiroteos se tomaron tres campamentos, dejando en la dispersión dos muertos, destruyéndoles un trapiche y efectos de cocina y continuando operación a Charco las Pacas se encontró otro campamento donde pernoctó la columna, destruyéndolo al día siguiente, que se continuó marcha hacia el Hoyo de Barrabás, donde se encontraba acampada la partida de Esterling, Mayía y otros, compuesta como de 400 a 500 hombres en su mayoría a pie, la que batida y dispersada dejó en nuestro poder 15 armamentos, ocho machetes y 14 carteras con municiones, cinco caballos con monturas, tres paquetes de muelles reales para fusiles, varias piezas para azadas y 18 muertos, dos de ellos traídos a esta villa para su identificación por haber manifestado un presentado que eran jefes y uno resultó ser el titulado teniente coronel Agustín V. Arceno. Continuando operación se batió de nuevo al enemigo en los Jagüeyes, abandonando dos muertos y un caballo con montura, regresando a las nueve a Placetas. Al muerto encontrado en el campamento se le ocupó la bandera del Regimiento Infantería Zayas y documentos importantes.

Por nuestra parte, dos heridos leves, cinco contusos y cinco caballos muertos. Se ha pedido autorización para formación de juicio instrucción para varios oficiales, y el coronel Ros recomienda el brillante comportamiento de todos.»

BLANCO

(Día 7).—Procedente de Puerto Príncipe llega a Sagua la Grande, por la vía marítima, el general Blanco, siendo recibido con gran entusiasmo por autonomistas y reformistas. Continuó viaje el 8, por ferrocarril, para Cienfuegos, donde llegó el mismo día y obtuvo igual recibimiento.

El «Montgomery»

A las once de la mañana del día 8 fondea en puerto el crucero de la marina americana *Montgomery,* haciendo inmediatamente el saludo a la plaza, que es contestado por la Batería de «Punta Blanca».

Procede de Matanzas, desplaza 2.000 toneladas, monta 18 cañones y está tripulado por 250 hombres.

Presentaciones

(Día 8).—En Jaruco, Habana, se presentaron a indulto el inspector de prefecturas José Hernández Guzmán, el prefecto de Jaruco, Pedro Valle, y el jefe José Inés Machado; anunciando que después lo harían sus fuerzas.

Dupuy de Lome

The New Journal, en su edición del 8 de este mes, publicó fotografiada una carta del ministro de España en Washington, Excmo. Sr. D. Enrique Dupuy de Lome, dirigida a su amigo don José Canalejas y Méndez, que se encontraba en la Habana, y la cual carta contiene este párrafo: «Además de la natural e inevitable grosería con que se repite cuanto ha dicho de Weyler la prensa y la opinión en España, demuestran una vez más lo que es Mc. Kinley; débil y populachero, y además, un politicastro, que quiere dejarse puerta abierta y estar bien con los jingoes de su partido».

Esta carta le fue sustraida al señor Canalejas, en la Habana, por un amanuense que tomó a su servicio, sin que aquél notara la sustración, por haber llegado la correspondencia en momentos que Canalejas atendía a un visitante. Dicha carta fue ofrecida, mediante precio, a la Delegación de Cuba en New York, pero no habiéndose cerrado trato, la adquirió el diario citado. El señor Dupuy de Lome se vio precisado a dar su dimisión, que le fue admitida, siendo nombrado para sustituirlo D. Luis Polo de Bernabé.

Diputación Provincial

Ha sido nombrado vicepresidente de la Excma. Diputación Provincial D. Pedro Martínez de la Junquera y Creagh.

El «Montgomery»

A las tres de la tarde del día 10, se hace a la mar el crucero americano *Montgomery,* con rumbo a Kingston, Jamaica.

Máximo Gómez

(Día 12).—En este día varios de los más significados miembros del autonomismo habanero recibieron cartas que les dirigió el general Máximo Gómez, invitándoles a unirse a la revolución, que cada vez se organizaba mejor, y significándoles que la obra de la autonomía sólo servía para dividir a los cubanos. Como detalle curioso, se pudo advertir que los sobres de dichas cartas, tenían estampados sellos en tinta azul con esta leyenda: «República de Cuba.—Administración de Correos de Ciego de Avila».

Los autonomistas

(Día 13).—En la Habana celebran una reunión política los elementos directores del autonomismo con objeto de conjurar la crisis que se avecinaba en el Gobierno Insular, originada por la tendencia radical del Sr. Giberga y sus amigos. A fin de evitar que surgiera la disidencia, quedó acordado que el Gobierno Insular daría directamente pasos encaminados para obtener la paz. A ese fin salió de la Habana, rumbo a Manzanillo, D. Juan Ramírez, antiguo jefe mambí del 68.

Pando

(Día 14).—En la tarde de este día, salió de la Habana para Manzanillo el general Pando, con un batallón y 300 caballos. Con el general Pando van D. Virgilio López Chaves, oficial retirado de la Armada, vecino de dicha última ciudad, y D. Francisco Plá. Dos horas después zarpó otro vapor para el mismo puerto, cargado de municiones de guerra y boca. Trátase de intensificar las operaciones militares, lo mismo que la acción política, para conseguir pronto la paz.

Tropas

En la tarde del 15 entra en puerto el vapor *Alicante,* procedente de Puerto Rico, conduciendo 1.558 jefes, oficiales y soldados.

Viene también una compañía de ingenieros pontoneros.

El «Maine»

«Habana 15.—General en Jefe a Ministro Guerra: Tengo el profundo sentimiento de participar a V. E. que acaba de volar el acorazado americano *Maine,* surto en esta bahía, por incidente indiscutiblemente casual, creyendo sea explosión calderas dinamo.

En el momento del siniestro acudieron al sitio todos los elementos de esta capital para auxilio y salvamento: marina, bomberos, fuerza, todos los generales, entre ellos mi Jefe de Estado Mayor. Ha habido muertos y heridos, y comunicaré detalles conforme los vaya adquiriendo; he enviado con ayudante a ofrecer todos los auxilios que pueda necesitar a Cónsul norteamericano.—*Blanco.*»

Este grave suceso complica grandemente las relaciones no muy satisfactorias entre España y los Estados Unidos.

Nota oficial

El E. M. de esta División da a la prensa la nota siguiente:

«Día 18, Guerrilla ingenio «Romelie» (Guantánamo), encontró partida enemiga sobre río Casisey sosteniendo fuego durante media hora hasta obligarle a retirarse. De nuestra parte seis heridos de tropa, 5 caballos y una acémila heridos.

«Teniente coronel Rosabal con columna Simancas que se hallaba en Jamaica acudió al lugar del encuentro persiguiendo a la partida insurrecta hasta la loma «Loquey».

El «Vizcaya»

(Día 19).—El crucero acorazado español *Vizcaya,* llega al puerto de Nueva York con objeto de devolver la visita de cortesía que hizo el *Maine* a la Habana.

El P. Soleliac

(Día 20).—Muere en el Hospital Civil, el Pbro. D. Juan Luis Soleliac y Salomón, cura ecónomo de la parroquia de Santo Tomás Apóstol, siendo sepultado en la tarde del mismo día.

Barnada y Espino

Es nombrado cura ecónomo de Santo Tomás Apóstol el Pbro. D. Antonio Barnada y Aguilar, que lo es propio de la Santísima Trinidad, y para esta parroquia, el Pbro. D. Manuel Mariano Espino y Prieto, cura propio del Caney, también con carácter de ecónomo.

Suspensión

A propuesta del Fiscal en comisión de esta Audiencia, la Sala de Gobierno acuerda el día 24 la inmediata suspensión del juez municipal del pueblo de San Luis, D. Ignacio Ibáñez y de su secretario D. Eugenio Bartutis, como castigo por el atentado perpetrado en el café «El Louvre» de dicho pueblo, del que fue víctima D. José Castro, alcalde del barrio autonomista.

Nota oficial

Por el E. M. de esta plaza se dio a la prensa la siguiente nota:

«Día 26 de febrero de 1898.—Un grupo enemigo hostilizó a la fuerza protectora del trozo de línea férrea del Socorro a La Maya, siendo batido y dispersado con bajas. De nuestra parte herido grave el soldado del 1er. Batallón de Cuba José González Martínez.»

«Las hormigas bravas»

El domingo 27, los muchachos recogidos en el vivac y a los que se hace trabajar en la recogida y quema de basuras, asisten a misa en el templo de San Francisco, vestidos todos con ropa nueva y llevando en el sombrero una cinta que dice: «Alcaldía Municipal». Después se les sirve un rancho extraordinario, por lo que, agradecidos, dan vivas al Alcalde y al Gobernador que de manera tan «generosa» saben premiar sus servicios.

Presos libertados

Por la jurisdicción de guerra son puestos en libertad el 28, los siguientes presos: D. Juan Pérez Mustelier, D. Benigno Limonta, D. Félix Fernández, D. Herminio Fernández, D.ª Manuela

Fernández, D.ª Isabel Cleger, D.ª Guadalupe Bubaire, D. Cirilo y D. Arcadio Cleger, D. Braulio Bubaire, D.ª María de la Fe Bubaire, D.ª Caridad Bubaire, D. Demetrio Téllez y D.ª Estefanía Bubaire.

Puerto Príncipe

El general Blanco cablegrafió el 28 lo siguiente:

«Capitán General a Ministro Guerra.—Madrid.—General Castellanos salió de Príncipe, con 2.400 hombres y 400 caballos, con objeto de atacar 1.000 insurrectos situados en fuertes posiciones, camino real de Cuba, batiéndolos sucesivamente en reñidos combates, durante cinco días de incesante persecución, en lomas «Hinojosa» y «Santa Inés», el día 18; el 19 en la Caridad, en el Pilón y San Andrés, donde tuvo lugar un choque de caballería, en el que murió heroicamente el teniente Perojo, cargando al frente guerrilla Cádiz, el 20 en las Vueltas, después de vencer las dificultades que ofrecía el terreno; el 21 en Cuatro Caminos y las fuertes posiciones de Ciego Najasa; el 22 en las líneas de Managuaco y potrero Peralejos, persiguiéndolo hasta más allá de Crimea. El enemigo tuvo 181 bajas, entre ellas, 87 muertos que dejó en el campo; entre los muertos el titulado Alvaro Rodríguez, comandante Angel Recio y otros oficiales, dejando en nuestro poder 34 caballos, bastantes armas de todas clases y efectos de guerra. Por nuestra parte, un oficial y siete de tropa muertos y tres oficiales y 73 de tropa heridos.—*Blanco.*»

Fallecimientos

En este mes han fallecido:

D. Julián Domingo y Calero.
D. Julián Torralbas Arocha.
D. Gustavo de Ribeaux y Girard.
D.ª Rita Pérez, viuda de Zaragoza.
D. Benito Jiménez.
D.ª Caridad Romeu de Espino.
D. Rafael Díaz y Espinosa de los Monteros.
D. Ricardo Bertrán.
D. José Milá y Planas.
D.ª Dolores Leyte-Vidal de Padrón.
D. Guillermo Carlos Schumann y Poveda.

D.ª Julia Fuorticós, viuda de Destrana.
D.ª Concepción Ferrer y Matas.

MARZO 1898

Operaciones electorales

En los salones de la Excma. Diputación Provincial, bajo la presidencia de un magistrado de la Excma. Audiencia Territorial, se constituye el día 1.º, la Junta Provincial de Escrutinio, actuando de secretario el de dicha Audiencia. También triunfaron los autonomistas. Los conservadores están indignados por el favor que el Gobierno dispensa a sus adversarios... como a ellos en otros tiempos. El acto termina con un almuerzo.

Manduley

Desaparece de esta ciudad y se incorpora a las filas rebeldes el Lic. D. Manuel de Jesús Manduley, secretario de Sala de la Excma. Audiencia Territorial.

Suspensión

Los diarios *La Bandera Española* y *La Patria,* suspenden, desde el día 1.º, sus «alcances» o ediciones de la mañana, en los que anticipaban a sus suscriptores los cablegramas de sus servicios y otras noticias.

Demografía

Durante el mes de febrero ocurrieron en esta ciudad 400 defunciones. No se registró ningún caso de fiebre amarilla.

El «Vizcaya»

(Día 1.º).—A las seis de la tarde fondea en el puerto de Nueva York, el crucero acorazado *Vizcaya,* después de pagar la visita de cortesía que hizo el *Maine.* Fue recibido con júbilo y entusiasmo y sus tripulantes fueron agasajados.

Diputación Provincial

La Excma. Diputación Provincial acuerda, como medida económica, suprimir las plazas de oficial segundo y un escribiente de la Secretaría y la de oficial de Contaduría, declarando cesantes a los señores que venían desempeñándolas.

El «Almirante Oquendo»

(Día 5).—En la mañana de este día, entra en el puerto de la Habana el crucero acorazado *Almirante Oquendo,* que es recibido con iguales demostraciones de entusiasmo que su gemelo el *Vizcaya* y obsequiados también sus tripulantes. Uno y otro barco han sido destinados a reforzar las fuerzas navales de este Apostadero. Ocasionó el viaje a la Habana del *Almirante Oquendo,* el propósito del gobierno de contrarrestar la presencia del *Maine* con la de otro buque de guerra español de mayor parte, pues todos los que había en la Isla eran inferiores a éste.

Importación de ganado

En los días 7 y 8 se importan por este puerto 900 cabezas de ganado vacuno, procedentes de Puerto Rico y Barranquilla, para el consumo local.

Fallecimiento

(Día 8).—Ha dejado de existir, en esta ciudad, el antiguo y apreciado vecino D. Justino Cipriano de León.

«España»

Con el título de *España* y dirigido por D. Francisco Escoll, empieza a publicarse un nuevo periódico, defensor del integrismo y de la unión de los españoles en Cuba.

Provisiones

El día 9 entra en puerto el vapor americano *Niágara,* conduciendo consignados al Cónsul de los Estados Unidos, varios bultos que contienen provisiones, medicinas y ropas, que serán repartidas entre los pobres de esta ciudad.

Posesión

Toma posesión el día 11 del cargo de secretario de Gobierno de la Excma. Audiencia Territorial, D. José Martín González.

Reemplazos

A bordo del trasatlántico español *Montserrat,* entrado en puerto el 11, llegan 1.082 reclutas que vienen a cubrir bajas en la provincia. El 12 sale la mayor parte para Baracoa, Manzanillo, Guantánamo, San Luis y otros puntos, a fin de incorporarse a los cuerpos a que han sido destinados.

Socorros

Para auxiliar a las familias pobres y socorrer a los reconcentrados de esta localidad, el Gobernador General remite por cuenta del Tesorero de la Isla, a este Gobierno Regional y Civil, la suma de veinte mil pesos en billetes.

Banco Español

Se ha hecho cargo de la dirección de la Sucursal del Banco Español en esta ciudad D. José María Bravo, por pasar a ocupar igual cargo en Cárdenas D. Vicente Elvira y Menéndez que venía desempeñándola.

Escuadrilla para Cuba

(Día 13).—Al mando del capitán de navío D. Fernando Villaamil, diputado a Cortes, sale de Cádiz una escuadrilla destinada a esta Isla, compuesta de los torpederos *Ariete, Rayo* y *Azor,* los destructores *Plutón, Terror* y *Furor,* y el trasatlántico *Ciudad de Cádiz.* Como el gobierno de los E. U. notificó al de España que consideraría como un *casus beli* la aproximación de fuerzas navales a las costas de Cuba, dicha escuadrilla se estacionó en San Vicente de Cabo Verde.

Nota oficial

Se publicó la siguiente:
«Noticias de la guerra cuya publicación se autoriza.—Día 14

de marzo de 1898.—El Excmo. Sr. Comandante General de esta División D. Arsenio Linares Pombo con el E. S. general de brigada D. Joaquín Vara de Rey y fuerzas a sus órdenes, en dos columnas compuestas cada una de seis compañías, treinta caballos y una pieza de artillería, salieron el día 7 de Palma Soriano, el primero por «El Sitio», «Santa Rita», «Tempú» y «Dos Palmas» para coincidir el da 9 con el segundo, que por Aguacate, Ramón de Guaninao, Cambute, San Jorge de Manacas y Santa María debían llegar a «Solís», campamento central de la titulada Brigada de Cambute.—Ambas columnas venciendo tenaces resistencias durante la marcha, se apoderaron del referido campamento, defendido por atrincheramientos en todas sus avenidas y rodeado de difíciles posiciones, causándole al enemigo tres muertos que dejó en el campo, cogiéndole un prisionero y ocupándole seis armas de fuego, municiones, 17 caballos y acémilas, dos cajas de repleto botiquín con diferentes estuches para operaciones y objetos y correspondencia del titulado jefe de Sanidad teniente coronel Socarrás.—La tropa inutilizó abundantes recursos en ganado de cerda, aves y viandas.—De nuestra parte tuvimos dos muertos y ocho heridos de tropa.—El día 10 se practicaron por compañías extensos reconocimientos en todas direcciones. El día 11 el general Vara de Rey por «San Narciso», «La Serafina», «La Verraquera» y «Nueva Málaga» fue a pernoctar a Hongolosongo, destruyendo un campamento en «La Serafina», donde encontró resistencia y tuvo tres bajas de troja.—El general Linares con su columna por La Clarita, Suena el Agua y La Pimienta, con ligeros tiroteos pernoctó en La Esperanza de Boudet.—Día 12 fraccionada toda la fuerza en cuatro columnas reconoció los puertos de Moya, Maniel y Tuajaca, reuniéndose dos columnas con el general Linares en el Cobre, y las otras en el ingenio Hatillo con el general Vara de Rey, después de reconocer San Juan de Wilson, Los Cayos y el Perú, que defendido por cinco trincheras causaron otro herido a la tropa.»

FALLECIMIENTO

(Día 15).—Muere la virtuosa y estimada Srta. D.ª María del Carmen Bandera y Figueroa, de apreciable familia.

NOTA OFICIAL

Se publica la que sigue:

«Día 15 de marzo de 1898.—Noticias de la guerra cuya publicación se autoriza para su inserción en la prensa.—La columna de operaciones al mando del Excmo. Sr. general Linares, en reconocimientos desde el Cobre por Botija, San Nicolás y Santa Filomena causó al enemigo un muerto, ocupándole un armamento, municiones y tres caballos cargados de efectos.»

NUEVO DIARIO

El día 21 comienza a publicarse *La Integridad Nacional,* diario, órgano del Comité Conservador.

CENSO ELECTORAL

El número de electores en la provincia resulta ser el siguiente:

Alto Songo	468
Baracoa	580
Manzanillo	554
Guantánamo	2.320
Caney	2.587
Santiago de Cuba	7.133
Sagua de Tánamo	450
Victoria de las Tunas	507
Total	14.599

EL «MAINE»

(Día 22).—El cónsul general de los E. U. en la Habana, Mr. Lee, solicita autorización del gobernador y capitán general Blanco para volar los restos del *Maine.* Es denegada la petición.

PRESENTACIONES

(Día 23).—El coronel del Ejército Cubano Benito Socorro y Beltrán, se acoje a indulto en Caracola, Matanzas, con 80 hombres a sus órdenes. En un tren expreso fueron trasladados a Jagüey Grande los presentados acompañándoles el general D. Luis Molina Olivera, su jefe de E. M. el conde de Campo Giro y su ayudante el capitán D. Juan de Arioma.

Elecciones

(Día 27).—En este día se verifican las elecciones de diputados a Cortes. Los autonomistas, apoyados por el Gobierno, cometen toda clase de chanchullos. En lo general los electores se retraen. El resultado es el siguiente:

Santiago de Cuba.—D. José del Perojo y Figueras, A.; D. Pedro José Monés, A. y D.

Francisco Javier Ugarte y Pagés, C.

Holguín.—D. Javier Longoria, C.

Manzanillo. — General D. Juan Salcedo y Mantilla de los Ríos, A.

Habana.—D. Miguel Moya, A.; D. Manuel Troyano, A.; don Rodolfo Rodríguez de Armas, A.; D. Casto Roselló, A.; D. Francisco de los Santos Guzmán, C., y D. Antonio González López, C.

Guanabacoa.—D. Rafael María de Labra, A.

Güines.—D. Miguel Espinosa, A.

Jaruco.—D. Nicolás Serrano Díez, A.

Matanzas.—D. Gabriel R. Estrada, A.; D. Miguel Villalba Ervás, A., y D. Faustino Rodríguez San Pedro, C.

Cárdenas.—D. N. García Alix, C.

Colón.—D. Rafael María de Labra, A.

Pinar del Río.—D. Leopoldo Goicoechea, A.; D. José López Irastorza, A., y D. Faustino Rodríguez San Pedro, C.

Guanajay.—D. Luis Morote, A.

Puerto Príncipe.—D. Enrique Horstman, A.

Santa Clara.—D. Rafael Abreu A.; D. Francisco Agustín Silveira, A.; D. José San Miguel, A., y D. Miguel Villanueva y Gómez, C.

Remedios.—D. Ramón Méndez, C.

Sancti Spíritus.—D. Jenaro Alas, A.

Toma de posesión

El 29 toman posesión D. Julián Parreño y Parreño, D. Lino Salazar y Alvarez y D. Lino Horruitiner y Jústiz de los cargos de

Administrador, Contador Interventor y Tesorero respectivamente de la Real Hacienda y Aduana.

ESCUADRILLA

(Día 30).—Al mando del capitán de navío de 1.ª clase, excelentísimo Sr. D. Luis Pastor y Landero, 2.º jefe del Apostadero, sale del puerto de la Habana a las cinco de la tarde, una escuadrilla formada por los cruceros acorazados *Vizcaya* y *Almirante Oquendo,* con rumbo desconocido. El *Vizcaya* lleva arbolada la insignia de «general a bordo».

CONTRABANDO DE GUERRA

(Día 31).—Tuvo confidencias el general Toral, de que en una de las casas inmediatas al fuerte de Santa Ursula, en el camino de Las Lagunas, se hallaban depositados varios efectos destinados a la insurrección, y ordenó al teniente coronel D. Juan Molina Pérez, de la Guardia Civil, que ocupase dicho depósito y detuviera a los responsables. Después de registrar tres casas, en una que estaba deshabitada se encontraron ocho bultos grandes rotulados al general Periquito Pérez y uno al coronel Góngora, los cuales bultos contenían municiones, ropas, piezas de tela, machetes, sombreros, medicinas, efectos de talabartería y dinero. No se pudo conocer a los remitentes, a pesar de las investigaciones practicadas.

FALLECIMIENTOS

En este mes han fallecido:
D. Tadeo Santa Cruz Pacheco y Lusson.
D.ª Dolores Bestard de Fabra.
D.ª Julia García de Portuondo.
D.ª Caridad Solari de Callís.
D. Santiago Salazar y Alvarez.
D. Raimundo Franco y Pérez.
D.ª Efigenia Balbín de Sarabia.
El Lic. D. Antonio Camilo Díaz y Palacios, decano de los abogados de esta ciudad.
D.ª Caridad Tapia, viuda de Rafecas.

ABRIL 1898

Evacuación

Bayamo, Jiguaní, Santa Rita y Baire han sido evacuados por los españoles y ocupados por el Ejército Libertador.

Torpedos submarinos

(Día 2).—El teniente de navío de 1.ª D. José Müller y Tejeiro, empieza a dirigir, en el polvorín de Cayo-Ratones, la carga de los torpedos Latiner-Clark que deben colocarse en el cañón de este puerto.

Salcedo

Es nombrado el Pbro. D. Maximiliano Salcedo y Bandrich capellán del Cementerio General de Santa Efigenia.

Fallecimientos

(Día 4).—Mueren los antiguos vecinos D. José Ochoa y Royo y D. Francisco Javier Matas.

Función patriótica

(Día 4).—En la noche de hoy, se verifica en el Teatro de la Reina una gran función patriótica cuyo producto se destina al fomento de la escuadra nacional. En el escenario figura un gran cuadro con el retrato del rey Alfonso XIII, bajo un dosel ricamente adornado, al cual da guardia de honor la escuadra de gastadores del 1er. Batallón de Voluntarios. La música del Regimiento de Cuba ameniza el acto. La concurrencia de los elementos españoles es grande. Dicha función produjo cuatro mil pesos. Los barcos que se adquieran con ese dinero y con el que ha producido la función celebrada en la Habana, no sacarán de apuros a España. Llegarán, si llegan, un poquito tarde. No se hace la guerra con buques de «última hora».

El Gobierno Colonial

(Día 4).—El Gobierno Colonial publica un manifiesto dirigido a los revolucionarios cubanos, invitándoles a deponer las armas. Aquí, en Oriente, el efecto de dicho documento será nulo. Esta tierra no está abonada para las presentaciones.

Fallecimiento

(Día 5).—Muere el ilustrado mentor D. Vicente Martínez Betancourt.

Escuadrilla

(Día 5).—Llega a San Juan de Puerto Rico la escuadrilla formada por el *Vizcaya* y el *Almirante Oquendo,* que salió de la Habana el 30 del pasado marzo. Dicha escuadrilla se hace a la mar, nuevamente, con rumbo desconocido.

Americanos que emigran

(Día 8).—En el vapor americano *Brooklyn,* parten con rumbo a Puerto Antonio (Jamaica), Mr. Pulasky H. Hyatt, cónsul americano en esta plaza, y varios ciudadanos de su nación.

Junta de Defensa

(Día 8).—Se dispone que sea permanente la Junta de Defensa Mixta de esta Plaza, por cablegrama de hoy, y que emita su opinión para la colocación de torpedos en la canal de este puerto.

Dicha junta quedó constituida así:

Presidente: Excmo. Sr. general D. José Toral y Velázquez, gobernador militar de la plaza. Vocales: Sr. capitán de navío don Pelayo Pedemonte e Ibáñez, comandante de Marina y capitán de este puerto; coronel D. Florencio Caula y Villar, jefe de la Comandancia de Ingenieros; teniente coronel D. Luis Melgar Gómez, jefe de la Comandancia de Artillería (1); teniente de navío de primera clase D. José Müller y Tejeiro, segundo comandante de Marina, jefe de las Defensas Submarinas.

(1) Fue sustituido después por el coronel de la misma Arma D. Salvador Díaz Ordóñez.

La Escuadra de Cervera

(Día 8).—El contralmirante Cervera con los cruceros acorazados *Infanta María Teresa* y *Cristóbal Colón,* sale del puerto de Cádiz.

Para Venezuela

En el vapor *San Agustín,* salió el día 9, para los puertos de la América del Sur, ha tomado pasaje un crecido número de personas.

«La Patria»

Ha sido declarado órgano oficial del Comité Provincial Autonomista, el periódico *La Patria.*

Candidatos a consejeros

En la candidatura aprobada por el Partido Autonomista para las elecciones de consejeros de administración, figuran como candidatos por esta provincia D. Francisco Plá y Picabia y D. Gabriel Camps.

Candidatos a representantes

La Junta Central del Partido Autonomista acuerda la candidatura de representantes, figurando en la misma por esta circunscripción de Santiago de Cuba: D. Eliseo Giberga y Galí, D. Luis Fernández Marcané y D. Angel Betancourt y Miranda.

Candidatos de la Unión Constitucional

El partido de Unión Constitucional presenta como candidato a la Cámara Insular, por esta circunscripción, a D. Fernando Barrueco y Rosell.

Sagarra

La Junta Central del Partido Autonomista designa los candidatos a senadores. Para la provincia de Santiago de Cuba figura el Dr. D. Magín Sagarra y Genoux.

Armisticio

«BANDO:

Don Ramón Blanco y Erenas, Marqués de Peña Plata, Gobernador General, Capitán General y General en Jefe del Ejército de esta Isla.

El Gobierno de S. M., accediendo a los deseos reiteradamente expuestos por el Santo Padre, encarecidos por los Embajadores de las seis grandes potencias, ha resuelto con objeto de preparar y facilitar la paz en esta Isla, decretar una suspensión de hostilidades, que me ordena se publique a los fines indicados, y en su virtud y en cumplimiento del referido acuerdo, he tenido por conveniente disponer:

«Artículo 1.° Se declaran suspendidas las hostilidades en todo el territorio de la Isla de Cuba desde el día siguiente al en que se reciba en cada localidad el presente Bando.

Art. 2.° Los detalles para la ejecución de lo que previene el artículo anterior, así como el señalamiento del plazo de dicha suspensión, serán objeto de instrucciones especiales que se comunicarán a los distintos Comandantes en Jefe de Cuerpos de Ejército para su más fácil y pronto cumplimiento, según la situación y cricunstancia de cada uno.

Habana, 10 de abril de 1898.—*Ramón Blanco*.»

Vara de Rey

(Día 12).—En el vapor *Reina de los Angeles,* llega a esta ciudad, procedente de Cárdenas, el Excmo. Sr. general de brigada D. Joaquín Vara de Rey y Rubio, que se hallaba en uso de seis meses de licencia y que aguardaba el vapor que debía conducirlo a la Península. Al vislumbrar la posibilidad de una guerra entre España y los E. U., renunció su licencia y solicitó volver a su puesto. Se le destina nuevamente a mandar la 1.ª Brigada de esta División (San Luis), para donde sale.

Fallecimiento

(Día 12).—Fallece el distinguido caballero D. Eliseo Bueno y

Blanco, miembro de antigua y respetable familia de esta sociedad.

«Conde del Venadito»

(Día 14).—Procedente de este puerto, llega al de la Habana, el crucero *Conde del Venadito.*

Defensas submarinas

(Día 14).—El teniente de navío de primera D. José Müller y Tejeiro, hace entrega al teniente de navío D. Mauricio Arauco, comandante del cañonero *Alvarado,* de la dirección de las Defensas Submarinas de este puerto. Consistían éstas en una línea compuesta de siete torpedos desde la ensenada de la Estrella hasta la Socapa, teniendo en dichos dos puntos sus estaciones de fuego y convergencia, y la segunda, que se componía de seis, las tenía en la Socapa y Cayo-Smith.

Junta de guerra

(Día 15).—En la plaza de la Habana, se reúnen en junta de guerra, bajo la presidencia del capitán general D. Ramón Blanco, todos los generales del Ejército con destino en dicha plaza y los que se hallaban en puntos próximos y de fácil comunicación, que fueron los siguientes: *Generales de División*: Excmos. Sres. D. Julián González Parrado, D. Juan Arolas y Esplugues, D. Francisco Fernández Bernal y D. Ernesto Aguirre de Bengoa.—*Generales de Brigada*: Excmos. Sres. D. Pablo González del Corral, D. Luis Valderrama y Rodríguez, D. Jorge Garrich y Alló, D. Enrique Solano y Llanderal, D. Calixto Ruiz y Ortega, D. Vicente Gómez de Ruberté, D. Cándido Hernández de Velasco, D. Luis Molina Olivera, D. Andrés Maroto y Alba, D. Santiago Díaz de Ceballos, D. Julio Fuentes y Forner, D. José Marina Vega, D. Juan Tejeda y Valera, D. Ramiro de Bruna y García. Suelto, D. Cristóbal Mas y Bounnebal y D. Victoriano Araujo y Paradela.

Dejaron de asistir en razón de la distancia y de otras causas: *Tenientes generales*: Excmos. Sres. D. Luis Manuel de Pando y Sánchez, D. José Vicente Valera y Alvarez (de la Reserva) y don Juan Salcedo y Mantilla de los Ríos.—*Generales de División*: excelentísimos Sres. D.Adolfo Jiménez Castellanos y de Tapia, don Arsenio Linares Pombo, D. Agustiín Luque y Coca, y D. José García Aldave.—*Generales de Brigada*: D. José Toral y Velázquez, D. Joaquín Vara de Rey y Rubio, D. Manuel Nario, don Eduardo López Ochoa, D. Luis López Ballesteros y D. Félix Pareja y Mesa.

La Escuadra de Cervera

(Día 15).—El contralmirante Cervera con los cruceros acorazados *Infanta María Teresa* y *Cristóbal Colón*, llega al puerto de San Vicente de Cabo Verde y allí se reúne con la flotilla de torpederos y destructores.

Conferencias

(Día 17).—Salen de la Habana en comisión del Gobierno Colonial para Santa Cruz del Sur, con objeto de conferenciar con el Consejo de Gobierno de la República en armas, los señores Giberga, Dolz, Sola y Rabell.

Pando

(Día 18).—En la noche de hoy, llega en el vapor *Argonauta* el general Pando.

Obuses

(Día 18).—Llegan de la Habana tres obuses de 21 centímetros, de antecarga, para las defensas de esta plaza. Motivó este envío el hecho de que días antes se recibió una orden de la Capitanía General para que se remitiera a dicha capital una batería de ocho cañones Krupp que existía en el Parque de Artillería; y habiendo expuesto el general Linares, al cumplimentar la orden superior, que dichas piezas hacían falta a esta plaza, se le contestó que se le enviarían otros cañones. Pocos días después el vapor *Reina de los Angeles* trajo otros tres obuses iguales a los primeros, es decir, del tiempo de Mari-Castaña.

Fallecimiento

(Día 18).—Muere D. José Otero y Marful.

Sáenz de Urturi

(Día 18).—Se publica una carta pastoral del arzobispo Sáenz de Urturi, fechada el 10, en la cual se despide de los fieles. Pensó dirigirse a la Península el 20, pero no habiendo tocado en este puerto el vapor correo, quedó sin embarcar.

Presentaciones

(Día 19).—En Sancti Spíritus se acogen a indulto el coronel Rosendo García, 3 oficiales y 22 de tropa, todos armados, pertenecientes al Ejército Cubano.

La «Joint Resolution»

(Día 19).—El Congreso de los E. U. vota la resolución conjunta siguiente:

«*Primero.*—El pueblo de Cuba es de derecho y debe ser libre e independiente.—*Segundo.* El deber de los Estados Unidos es exigir, y por la presente resolución exige, que el Gobierno de España abandone de seguida su autoridad en la Isla, retirando de ella y de sus aguas sus fuerzas de mar y tierra.—*Tercero.* El Presidente queda autorizado, facultado e instado, para usar las fuerzas navales y terrestres de los Estados Unidos, así como para llamar al servicio las milicias de los diversos estados, en la medida necesaria para dar efecto a la presente resolución.—*Cuarto.* Los Estados Unidos niegan que sea su propósito ni su deseo ejercer jurisdicción o soberanía en Cuba, fuera del tiempo necesario para la pacificación, y afirman su voluntad de dejar a sus habitantes el dominio y gobierno de la Isla, una vez que haya sido pacificada.»

Esta resolución fue sancionada por el presidente Mc. Kinley el mismo día.

Escuadrilla

(Día 19).—Llega a San Vicente de Cabo Verde y se incorpora a la Escuadra de Instrucción que manda el contralmirante D. Pascual Cervera y Topete, la escuadrilla que salió de la Habana, vía Puerto Rico, formada por los cruceros acorazados *Vizcaya* y *Almirante Oquendo.*

Subida de Precios

Con motivo de la baja que ha experimentado la plata, han subido de manera notable los precios de todos los artículos, contribuyendo esto a hacer más precaria la vida.

Pando

(Día 20).—El general Pando embarca en la tarde de hoy, en el vapor *Argonauta* rumbo a la Habana. Dicho buque adelantó dos horas su salida.

Polo de Bernabé

(Día 20).—A las siete de la tarde sale de Washington para el Canadá el ministro de España D. Luis Polo de Bernabé, con todo el personal de la Legación.

Boyas y valizas

(Día 21).—Se recibe la orden de la Comandancia General del Apostadero, dispositiva de que se retiren todas las boyas y valizas que marcan los pasos en este puerto. El mismo día quedó cumplida dicha orden.

Morro

(Día 21).—En el castillo del Morro son emplazados dos cañones antiguos de bronce, de antecarga, y en la batería de la Estrella se montan otros dos cañones Plasencia, cortos, de 8 centímetros, de retrocarga.

Las defensas de Caimanera

(Día 21).—Una comisión compuesta del coronel de Ingenieros D. Angel María Rosell y Laserre, del teniente de navío de primera D. José Müller y Tejeiro y del capitán de Artillería Sr. Ballenilla, sale para Caimanera con objeto de designar los lugares más apropiados para la colocación de torpedos Bustamante.

Ultimátum de los E. U. a España

(Día 21).—El ministro de los E. U. en Madrid, general Woodford, recibió de su gobierno por cable la nota siguiente que debía entregar al Gobierno de España:

«Habéis recibido el texto de las resoluciones conjuntas, votadas el día 19 por el Congreso Federal y aprobadas hoy, relativas a la pacificación de Cuba. Conforme a esta ley, el Presidente os encarga que comuniquéis inmediatamente al Gobierno Español la resolución de que se trata, con la intimación formal del Gobierno Americano, que exige que España renuncie inmediatamente a su soberanía y gobierno en Cuba, y retire las tropas de mar y tierra de las aguas cubanas.—Al hacer esta gestión, los E. U. rechazan todo propósito de ejercer soberanía, jurisdicción o administración en Cuba.—Si el sábado próximo 23 de abril, a mediodía, el Gobierno de los Estados Unidos no ha recibido del Gobierno Español una respuesta plenamente satisfactoria a tal intimación y resolución, de manera que pueda asegurar la paz en Cuba, el Presidente, sin ningún otro aviso previo, empleará en la medida necesaria el poder y la autoridad que le confiere e impone la resolución conjunta de las Cámaras.»

Esta nota no fue recibida por el Ministerio de Estado, que había dado sus órdenes en ese sentido.

Contestación a Woodford

El mismo día se entregó al Ministro Americano la nota siguiente:

«Señor Representante de los Estados Unidos en Madrid.—Tengo el penoso deber de poner en su conocimiento que, habiendo sancionado el Sr. Presidente de la República de Norte América resoluciones de sus Cámaras en las que se atenta a los derechos de España y se encarga la intervención armada en nuestro territorio, lo cual equivale a una declaración de guerra a la Nación Española; nuestro representante en aquel país, cumpliendo órdenes de este Gobierno, ha abandonado el territorio de aquella República, con todo el personal de la Legación, cerrando desde ese momento las relaciones diplomáticas y oficiales de España con todos los representantes de aquella nación. Lo que participo a V. E. para su conocimiento y efectos consiguientes, reiterándole la consideración personal.—Madrid, 21 de abril de 1898.—El Ministro de Estado.—*Pío Gullón.*»

Manifestación de protesta

(Día 21).—En la noche de este día, se verifica, en la Habana, una gran manifestación de protesta contra los Estados Unidos. La concurrencia fue grandísima. El general Blanco, al recibir a los manifestantes pronunció las palabras siguientes: «Si Dios nos ayuda arrojaremos a nuestros enemigos al mar, y Cuba seguirá siendo española. Juro por la Patria, encargado de defender la integridad de su territorio, que no saldré de Cuba vivo, si de la lucha no salgo vencedor».

Afortunadamente para Blanco, salió de Cuba, si no vencedor, «vivito y coleando».

Alocución al pueblo

«Gobierno General de la Isla de Cuba.—Habitantes de la Isla de Cuba:

Sin razón ni pretexto alguna legal, sin haber mediado la más ligera ofensa, cuando sólo muestras de amistad y consideración han recibido de nosotros, los Estados Unidos vienen a movernos guerra, precisamente en los momentos en que empezaba a renacer la tranquilidad en el país, a florecer la producción, a tomar incremento el comercio y a dibujarse la paz en plazo breve, desenvolviéndose libremente con el concurso de todas las clases y de todos los partidos las nuevas instituciones otorgadas por la metrópoli, con la más leal sinceridad establecidas desde el comienzo del presente año.

Semejante proceder, sin ejemplo en la historia, pone evidentemente de manifiesto la artera política de esa república, a la que en hora menguada prestamos ayuda para su emancipación, demostrando a las claras los aviesos propósitos que siempre ha abrigado contra la Soberanía de España en Cuba, contra la cual viene conspirando hace cerca de un siglo, llevando su hipócrita falsía hasta el extremo de exigir ahora la paz inmediata en una guerra que sólo ella provocó y sostiene.

De nada ha servido la moderación y la prudencia de España, que ha llevado al límite sus concesiones y su tolerancia a fin de evitar un rompimiento que aún hoy deplora; pero que acepta con toda la energía que le inspiran su gloriosa historia y el orgullo propio de su raza, que no cede jamás a ajenas arrogancias, no consiente ver hollado por nada ni por nadie su razón y su derecho: si los Estados Unidos quieren la Isla de Cuba, que vengan a tomarla. Quizás no esté lejana la hora en que esos cartagineses de la América encuentren su Zama en esta tierra de Cuba que España descubrió, pobló y civilizó y que nunca puede ser más que española.

A nosotros ha tocado el honor de defenderla y sabremos hacerlo con la decisión y el esfuerzo de que hemos dado tantas pruebas. Cuento para ello con vosotros, seguro de que no hay sacrificios que no estéis dispuestos a realizar en defensa del territorio nacional, cuya integridad es sagrada para todos los españoles, cualquiera que sea su origen y procedencia; y estoy seguro de que todo el que sienta correr por sus venas sangre española, acudirá presuroso al llamamiento que en tan solemnes instantes le dirijo y se agruparán en torno mío, para contribuir en la medida de sus fuerzas a rechazar al extranjero invasor, sin que ni peligros, ni sufrimientos, ni privaciones debiliten su ánimo jamás.

A las armas, pues, compatriotas... a las armas, que para todos habrá puesto en el combate, que todos cooperen y contribuyan por igual firmeza y entusiasmo a combatir a los eternos enemigos del nombre español, emulando las hazañas de nuestros mayores, que tan alto supieron dejar el honor de la Patria, al grito mil veces reptido de ¡Viva España! ¡Viva el Rey Alfonso XIII! ¡Viva la Reina Regente! ¡Viva Cuba siempre española!

Habana, 21 de abril de 1898.

Vuestro Gobernador General, *Ramón Blanco.*»

ALOCUCIÓN

«A todas las fuerzas del Ejército, Marina, Voluntarios, Milicias, Bomberos y fuerzas movilizadas.

Soldados:

Llegó por fin el ansiado momento de medir nuestras armas con los Estados Unidos y vengar tantas ofensas como de ellos tenemos recibidas en lo que va de siglo.

Ya no ocultan sus aleves propósitos, ni tratan como hasta aquí de disimular buscando pretextos para provocarnos a la guerra.

Convencidos de que no habían de encontrarlos, dada la lealtad y la buena fe con que siempre procede España, piden descaradamente la Isla de Cuba, de la que tratan de despojarnos, porque así conviene a su desatentada ambición.

El Gobierno de S. M. ha rechazado con altivez tan inaudita pretensión, confiando a la suerte de las armas nuestros sagrados derechos.

El mundo entero tiene hoy la vista fija sobre nosotros y vamos a demostrarle hasta dónde llega nuestro valor y nuestra constancia.

Seguro estoy de que todos sentís, como yo, hervir dentro de vuestras venas la sangre ardiente y generosa de nuestros mayores, que a través de cien generaciones de héroes ha llegado pura hasta nosotros, para derramarla toda, hasta la última gota, en defensa de la Patria y por el honor de nuestra bandera: imitemos su ejemplo y seamos dignos de invocar su memoria en medio del estruendo del combate.

Atrás el extranjero ambicioso que, escarneciendo la razón y el derecho, trata de apoderarse de este rico florón de nuestra Corona, cuya legítima posesión nadie ha osado poner en duda jamás. Hagámosle sentir el temple de nuestras armas, si se atreve a hollarlo con su planta, dispuestos siempre, como lo estamos todos, a vencer o morir en la demanda.

La ocasión, pues, se os brinda propicia para añadir nuevas páginas de gloria a la historia de nuestro Ejército, y acreditar una vez más vuestro valor y vuestras virtudes militares.

Firmes siempre en su puesto de combate; serenos en la defensa; impetuosos en el ataque; infatigables en las marchas y atentos siempre a las órdenes de vuestros superiores, la victoria coronará seguramente vuestros esfuerzos, mereceréis gratitud eterna de la patria y al volver a vuestro honrado hogar podréis decir con orgullo: «Yo salvé la Isla de Cuba de la dominación extranjera». Esa es también la aspiración de vuestro Capitán General en Jefe que, compartiendo siempre con vosotros los peligros y sufrimientos de la campaña, sabrá hacerse digno de mandaros.—*Ramón Blanco.*»

CORFIRMACIÓN DEL ESTADO DE GUERRA

«BANDO.

Don Ramón Blanco y Erenas, Marqués de Peña Plata, Capitán General del Ejército, Capitán General y General en Jefe del Ejército de Operaciones de esta Isla, etc., etc.

Públicamente anunciado por una Nación extraña el propósito de intervenir con las armas en esta tierra española, y no menos públicamente rechazada en el acto tan grave ofensa por el Gobierno, y la Nación entera, con la serena firmeza que prestan la conciencia del derecho y los altos estímulos del honor. Resuelto a prevenir y repeler la agresión, esperada con toda la energía que inspiran el patriotismo y la justicia unidos; vengo en disponer lo siguiente:

Artículo 1.° Confirmando lo ordenado en bandos anteriores, se declara en estado de guerra todo el territorio de esta Isla.

Art. 2.° Serán sometidos a la jurisdicción militar y juzgados por el consejo de guerra que corresponda, los reos de los delitos de traición, espionaje, contra la seguridad, la paz o la independencia del Estado, rebelión, sedición, ataques a la forma de gobierno y a las autoridades y sus agentes, los que sean conexos con cualquiera de ellos y cuantos afecten al orden público, aunque se cometan por medio de la imprenta.

Art. 3.° Se amplía la delegación de jurisdicción concedida a los Excmos. Sres. Comandantes en Jefe del Cuerpo de Ejército de las Villas y Comandantes Generales de las Divisiones de Santiago de Cuba y Puerto Príncipe, concediéndoles la facultad de aprobar las sentencias en que se imponga pena de muerte por los delitos de traición, espionaje o rebelión, dándome cuenta cuando aquéllas sean firmes, antes de proceder a su ejecución.

Art. 4.° Las autoridades civiles del orden judicial o gubernativo continuarán funcionando en todos los asuntos propios de sus atribuciones que no se refieran al orden público, limitándose en cuanto a éstos a las facultades que por la militar se le delegaren o dejen expeditas.

Art. 5.° Los insurrectos actualmente en armas que se presentaren voluntariamente a las autoridades o jefes de nuestras fuerzas en el término de un mes, contado desde la publicación de este bando, y no hubieren cometido traición u otro delito contra la seguridad exterior o la independencia del Estado, quedarán indultados totalmente del delito de rebelión y sus conexos.

Art. 6.° Quedan derogados los bandos anteriormente dictados y vigentes hasta el día, en cuanto se opongan al cumplimiento de éste.

Habana, 21 de abril de 1898.

Ramón Blanco.»

Alocución del Gobierno Insular

«Presidencia del Consejo de Secretarios de la Isla de Cuba.

Habitantes de la Isla de Cuba:

El Gobierno Colonial, representación genuina del pueblo de Cuba, amenazado de la más injusta y temeraria agresión por los Estados Unidos, que se erigen no obstante su irrisoria hipocresía en valedores de nuestra libertad y bienestar, necesita consignar ante el mundo la más solemne protesta contra ese inicuo atentado, y acude a vuestro patriotismo y abnegación, a vuestro valor y entusiasmo, para que en aras de la nacionalidad y del derecho, en defensa de vuestros hogares y del porvenir de vuestros hijos, concurráis sin vacilación al vigoroso llamamiento a las armas que en nombre de la dignidad nacional os dirige la Superior Autoridad de la Isla.

Jamás, en tiempo alguno, pretendióse realizar a la faz del mundo, con escarnio del derecho internacional y de la justicia, despojo semejante al que intenta consumar el Gobierno de los Estados Unidos. La Isla de Cuba, ocupada y constituida por España hace cuatro siglos, cuando esa república no existía siquiera en la imaginacinó de los primeros colonizadores de su raza, pertenece a la nacionalidad española, por títulos sagrados e indiscutibles que en vano querrán desconocer la ambición y la soberbia de gente codiciosa y enemiga; porque gran parte del mismo territorio norteamericano, descubierto y explotado fue por nuestros padres, y para eterna memoria de su heroísmo, guardan las caudalosas aguas del Mississipi los restos de Hernando de Soto, Gobernador y Capitán General de esta Isla.

Ninguno de los pretextos alegados para justificar la incalificable violación de vuestra seguridad, puede encontrar acogida en el pensamiento ni el corazón de los hombres cultos. No es verdad que el pueblo de Cuba se haya alzado en armas ni combata todo él contra la soberanía de la Madre Patria, negada y escarnecida sólo por una escasa minoría. No es verdad que España haya rehusado satisfacer las justas aspiraciones de los cubanos, porque todas están satisfechas en lo fundamental por la Constitución Autonómica que nos rige, en cuyo preámbulo declaró explícitamente el Gobierno Supremo que no rechazaría ninguna reforma legalmente solicitada para perfeccionarla, siempre que no comprometiese las franquicias otorgadas. No es verdad que nuestro pueblo gima bajo la opresión de funcionarios extraños, porque lo gobiernan sin trabas ni restricciones arbitrarias hombres nacidos en su seno, que por espacio de largos años han representado en la oposición sus ideales y han mantenido con decisión y perseverancia sus aspiraciones a la libertad política y al gobierno propio, que ven hoy plenamente satisfechas.

No es verdad, por último, que la paz sea imposible si para restablecerla no intervienen los Estados Unidos, porque lo cierto es, y así lo declaramos y proclamamos ante la conciencia universal, seguros de que nadie honradamente podrá afirmar lo contrario, que la paz sería ya un hecho si los Estados Unidos directamente no hubiesen fomentado la guerra, mostrándose tanto más airados y exigentes cuando más cerca veían a los habitantes de este infortunado país, de entenderse y reconciliarse en el regazo de la nación inmortal de quien todos somos hijos.

Habitantes de esta Isla: en los momentos mismos en que os aprestáis a elegir en los comicios el primer Parlamento Colonial, los Estados Unidos erigen su voluntad en árbitro de vuestros destinos y se adelantan a las resolucione de vuestros representantes para entorpecerlas y tratar arteramente de anularlas. Amenazan a la vez la integridad de España y la Autonomía de Cuba, cuya posesión ambicionan para someterla al predominio de una raza extraña y opuesta en temperamento, tradiciones, lengua, religión y costumbres a la nuestra, cuya eliminación ha realizado fatal y silenciosamente donde quiera que logró avasallarla y absorberla.

Deber de todos es repeler tamaño ultraje y tan odiosos designios con la entereza y decisión de que dieron imperecedero testimonio los heroicos defensores de esta capital ha más de un siglo contra las huestes invasoras de Albemarle. Como españoles debemos este homenaje supremo a nuestra sangre y a nuestra historia. Como habitantes de Cuba, este esfuerzo enérgico y varonil a la personalidad y a los libres destinos de nuestra raza y de nuestro pueblo. Olvidemos nuestras desavenencias y discordias ante el objeto grandioso y sublime que debe dirigir nuestra voluntad y merecer todos nuestros sacrificios. Levantemos el ánimo a la altura de nuestros agravios y el pensamiento y la acción hasta la excelsitud de nuestras obligaciones patrióticas. ¡Viva España! ¡Viva el Rey don Alfonso XIII! ¡Viva la Reina Regente!

Habana, 21 de abril de 1898.

José María Gálvez.—Antonio Govín.—Rafael Montoro.—Francisco Zayas.—Eduardo Dolz.—Laureano Rodríguez.»

LOS CONSERVADORES

Se hace público el siguiente acuerdo del Comité Provincial de la Unión Constitucional:

«En sesión extraordinaria celebrada por el Comité Provincial se acordó por aclamación la más completa abstención del partido de todos los actos que representen intervención en la vida pública, mientras duren las actuales circunstancias, por exigirlo así la dignidad y el decoro de la agrupación, haciéndolo público por este medio para que llegue a conocimiento de todos los afiliados al partido, que desde hoy cesarán de gestionar, en todas las comisiones que se les haya encomendado, la participación que nos corresponda, interpretando de este modo el acuerdo tomado por el organismo provincial.—El Secretario, *Angel Norma.*»

Punta Gorda

La Junta de Defensa de esta Plaza ordena el emplazamiento de una batería en Punta Gorda. Las obras comienzan el mismo día 22.

Manifestación contra los E. U.

(Día 22).—Desde el mediodía se extendió por toda la ciudad el rumor de que los voluntarios, los miembros de la «Juventud Española» y los elementos más intransigentes del bando español, preparaban una asonada contra los pocos ciudadanos americanos y los cubanos tildados de mambises, que debía estallar por la noche. Los más prudentes se quedaron en sus casas y otros se recogieron desde bien temprano. Como a las ocho de aquella noche un regular número de españoles y cubanos «austriacantes» acudió a la casa de la calle de Heredia baja, donde aún se hallaba el archivo del clausurado Consulado Americano, y entre vivas a España y mueras a los yankees y a los mambises, con un vocerío espantoso, procedieron a quemar el asta que sirvió para izar la bandera de dicho consulado, pues desde el 7 en que partió el cónsul, la bandera y el escudo ya habían sido retirados. No satisfechos con eso, se dirigieron a la Plaza de Armas, junto al «Círculo Español», y prosiguieron escandalizando, de tal suerte que hubo de acudir el gobernador regional señor Capriles y fuerzas de la Guardia Civil mandadas por el teniente coronel D. Juan Molina Pérez. Encaróse el gobernador Capriles con los más escandalosos y les increpó duramente, afeándoles su conducta y diciéndoles que no debían tomar el nombre de España para formar alborotos y que si querían demostrar su amor a la Patria debían hacerlo con actos de positivo valor cuando la ocasión llegara. Luego dio órdenes a la Guardia Civil para que disolviera la manifestación, la que no llegó a cumplirse porque los mismos manifestantes se encargaron de disolverse.

La escuadra americana

(Día 22).—A las cinco de la tarde se presenta a la vista del puerto de la Habana la escuadra americana. Todos los puertos desde el Mariel hasta Cárdenas quedan bloqueados. La escuadra se compone de doce barcos y se sitúa en línea recta, fuera de tiro de las baterías de la boca del puerto.

Bando de Linares

(Día 23).—El general Linares publica un bando dispositivo de que todos los individuos que tengan de 18 a 50 años deberán alistarse, si no lo estuvieran, en los cuerpos de Voluntarios, señalándoles para ello un plazo de 15 días, terminado el cual serían considerados como infidentes los que no hubieren cumplido lo ordenado. A petición del gobernador Capriles, Linares no hizo efectivo su bando porque la gente en vez de ingresar en los batallones de Voluntarios se marchaba a la manigua.

El «Reina Mercedes»

(Día 23).—El crucero *Reina Mercedes* no puede cumplir la orden de dirigirse al puerto de la Habana, como los demás buques de guerra grandes, porque el estado de sus calderas no le permite navegar, como a su hermano gemelo el *Alfonso XII,* que está en la Habana, también imposibilitado de moverse. Son las dos unidades navales mayores que existen en aguas de Cuba. Se da la orden de que el *Reina Mercedes* sea amarrado a la Socapa, que se le tumben las vergas, que cale sus masteleros y que se blinde su amura de estribor con las cadenas de las primera y cuarta anclas a fin de resguardar la cámara de torpedos y de poder batirse desde la boca del puerto. Luego se ordenó que este buque fuera al interior del puerto. Y finalmente, a los pocos días, se dispuso que volviera a ocupar el mismo sitio en la Socapa. Esto es algo así como el trabajo de la ardilla.

Defensas de Caimanera

(Día 23).—Zarpa de este puerto el cañonero *Sandoval* para la bahía de Caimanera, con objeto de colocar con su dotación los torpedos Bustamante que han de cerrar dicha bahía; quedando de apostadero allí.

Alocución de Capriles

«*Gobierno Regional Oriental y de la Provincia de Santiago de Cuba.—ALOCUCION.—Habitantes de Santiago de Cuba:* Los Estados Unidos de América, esa agrupación de seres unidos por la codicia, ha puesto sus ojos en esta tierra española y creyendo sin duda empresa fácil apoderarse de ella, prepara sus soldados para desembarcar en nuestras costas protegidos por sus escuadras. En estos momentos de peligro para la Patria, espero de vuestra lealtad que responderéis dignamente al llamamiento del Excmo. Sr. Comandante General, prestando vuestro concurso para defender nuestro territorio con las armas en la mano, y para demostrar al mundo una vez más, unidos como un solo hombre por el sacro fuego del patriotismo, que los españoles sacrificamos con entusiasmo nuestras vidas, cuando se trata de dejar a salvo el honor nacional.

¡Viva España!

Vuestro Gobernador, *Enrique Capriles.*

Santiago de Cuba, abril 23 de 1898.»

Buque apresado

(Día 23).—El vapor mercante *Pedro* es apresado cerca de la Habana por el crucero *New York.*

Junta de Almirantes

(Día 23).—En Madrid, bajo la presidencia del contralmirante Excmo. Sr. D. Segismundo Bermejo, ministro de Marina, se reunieron, convocados por el mismo, los generales de la Armada siguientes: *Almirante:* Excmo. Sr. D. Guillermo Chacón y Maldonado. *Vicealmirantes:* Excmos. Sres. D. Carlos Valcárcel y

Ussel de Guimbarda, D. José María de Beranger y Ruiz de Apodaca, D. Eduardo Butler y Anguita y D. Fernando Martínez de Espinosa. *Contralmirantes:* Excmos. Sres. D. Manuel Pasquín y de Juan, D. José Navarro y Fernández, D. Antonio de la Rocha y Aranda, D. Ismael Warleta y Ordovas, D. Manuel Mozo y Diez-Robles, D. Manual de la Cámara y Libermoore, D. Eduardo Reinoso y Diez de Tejada y D. José Guzmán y Galtier. *Capitanes de navío de primera clase:* Excmos. Sres. D. José Gómez Imaz, D. Antonio Terry Rivas, D. Joaquín Lazaga y Garay, D. Joaquín Cincúnegui y Marco y D. Ramón Auñón y Villalón. Por mayoría de votos se acordó que la escuadra de Cervera debía salir rumbo a las Antillas. La destrucción de dicha escuadra acababa de ser decretada, de acuerdo con los deseos del Gobierno.

Elecciones

(Día 24).—Se verifican las elecciones para representantes a la Cámara Insular. El cuerpo electoral casi no concurre a las urnas. Los conservadores se retraen. La guerra con los E. U. preocupa hondamente a todos los espíritus, pero esto no es obstáculo para que los autonomistas hagan toda suerte de trampas, con la ayuda del Gobierno... no obstante la «guásima» que les ha prometido el general Calixto García.

Buques capturados

(Día 24).—Los vapores mercantes *Catalina, Cándida* y *Saturnino* son apresados por los barcos de guerra americanos *Detroit, Wilmington* y *Winon,* respectivamente.

Tropas

(Día 25).—Llega a esta ciudad, en el vapor *San Juan,* parte del Batallón de Talavera, que se hallaba distribuido entre Baracoa y Sagua de Tánamo. La fuerza llegada consiste en un comandante, 16 oficiales, 542 de tropa y 30 caballos.

Las defensas de Caimanera

(Día 25).—Después de haber llenado su cometido, regresa a esta ciudad la comisión nombrada para fijar los lugares donde habían de colocarse torpedos en la bahía de Caimanera; excepto el coronel de Ingenieros D. Angel María Rosell y Laserre, que quedó en Guantánamo. Mas luego verificó dicha colocación el teniente de navío de primera D. Julián García Durán.

Víveres para el Ejército

(Día 25).—El vapor *Mortera* entra en puerto procedente de la Habana y escalas por la costa Norte, trayendo un cargamento de 150 reses vacunas para el Hospital Militar, 180.000 raciones de harina, 149.000 de garbanzos, 197.000 de arroz, 79.000 de judías y 96.000 de vino, todas para la Administración Militar. Las tropas de esta plaza y sus cercanías consumen 360.000 raciones mensuales, y de las provisiones recibidas hay que racionar también a las fuerzas de Guantánamo, Baracoa y Sagua de Tánamo, que forman parte de la división de Santiago de Cuba. Los víveres recibidos sólo alcanzarán para una quincena. Fueron los últimos que vinieron para el Ejército.

Los comisionados del Gobierno Insular

(Día 25).—Regresan a la Habana, procedentes de Santa Cruz del Sur, el general Pando y los comisionados del Gobierno Insular, señores Giberga, Dolz, Rabell y Sola, sin haber llegado a ningún acuerdo con el Consejo de Gobierno de la República en armas.

El primer combate naval

(Día 25).—Frente al puerto de Cárdenas se presentó el destructor *Cushing,* de la marina americana, y cambió disparos con la cañonera española *Ligera,* que logró alojarle un proyectil y causarle averías.

El «Argonauta»

El mismo día 25 fue apresado por la escuadra americana el vapor mercante español, de la línea del Sur, *Argonauta,* en el trayecto de Batabanó a Cienfuegos. Fueron hechos prisioneros el coronel de Caballería D. Adolfo Cortijo, un médico mayor, seis oficiales, tres sargentos y cinco soldados. Capturaron también en el buque seis cajas de fusiles Maüser, 25 de municiones y 14 de medicinas. Los pasajeros no militares fueron puestos en libertad.

Escuadrilla española

(Día 25).—A las cuatro de la tarde sale del puerto de la Habana una escuadrilla compuesta de los cañoneros *Nueva España* y *Marqués de Molins,* mandada por el capitán de navío don José Marenco, avanzando algunos miles de metros en dirección de la escuadra bloqueadora, que está a 23.000 metros. El propósito de los españoles es atraer a la escuadra americana a tiro de las baterías de la costa. Regresan los cañoneros españoles a las ocho de la noche sin lograr su objeto.

Punta Gorda

(Día 26).—Se emplazan en la batería de Punta Gorda dos obuses Mata de 15 centímetros, de retrocarga, quedando listos para hacer fuego.

Dos Caminos del Cobre

(Día 26).—Fuerzas del Ejército Libertador tirotean a la guerrilla mandada por el comandante D. Guillermo Castellví Tarolas, en el poblado de Dos Caminos del Cobre.

Punta Gorda

(Día 27).—Se emplazan y quedan listos para el servicio, en la batería de Punta Gorda, dos cañones Krupp, de 9 centímetros, de retrocarga.

Emigrados

(Día 27).—En la tarde de hoy sale de este puerto el vapor alemán *Remus,* con dirección a Puerto Antonio (Jamaica), conduciendo 451 pasajeros, que emigran huyendo a la guerra.

Saenz de Urturi

(Día 27).—El arzobispo fray Francisco Saenz de Urturi publica una extensa carta pastoral con motivo de la guerra hispanoamericana, en la cual invita a los fieles para que concurran al solemne triduo que ha dispuesto en San Francisco, en los días 29 y 30 del mes actual y 1.° del entrante mayo, para implorar de Dios la paz.

Fallecimientos

(Día 27).—Fallecen la señora D.ª Isabel Zabala, viuda de Mena, y D. Bartolomé Sivorí y Pérez.

San Luis y Palma Soriano

(Día 27).—Fuerzas del E. L. atacan a otras del primer Batallón de la Constitución, que se encontraban reparando la línea telegráfica entre San Luis y Palma Soriano.

Bombardeo de Matanzas

(Día 27).—Al mediodía de hoy, tres cruceros americanos bombardean, durante una hora, el puerto de Matanzas, arrojando 32 granadas. Las baterías de tierra contestaron con 14 disparos. Contra la batería de Sabanilla hicieron los buques americanos 40 disparos, que contestó con cuatro dicha batería. Los buques que estaban a la vista eran cinco. La ciudad no sufrió nada. Los cónsules de Francia y de Austria protestaron de que se bombardeara la plaza sin previo aviso. Los españoles confesaron un mulo muerto.

El «Monserrat»

(Día 27).—El vapor trasatlántico español *Monserrat,* mandado por su capitán D. Manuel Deschamps y conduciendo varios oficiales, 500 soldados y un cargamento de armas y municiones, intentó ganar el puerto de la Habana el día anterior. La escuadra americana destacó un buque para capturarlo, pero el trasatlántico huyó a toda máquina rumbo al Oeste, y en el día de hoy ganó el puerto de Cienfuegos, a las diez de la mañana. Forzó su andar hasta 19 nudos por hora.

Barcos apresados

(Día 27).—Buques de la escuadra americana apresan al vapor *Ambrosio Bolívar,* a la goleta *Tres Hermanas* y a dos viveros.

Elecciones

«Junta Electoral para la elección de Consejeros de Administración.—Constituida hoy a las diez de la mañana la mesa interina para proceder a la elección de la definitiva y a la designación de los Consejeros que debe elegir esta Provincia y no habiendo podido efectuarse por no haberse reunido número suficiente de Compromisarios y Diputados provinciales, el Presidente y Secretarios escrutadores que suscriben dirigen por este medio el presente aviso, en armonía con lo dispuesto en el artículo cuarenta de la ley sobre elección y organización del Senado, que es la que rige para la del Excmo. Consejo de Administración de esta Isla, a todos los Ayuntamientos de los pueblos, cuyos compromisarios no han concurrido a esta reunión preparatoria, y que se expresan a continuación, fijándoles el plazo de diez días para que lo verifiquen, con apercibimiento de que de no hacerlo el día seis del mes de mayo próximo a las diez de la mañana, se considerará que aprueban todo cuanto se determine en la Junta Electoral que se constituirá es esta Capital en el día expresado, y que se celebrará cualquiera que sea el número que concurra; debiendo los Ayuntamientos relacionados dar exacto cumplimiento a lo prevenido en el artículo cuarenta y uno de dicha Ley.

Relación de los Ayuntamientos a quienes se refiere el anterior aviso:

Caney, Cobre, Manzanillo, Victoria de las Tunas, Bayamo, Jiguaní, Baracoa, Gibara, Holguín, Mayarí, Sagua de Tánamo y Guantánamo.

Santiago de Cuba, 27 de abril de 1898.—El Presidente de la mesa y de la Diputación Provincial, *Ignacio Casas.*—Los Secretarios escrutadores, *Gabriel B. Molinas, Juan Estenger, José Fortin, Osvaldo Morales.*»

Batería de la Estrella

(Día 28).—En la Batería de la Estrella se desmontan dos obuses antiguos, de antecarga, de 21 centímetros, de hierro, rayados y zunchados, por estar mal emplazados. Luego se emplazó uno de dichos obuses y dos cañones de bronce, rayados, cortos, de 12 centímetros. Ninguna de dichas piezas sacó de apuros a España, pues la batería de la Estrella no disparó jamás.

El Morro

(Día 29).—El Gobierno Militar de esta plaza publica un aviso por el que se hace saber que a todo buque que intente penetrar en este puerto durante las horas de la noche, se le hará fuego por la fortaleza del Morro.

Fallecimiento

El 29 fallece sor Concepción Valdivia, hermana de la Caridad.

Tropas

(Día 29).—En el vapor *San Juan* llega a esta ciudad el resto del Batallón de Talavera, consistente en 14 jefes y oficiales y 494 de tropa.

Mao

(Día 29).—La guerrilla de Dos Bocas que se hallaba protegiendo un corte de maderas en Mao, es atacada por fuerzas cubanas. Fue herido el capitán de dicha guerrilla D. Joaquín Pedrón.

Alto Songo

El mismo día 29 fuerzas cubanas tirotean el pueblo de Alto Songo, resultando herido un paisano.

Presos

El propio día 29 ingresan en la cárcel de esta ciudad, a disposición de la jurisdicción de Guerra, Ramón Rosell, Joaquín Suñé, Miguel Pérez y Alberto Acosta.

Bombardeo de Cienfuegos

(Día 29).—En la mañana de hoy, tres buques americanos empezaron a hacer sondeos frente a la entrada del puerto de Cienfuegos, y a la una de la tarde se acercaron a la costa cuanto pudieron y por espacio de media hora bombardearon. Las baterías de la plaza no contestaron al fuego que se les hacía. A la una y media de la tarde se retiró la escuadrilla americana.

La escuadra de Cervera

(Día 29).—Después de dar instrucciones para que regresaran a Cádiz los vapores *Ciudad de Cádiz* y *San Francisco* y los torpederos *Azor, Halcón* y *Ariete,* por no reunir condiciones para seguir con la escuadra, a las diez de la mañana sale de San Vicente de Cabo Verde la escuadra mandada por el contralmirante Cervera, compuesta de los cruceros acorazados *Infanta María Teresa, Vizcaya, Almirante Oquendo y Cristóbal Colón,* y los destructores *Plutón, Terror* y *Furor.*

El mando civil

«Gobierno Regional Oriental y de la Provincia de Santiago de Cuba.—El Excmo. Sr. Gobernador General de la Isla, en comunicación de 22 del actual, me dice lo siguiente: «Iltmo. Sr. En vista de las circunstancias actuales, motivadas por el conflicto con los Estados Unidos, según podrá ver por el adjunto Bando, creo ha llegado el momento de que los Gobernadores civiles resignen el mando en los Gobernadores militares, por lo que ruego a V. S. I. se sirva hacerlo al recibo de esta comunicación; quedando sin embargo V. S. I. en su puesto despachando los demás asuntos de su incumbencia con el celo que siempre ha demostrado». Y habiendo resignado el mando según se dispone por dicha Superior Autoridad en el Excmo. Sr. Gobernador Militar de esta Provincia, lo hago público por este medio para general conocimiento y efectos consiguientes.—Santiago de Cuba y abril 30 de 1898.—*Enrique Capriles.*»

Armisticio terminado

(Día 30).—El general Blanco dispuso hoy que quedara terminado el armisticio concedido a los insurrectos, y que en su consecuencia se rompieran las hostilidades contra ellos.

Desembarco frustrado

(Día 30).—A las seis y media de la tarde, cuatro buques americanos intentaron un desembarco de fuerzas en la Playa de la Herradura, cerca del puerto de Cabañas, Pinar del Río, en varios lanchones. La columna del general Hernández de Velasco, con sus fuegos obligó a retirarse a las fuerzas de desembarco, según dijeron los periódicos españoles, muy alborozados por su «triunfo». Los buques desaparecieron. La expedición de desembarco iba dirigida por el coronel Dorst.

Fallecimientos

En este mes han fallecido: D.ª Genoveva Ortiz, viuda de Ramírez; señorita D.ª María Josefa Carbonell y Villalón.

Más fallecimientos

(Día 30).—Mueren D. Bernardo Ilisástegui Cardona, doña Francisca Mengano y Sánchez, D. Antonio Creagh y Magdariaga, D.ª Dolores Verdecia y Elías y D.ª Marcelina Pérez, morena, de 100 años.

MAYO 1898

Inversión de fondos

(Día 1).—Por el Gobierno General se autoriza al Comandante General de esta División para que disponga de los fondos existentes en la Administración Principal de Hacienda y Aduana de esta provincia, ascendentes a $171.000 oro y $15.000 plata, con objeto de cubrir las atenciones siguientes:

En oro.

Ejército y Guerrillas, Cuba, Guantánamo, Baracoa y Sagua de Tánamo	$89.100
Subsistencias y hospitales	63.900
Transportes	3.000
Marina (Cuba y Guantánamo)	15.000

En plata.

Defensas (Obras)	$15.000

Nombramiento

(Día 1).—D. Constantino Morán y Ecay ha sido confirmado

en su plaza de escribiente de la Sucursal del Banco Español de esta ciudad.

El «Alert»

El mismo día 1 entró en puerto el aviso británico *H. M. S. Alert,* de 980 toneladas, procedente de Port Royal, Jamaica. Su comandante es Mr. Henry Saule. Monta seis cañones y está tripulado por 101 hombres. Hizo la travesía en 16 horas. El propio día retornó al punto de su partida, después que el comandante hizo las visitas de rigor.

Cavite

(Día 1).—En las primeras horas de la madrugada, penetra en la bahía de Manila la escuadra americana mandada por el comodoro George Dewey, compuesta de los buques *Olimpia* (barco insignia), *Baltimore, Raleigh, Petrel, Concord, Boston* y *Mc. Culloch.* A las cinco y cuarenta y cinco rompió el fuego sobre la escuadra española, a 5.000 yardas, que se hallaba ocupando posiciones en Cavite, mandada por el contralmirante D. Patricio Montojo, comandante general del Apostadero, e integrada por las unidades *Reina María Cristina* (buque insignia), *Castilla, Don Juan de Austria, Isla de Luzón, Isla de Cuba, General Lezo, Marqués del Duero, Ulloa,* y los transportes *Velasco* e *Isla de Mindanao.* Fueron destruidos todos y cauturado el vapor *Rápido* y el remolcador *Hércules.* La noticia llegó aquí al siguiente día 2 pero... al revés.

Nombramiento

(Día 2).—El comandante de Voluntarios D. Andrés González Rubiera es destinado a mandar una fuerza movilizada en Firmeza.

Fallecimientos

(Día 2).—Han dejado de existir hoy en esta ciudad: doña Candelaria Durán y Soler, D. Francisco Hernández Bolcó, don Lucilo Ferrer y Río, D.ª Asunción Pupo e Hidalgo, D. Juan Rodríguez Fuentes, D. José Cuevas y Ferrer, D. José Coco y Pamías y D.ª Asunción Castillo Duharte.

Presos

El día 3 ingresaron en la Cárcel, sujetos a la jurisdicción de Guerra, Juana, Serafina y Filomena Pérez, José Garbey e Hilario Arias. Quedaron en libertad, horas después, las tres mujeres citadas.

Fallecimientos

Han fallecido en esta ciudad el día 3: D.ª Caridad Palacios Hernández, D. Juan Antonio Bestard y Romeu, D.ª Prudencia Casamor, D.ª Agustina Sánchez de Darger y D.ª Agustina Rodríguez.

Nota oficial

El E. M. de la Plaza facilita a la prensa la siguiente nota:

«Día 4 de mayo.—Un grupo insurrecto atacó ayer el poblado del Socorro, sin novedad.—Fuerzas de la Zona de Cuba causaron en una emboscada dos muertos al enemigo.»

Fallecimientos

El 4 han muerto en esta ciudad: D. Antonio Lamot y Auty, D. Gregorio Limonta, D. Joaquín Castillo y Rizo, D.ª Juana Menina y D. Prudencio Danguillecourt.

El Parlamento Insular

(Día 4).—Se verifica en la Habana la solemne apertura del Parlamento Insular. El gobernador y capitán general Blanco, vistiendo el uniforme de gala, luciendo infinitas condecoraciones y acompañado de un numeroso y brillante Estado Mayor, salió de Palacio a caballo. La carrera estaba cubierta por las fuerzas de la guarnición. Fue recibido con los honores debidos a su alta jerarquía. Después de la lectura del Mensaje que dirigió a las Cámaras, volvió a Palacio con el mismo ceremonial, siendo saludado a la entrada y a la salida con una salva de trece cañonazos. A esta sesión inaugural asistieron muchas damas.

Otro desembarco frustrado

(Día 4).—En la tarde de hoy tres barcos americanos intentan un nuevo desembarco entre Baracoa y Banes, Pinar del Río, frente al ingenio «Garro». Las tropas que cubrían la costa obligaron con sus fuegos a reembarcar a los desembarcados. Dijo la prensa que los españoles tuvieron tres heridos y dos caballos muertos.

Fallecimiento

(Día 5).—En la tarde de hoy pasó a mejor vida la respetable matrona señora D.ª Magdalena Nariño y Limonta, viuda de Griñán. Los pobres han perdido con su sentido fallecimiento un alma caritativa y generosa que siempre supo consolarles con sus dádivas y sus palabras.

Fallecimientos

El día 5 fallecieron: D.ª Cecilia Taquechel y Maroto, D.ª Eva Duque de Estrada y Batlle y D. Abrahán Toledano.

Reforma de la Constitución Colonial

(Día 5).—El presidente del Consejo de Secretarios, D. José María Gálvez, antes de la sesión de este día, reunió a la mayoría de la Cámara de Representantes y le hizo la declaración de que si el gobierno que él preside ha de continuar en el poder, mantendra íntegro el programa del Partido Autonomista, y como parte del mismo la reforma de la Constitución Colonial, llegando a todos los radicalismos, sin otro límite que el mantenimiento de la soberanía de España.

Consejo de Administración

(Día 5).—El Excmo. Consejo de Administración celebró sesión también, actuando como presidente de edad D. José de Cárdenas y Gassié y como secretario D. Juan Valdés Pagés. Resultó elegida la Mesa interina siguiente: Presidente, D. José Bruzón. Vicepresidentes: 1.º, D. Cándido Zabarte; 2.º, D. Francisco Salaya; 3.º, D. José de Cárdenas y Gassié, y 4.º, D. Antonio Quesada. Secretarios: 1.º, D. Francisco Casuso; 2.º, D. Julián Solórzano; 3.°, D. Manuel Hierro y Mármol, y 4.°, D. Manuel Rodríguez San Pedro.

También fue elegida la siguiente:

Comisión de Actas.—D. Cándido Zabarte, D. Carlos Saladrigas, Marqués de Esteban, D. José de Cárdenas y Gassié, D. Ricardo Galbis, D. Anselmo Rodríguez y D. Antonio Quesada.

Cámara de Representantes

(Día 5).—Celebra sesión la Cámara de Representantes, bajo la presidencia de edad de D. Calixto López, y se procede a elegir la Mesa interina y las Comisiones. El resultado fue el siguiente:

Presidente: D. José Antolín del Cueto y Pazos.

Vicepresidentes: 1.°, D. Rafael García Marqués; 2.°, D. Carlos Smith; 3.°, D. Antonio Mesa y Domínguez, y 4.°, D. Fernando Reynoso.

Secretarios: 1.°, D. Manuel Francisco Lamar; 2.°, D. Rafael Martínez Ortiz; 3.°, D. Francisco Javier Pérez de Acevedo, y 4.°, D. Manuel Alvarez Ruellan.

Comisión de Actas.—D. Calixto López, D. Alvaro Ledón, don Mariano C. Artiz, D. Fermín Goicoechea, D. Francisco Arencibia, D. Máximo Abaunza y D. Antonio Porrúa.

Comisión de Incompatibilades.—D. Rafael F. Rojas, D. Miguel Viondi, D. Rosendo Fernández, D. Alejandro Neyra, don Luis Perná Salomé, D. Enrique Novo y D. Lorenzo D. Beci.

Las actas de las provincias de Santiago de Cuba y de Puerto Príncipe no se recibieron ni los electos pudieron ir a la capital a consecuencia del bloqueo. Uno de los representantes elegidos por esta circunscripción fue el Lic. D. Manuel Yero Sagol, secretario de la Alcaldía Municipal, que se hallaba en este caso.

El Parlamento Insular

«Gobernador General de Cuba al Ministro de Ultramar.—Mayo 5.—Presidente Consejo Secretarios me ruega diga a V. E. lo siguiente: Con vivísima satisfacción tiene honor Gobierno Colonial participar a V. E. apertura Parlamento Insular, con asistencia gran mayoría electos.—Acto revistió gran solemnidad.—*Blanco.*»

«El Fomento»

(Día 6).—Desaparece del estadío de la prensa el semanario dominical *El Fomento,* que se editaba en la imprenta de D. Juan E. Ravelo.

Ascensos

(Día 6).—Han sido ascendidos: a tenientes generales los de división D. Arsenio Linares Pombo y D. Adolfo Jiménez Castellanos y de Tapia, y a generales de brigada los coroneles D. Juan Tejeda y Valera, D. Ramiro Bruna y García-Suelto y D. Julio Alvarez Chacón.

Quemada

(Día 6).—La morena D.ª Regina Ferrer, de 17 años y vecina de Pizarro, núm. 3, se quemó al inflamarse una lámpara de petróleo. A las diez de la noche fue conducida al Hospital Civil en estado grave, falleciendo tres días después.

Telegrama oficial

(Día 7).—La prensa local publicó el siguiente:

«A las nueve de la mañana del día de hoy y persiguiendo a una goleta pescadora, dos cruceros americanos acercáronse a la Chorrera (Habana), y entonces las baterías del Vedado hicieron fuego, viéndose claramente que una granada cayó sobre la cubierta de uno de los cruceros y otra destrozó la chimenea y palo del otro, retirándose ambos con verdaderas y grandes averías.—La goleta se salvó entrando en puerto.—En aguas de Cárdenas se han encontrado muchos restos del crucero americano *Cincinati,* allí naufragado.—Ayer tres barcos americanos dispararon sobre Matanzas sesenta cañonazos, sin que consiguieran hacer daño alguno.»

El «Polaria»

(Día 7).—Debido a las gestiones del gobierno de su nación, entró en este puerto el vapor alemán *Polaria,* capitán Schaarschundt, con 34 tripulantes y carga general consignada a los señores Schumann y C.ª Trae 14.000 sacos de arroz, que debía desembarcar en la Habana y que dejará en este puerto por estar aquél bloqueado. Este arroz fue el que salvó a la ciudad.

Parlamento

(Día 9).—En la Habana un cañonero americano se acercó enarbolando bandera de parlamento.

Dijo la prensa que: «El general Blanco ordenó que salieran el jefe del Estado Mayor del Apostadero D. José Marenco y el coronel de Estado Mayor D. Arturo González Gelpí acompañados del Cónsul inglés.

El Comandante del buque americano manifestó que su misión era convenir con el Gobernador General en el canje de prisioneros.

El general Blanco se negó a conferenciar con él, pero aceptó los pliegos de que era portador, manifestando al Comandante americano que haría saber su resolución después de haber consultado el asunto a Madrid.»

Fallecimientos

En los días 7 y 8 fallecieron en esta ciudad: D. José Rodríguez Alberto, D. Eusebio Badell y Lara, D.ª Domitila Quevedo Gómez, D. Nicomedes Ferrer y D. Timoteo Díaz.

Presos

El día 8 ingresan en la cárcel, a disposición de la autoridad militar, Isidro Castellanos, Severino Bravo y José Caballero.

Ascensos militares

(Día 9).—Han sido ascendidos en esta plaza, en el Cuerpo de Ingenieros, a segundos tenientes de la escala práctica los sargentos D. Gabriel Cañamares, D. Manuel Caballero, D. Emilio Angosto y D. Manuel Santos.

Nota oficial

La Bandera Española del día 9 publica la siguiente nota:

«Hoy tres cañoneros nuestros con sus certeros disparos después de media hora de fuego, impidieron que un torpedero americano forzase el canal de Cárdenas.»

Fallecimientos

El 9 han dejado de existir en esta ciudad: D. Victoriano Justo y Torres, D.ª Petronila de la Cruz, y D.ª Gregoria Jaén y Soler.

Fallecimientos

El día 10 han muerto en esta ciudad: D.ª Juana Díaz, D.ª Francisca García y D. Clemente Díaz.

Canalejo

(Día 10).—Fallecimiento del Sr. D. Antonio María Canalejo de Mena, teniente coronel graduado, comandante del Cuerpo de Estado Mayor de Plazas, retirado. Sus funerales se celebraron al día siguiente en la parroquia castrense de Dolores y fue sepultado con los honores militares correspondientes.

Fallecimiento

(Día 10).—Ocurre en esta ciudad el sentido fallecimiento de D. Tomás Abreú y Delmonte, natural de Santo Domingo, a edad bastante avanzada. El extinto sirvió en el cuerpo de Voluntarios desde su fundación hasta que sus años le impidieron continuar en el mismo. Se hallaba en posesión del empleo de segundo teniente y fue enterrado con los honores de Ordenanza.

Nota oficial

El E. M. de la División facilita a la prensa la nota siguiente:

«Día 11 de mayo.—La columna de Asia al mando del coronel Aldea, en reconocimientos practicados desde el campamento de Monte Real por las estribaciones de la Sierra Maestra, sostuvo diferentes combates con la partida de Cebreco los días 9 y 10 del actual, tomándole varias trincheras y campamentos en la Loma del Yarey.—El enemigo tuvo 10 bajas y la columna un oficial y cuatro individuos de tropa heridos.»

Fallecimientos

Han ocurrido en esta ciudad, el día 11, los fallecimientos siguientes: D.ª Armanda Desvigne y Ferrer, D. Sebastián Giró e Ibarra, D.ª Bibiana Ruiz, D.ª Belén Pérez Peralta, Srta. doña América Fornaris y Trujillo y D.ª Josefa de las Cuevas, viuda de Salazar.

Ayuntamiento

En la sesión del 11 celebrada por el Excmo. Ayuntamiento, quedó enterado el Consistorio del nombramiento de D. Gabriel Ferrer y Somodevilla para primer teniente de Alcalde, y propuso en terna dicha Corporación al Gobierno General para segundo teniente de alcalde a D. Rafael P. Salcedo y de las Cuevas, D. Ricardo Valiente y Corona y D. Daniel Gramatges y Molina.

Por renuncia de D. Rafael Sierra y Villalón, se propone en terna para la plaza de vocal de la Junta Local de Primera Enseñanza a D. Antonio Gutiérrez y Hernández, D. Juan Estenger y Droin y D. Angel Messa y Caula.

Se confirmó el nombramiento de D. Francisco Reco para escribiente de la alcaldía de Barrio de la Catedral, por renuncia de D. Facundo Portuondo.

La Escuadra de Cervera

(Día 11).—De orden del almirante Cervera, el capitán de navío Villaamil se adelanta a Fort de France (Martinica) con los destructores *Terror* y *Furor,* con objeto de ver si podía obtener noticias de la flota americana y permiso para entrar toda la escuadra a hacer carbón y víveres; continuando dicha escuadra, entre tanto, a marcha lenta con dirección al expresado puerto. Al amanecer encontró la escuadra al *Terror* solo, sin poder navegar por habérsele quemado las calderas. Poco después se incorporó Villaamil con *El Furor* trayendo noticias, entre ellas la de que el Gobernador de la Martinica no permitía que en Fort de France se hiciera carbón, pero sí víveres, y que un crucero americano había dado caza al *Furor.* De ocuerdo con sus capitanes de navío, Cervera ordenó arrumbar a Santa Ana de Curazao en busca de carbón. En Fort de France quedó el *Terror* para arreglar sus calderas.

A las ocho de la noche regresaron el *Conde de Venadito* y el *Nueva España* al puerto de la Habana, siendo objeto de una inmensa ovación.

El públicó presenció desde el litoral el combate haciendo luego una manifestación entusiasta a los marinos.

El general Blanco se hallaba en la batería de la Punta presenciando el combate.»

La Escuadra de Cervera

(Día 14).—A las siete de la mañana, se adelantan los destructores *Plutón* y *Furor* al resto de la escuadra en demanda del puerto de Santa Ana de Curazao. Al llegar la escuadra a la vista del puerto, halló a los dos destructores detenidos fuera de la boca, y le comunicaron que el Gobernador de dicha isla sólo concedía permiso a dos cruceros para entrar en puerto y hacer víveres y carbón. Entraron en puerto el *Infanta María Teresa* y el *Vizcaya,* quedando fuera el *Almirante Oquendo,* el *Cristóbal Colón,* el *Plutón* y el *Furor.* Con la intervención del Cónsul de España, pudo Cervera comprar 600 toneladas de carbn, únicas disponibles que había, pero con la condición de que no debía permanecer en puerto más de 48 horas. En la tarde del 15, salió Cervera con los dos cruceros a incorporarse con los demás buques que se hallaban fuera del puerto, abandonando unas cuantas barcazas llenas de carbón y víveres, porque el día anterior después del anochecer supo que durante las horas de la noche quedaba el puerto materialmente cerrado con un puente levadizo, y no quiso pasar una segunda noche separado del resto de su escuadra. Arrumbó a este puerto de Santiago de Cuba suponiéndolo abastecido de carbón y víveres y bien defendido.

Fallecimientos

En los días 14 y 15 han fallecido: D.ª María Hernández, doña Encarnación Salazar, D. Salustiano Díaz Suasno, D.ª Venancia Martí, D.ª Juana Jaén, D.ª Ana Torres y D. Ignacio Miranda.

«Charles H. Brown»

(Día 15).—Entra en puerto, procedente de Kingston, Jamaica, la goleta inglesa *Charles H. Brown,* de 64 toneladas y 8 tripulantes, consignada a los Sres. Broocks y Cía. Trajo la carga siguiente: 33 tabales, 149 cajas y 35 medias cajas bacalao; 20 barriles carne puerco; 76 cajas papas; 20 cajas cebollas; 150 barriles harina; 2 barriles chícharos; 1 casco jamón; 19 y medio barriles carne; 76 barriles ñames; 19 barriles boniatos; 10 barriles frijoles colorados; 1 barril frijoles blancos; 13 cajas y 15 cuñetes manteca.

PARA EL RANCHO DE LOS TRIPULANTES: 701 libras carne; ¾ barriles papas, 50 libras pescado, 52 libras arroz, 12 libras frijoles, 10 libras mantequilla, 6 libras manteca, 18 libras azúcar, 8 libras café, ¾ latas aceite kerosine, ¾ aceite comer, 90 libras harina, ¾ barriles galletas, 10 latas mixtas, 5 latas leche, 1 lata polvos levadura, 1 caja mostaza, 2 paquetes macarelas, 2 barriles jamón, 4 cajas sirope, 10 cajas sal, 4 cajas cebollas, 7 botellas Whiskey, una botella ron, 4 barriles ñames; un cerdo y una gallina.

Para lastre: 16 toneladas de hierro en trozos.

Su cargamento se vendió en el muelle a precios fabulosos y fue el último que entró en este puerto.

Muerto repentinamente

El domingo 15 falleció repentinamente en la plazoleta del Comercio, a las siete y media de la mañana, D. Manuel Linares (a) *El Catalán,* natural de Sevilla y como de 45 años de edad. Hacía poco tiempo estuvo en el Hospital Civil, y anteriormente a su enfermedad, se ocupaba en vender pan, con puesto fijo, en el Mercado de Concha de esta ciudad.

Fallecimientos

El día 16 murieron en esta ciudad: D.ª Manuela Alvarez, doña Irene Portuondo, D.ª Caridad Cabrera, morena, de 150 años, don Manuel López González, D.ª Modesta Rodríguez, D.ª Guadalupe Miyares, y D.ª Victoriana Morlote.

Cárcel

El 16 por la tarde, los presos de la cárcel de esta ciudad dieron rabiosos gritos de ¡Hambre! ¡Hambre!, por no habérseles suministrado en cada comida más que onza y media de pan y un mal rancho sin carne.

Nota oficial

El E. M. de la Plaza facilita a la prensa, que la inserta hoy 16 la siguiente:

«Día 16.—La columna del Batallón de Asia al mando del coronel D. Federico de la Aldea en el día de ayer batió grupos enemigos en Turquino, Casoto, Maniel y San Juan de Wilson desalojándole de sus posiciones, y haciéndole dos muertos y cogiéndoles dos caballos, dos acémilas y cinco machetes.

De nuestra parte dos heridos de tropa por bala explosiva.»

El Gabinete Colonial

(Día 16).—El Gobernador General publica un decreto ratififando en sus cargos a las mismas personas que interinamente venían desempeñando las carteras del Consejo de Secretarios.

Combate naval en Caibarién

La prensa del 16 publicó este telegrama:

«Un buque americano se acercó a Caibarién, saliendo a su encuentro los cañoneros *Hernán Cortés* y *Valiente* y las lanchas *Intrépida* y *El Cauto*.

Oyéronse después cañonazos, la guarnición y el pueblo con mucho entusiasmo.»

El «Polaria»

El Gobierno americano concede al vapor alemán *Polaria* la entrada en la Habana a condición de que sólo puedan embarcar extranjeros. El consignatario ha protestado.

El Gobierno Insular

Ha sido nombrado el Gobierno Autonómico, siendo elegidas las mismas personas que lo componían, el miércoles prestarán juramento; las Cámaras Insulares reanudarán sus tareas el viernes.

Desertores

El *Boletín Oficial* está lleno de edictos por los cuales se llama y emplaza a muchos soldados y guerrilleros desertores. Cada día aumenta el número de ellos que, sin duda, ven que les aguarda un fin nada lisonjero si continúan en las filas españolas.

El «Adula»

(Día 17).—En la mañana de hoy toma puerto el vapor inglés *Adula,* de 771 toneladas gruesas y 371 netas, capitán A. Walter, en lastre, consignado a los Sres. Badell y Cía. Procede de Kingston, Jamaica.

Otro nido de insurrectos

Con este epígrafe dijo *La Bandera Española* del 17:

«Noticias llegadas de Jamaica dan cuenta del recibimiento tributado en Puerto Antonio a los pasajeros que conducía el vapor alemán *Remus,* que hace días zarpó de este puerto, acusando la presencia en dicha ciudad de un centro filibustero formado en su mayoría por yankees, ayudados activamente por desgraciados cien veces más miserables que ellos, y que tienen de españoles lo que tuvo Judas de Apóstol después del beso.

A la llegada de dicho barco, un grupo formado en su mayor parte de los que no teniendo ni siquiera el valor que se necesita para defender sus ideas con las armas en la mano, encuentran más cómodo atizar desde lejos el fuego para sacar las castañas con ajenas manos, una vez que estén asadas; empezaron a dar gritos y vivas a Cuba libre y a los que huían del ominoso yugo español.

La Comisión de recibo, presidida por un ex-cónsul americano en Cuba, tenía preparado un desayuno que había de convertirse en merienda, pues dificultades sanitarias impidieron el desembarque del pasaje hasta las cuatro de la tarde.

No dudamos de que algunos recibirán hasta con alegría el antipatriótico agasajo, pero no faltaría entre el pasaje quien devorando en silencio la rabia que le produciría el más execrable desprecio hacia los que sólo validos de la impunidad, se atreven a insultar a nuestra querida patria y desde el fondo de su alma jurarían una vez más morir por ella.»

Fallecimientos

El 17 pasaron a otra vida: D. Domingo Betancourt, D.ª María Vicenta Gerbey, D. Juan Danger Sánchez, D.ª Rafaela Céspedes y Ramos, D. Gregorio Paz, D.ª Juana Alea y Pereira y D. Cayetano Salazar.

Voluntarios

El 17 es ascendido a comandante del segundo Batallón de Voluntarios D. José Cuevas y García, del comercio de esta plaza y presidente del «Círculo Español».

La Escuadra de Cervera

«El Gobernador General de Cuba al Ministro de Ultramar.—Habana, 17 de mayo de 1898.—(Descifre V. E. por sí mismo).—Interrogado por mí general Marina si había recibido noticias situación escuadra, me dice recibido de Puerto Rico telegrama cifrado y reservado, manifestando se dirige telegrama a Fort de France diciendo al general de nuestra escuadra se amplían sus instrucciones para que, si no puede operar aquí con éxito, pueda regresar Península; y como de acontecer esto, la situación aquí sería de todo punto insostenible y no me sería posible evitar una revolución sangrienta en esta capital y en toda la Isla, donde están ya los ánimos extraordinariamente excitados con la tardanza de la escuadra nuestra, ruego a V. E. me diga si es cierta la citada orden retirada a la Península, y caso de serlo, medite el Gobierno la gravísima trascendencia de ese acuerdo, que podría ser causa de una página de sangre y de baldón, derrumbándose nuestra historia, y de la pérdida definitiva de esta Isla y de la honra de España. Si nuestra escuadra es batida, aumentará aquí la decisión para vencer o morir; pero si huye, el pánico y la revolución son seguros.—*Blanco.*»

El «Adula»

(Día 18).—A las cuatro y media de la tarde, zarpó de este punto con dirección al de Kingston, Jamaica, el vapor inglés *Adula,* entrado ayer, conduciendo pasajeros, que emigran huyendo a las contingencias de la guerra. Un furioso y largo aguacero despidió a los fugitivos.

Vinent y Navarro

El 18 parte para Kingston, en uso de licencia por enfermo, el Ilmo. Sr. D. Juan Antonio Vinent y Kindelán, secretario del

Gobierno Regional y Provincial. Se hace cargo interinamente de la Secretaría el oficial primero D. Angel A. Navarro y Villar.

Voluntarios

El 18 fueron nombrados, en el segundo Batallón de Voluntarios, capitán de la octava compañía D. Juan Artigas, segundos tenientes D. Mariano Planas y Tur, D. Jaime Vidal y D. José Cuevas hijo, y ascendidos a primeros tenientes los segundos don Agustín Giral, D. Joaquín Valls, D. Valentín Valls y D. José Gorgas.

Enemigo al frente

La Bandera Española del 18 dice:

En la mañana de hoy han aparecido al frente del Morro dos buques americanos.

Desde el instante en que el vigía los señaló los habitantes de esta ciudad han sufrido varias sensaciones. Para unos, para los leales a la causa española, por ejemplo, que es también la causa cubana, pues incontrovertible la idea de que Cuba y España deben permanecer estrechamente unidas, mientras que Dios no disponga otra cosa, sintieron que era llegado el momento de demostrar que no somos inferiores a los españoles de Cárdenas y de Matanzas y que estamos dispuestos a recibir a los que intentan profanar nuestro suelo, como ellos se merecen, con la boca de los cañones y la punta de las bayonetas.

Para los que, ¡desgraciados!, sienten simpatías por los yankees y aun se imaginan que éstos son tan buenos, tan campechanos y desprendidos que se están dejando matar para asegurar su independencia por puro cariño y amor a la humanidad, recibieron sin duda un alegrón porque dirían: «ya están ahí los barrenderos que vienen a limpiar el suelo de Cuba de españoles que nosotros no hemos podido barrer en tres años de lucha». ¡Cuántas ilusiones desvanecidas!

El chino viejo ya está viendo claro a pesar de sus años y dice que eso de que él trabaje para el inglés no le tiene cuenta, porque si ahora que necesitan los yankees de su auxilio le tratan con tanto desdén, cuando ellos puedan gallear le despedirán a puntapiés.

El Dr. Betances, por su parte, dice desde París que para que otros vengan con sus manos lavadas a fumarse la breva, después de haber ellos preparado el semillero, sembrado el tabaco, cultivado y elaborado, no es negocio y prefiere una transacción honrosa y satisfactoria, porque más vale ser ciudadano español bajo el régimen establecido que permite la administración de los intereses regionales que no ser nadie bajo el yugo americano.

Por otra parte, allá en Europa han fijado la vista los políticos en el horizonte de Cuba y se está formando una nebulosa alrededor de la cuestión hispano-americana que puede acarrear serias complicaciones.

Mientras tanto estamos aquí preparados para cumplir como buenos, para hacer frente a los enemigos con la decisión y el valor de los espartanos. Que vengan cuando quieran y como quieran, aquí estamos para recibirlos.

ULTIMA HORA.

LOS BUQUES AMERICANOS.

Los que aparecieron en la mañana de hoy frente al Morro son un vapor al parecer mercante, de dos chimeneas y armado en guerra, y otro pequeño como torpedero. Los dos buques estaban separados a gran distancia, y la batería del Morro disparó un cañonazo sin bala para que el otro se acercara, lo efectuó.

Después de mediodía, habiéndose acercado los dos buques, la batería de Punta Gorda disparó quince tiros con granada habiendo tocado una de éstas a la proa de uno de los buques americanos.

El Excmo. Sr. Comandante General de la División desde que aparecieron los buques se trasladó con su Estado Mayor a las baterías del Morro en las que permanece a la hora en que escribimos.

Tenemos entendido que los fuegos de la batería de Punta Gorda fueron dirigidos por el Sr. coronel Ordóñez.

A la hora de entrar en prensa el periódico continúan los buques americanos a la vista fuera de tiro de nuestras baterías.

El Gobernador de la Plaza, Excmo. Sr. D. José Toral, no ha descansado un momento dictando disposiciones e inspeccionando el movimiento de fuerzas en estas circunstancias.»

Los citados barcos eran el *Saint Louis* y el *Wompatuk* que trataron de rastrear y enganchar el cable. Después del mediodía se dirigieron a Caimanera y, según los españoles, el cañonero *San-*

doval los *persiguió...* Mucha despreocupación se necesita para decir eso.

El «Fulton»

El día 18 entró en este puerto el crucero francés *Fulton,* a las 4 y media de la tarde. Salió llevando para la Martinica parte de la colonia francesa.

Alvarez y Carbó

El 18 se le aceptó la dimisión de la plaza de capellán del Hospital Civil al Pbro. D. Severino Alvarez y Pais, y se nombró en su lugar al Pbro. D. José Joaquín Carbó y Serrano.

Fallecimientos

En los días 18 y 19 han fallecido: D. Pedro Zaparte y Zaparte, D. Basilio Heredia y Chacón, D.ª Josefa Navarrete y Despaigne, D.ª Clara Calbosa, D.ª María Quida Acosta, D.ª Micaela Portuondo y D. Alfonso Pérez.

La Escuadra de Cervera

(Día 19, jueves).—Al despuntar el día, el semáforo del Morro divisó una escuadra compuesta de cinco buques, transmitió la señal de «escuadra a la vista» al vigía del Centro y éste al de la Aduana. En un principio se creyó que fuera enemiga, pero cuando se acercó más y enarbolaron sus unidades la bandera española, fue reconocida por el vigía del Morro que transmitió la señal correspondiente y lo comunicó por teléfono. La circunstancia de ser día de fiesta oficial, la Ascensión del Señor, hizo que acudiera a la Marina buen golpe de gente. Al pasar por entre el Morro y la Socapa el *Infanta María Teresa* con la insignia de «Comandante General a bordo», el crucero *Reina Mercedes,* que estaba acoderado junto a la Socapa, le hizo la salva de Ordenanza. La música del barco insignia ejecutó la Marcha Real y la marinería, subida a las vergas vitoreó a España. Entraron y fondearon los cuatro cruceros y un destructor, a las siete de la mañana, y el otro destructor a las diez y media. Todas las autoridades acudieron a bordo, así como los elementos políticos y sociales, para dar la bienvenida a los marinos de la flota recién llegada. Esta división naval viene mandada por el Excmo. Sr. contralmirante D. Pascual Cervera y Topete. Es segundo jefe de ella el Excmo. Sr. capitán de navío de primera clase D. José de Paredes. Manda la escuadrilla de destructores el capitán de navío D. Fernando Villaamil, diputado a Cortes. Y es jefe de E. M. de la misma escuadra el capitán de navío D. Joaquín Bustamante y Quevedo.

Las unidades que la componen son:

Crucero acorazado *Infanta María Teresa,* al mando del capitán de navío D. Víctor M. Concas y Palau, con la insignia de Contralmirante. Desplaza 7.000 toneladas; monta dos cañones González-Hontoria, de 28 centímetros; una batería principal de 10 cañones de 14 centímetros, del mismo sistema, montada en cubierta; una batería baja de ocho cañones Nordenfeldt, de 57 milímetros y ocho cañones revólveres Hotchkin de 37 milímetros.

Crucero acorazado *Almirante Oquendo,* al mando del capitán de navío D. Juan B. Lazaga, del mismo tipo y armamento que el anterior.

Crucero acorazado *Vizcaya,* al mando del capitán de navío don Antonio Eulate, igual también a los anteriores.

Crucero acorazado *Cristóbal Colón,* al mando del capitán de navío D. Emiliano Díaz Moreu con la insignia del general segundo jefe de la escuadra. Este buque no trae sus cañones grandes. Tiene una batería de 10 cañones de 15 centímetros Armstrong, seis de 12 centmetros y diez de 57 y 37 milímetros.

Destructor *Furor,* de 380 toneladas, al mando del teniente de navío D. Diego Carlier.

Destructor *Plutón,* de 420 toneladas, al mando del teniente de navío D. Pedro Vázquez.

El entusiasmo y el júbilo de los españoles es indescriptible. Todo el día ha sido visitado la Marina y el Paseo de la Alameda por mucha gente que quiere convencerse por sus propios ojos. Por la tarde la gente pasea en botes alrededor de la escuadra.

En esta fecha, el almirante Cervera participa por cable su arribada a este puerto con la escuadra de su mando al Ministro de Marina, al Gobernador y Capitán General de la Isla y al Comandante General del Apostadero.

Capriles

(Día 19).—Le ha sido aceptada la dimisión al Ilmo. Sr. don Enrique Capriles y Osuna del cargo de gobernador de esta región y provincia, que la tenía presentada desde que los E. U. declararon la guerra a España, y que a la llegada a este puerto de la escuadra de Cervera la ha reiterado y ha pedido su incorporación a dicha flota como teniente de navío de primera clase que es. Se le autorizó para que embarcara de transporte en el *Vizcaya.*

Ros

El mismo día 19 es nombrado el alcalde municipal, Excmo. Sr. D. Leonardo Ros y Rodríguez, gobernador de la Región Oriental y de la Provincia de Santiago de Cuba.

Ferrer

El propio día 19 fue nombrado el primer teniente de alcalde D. Gabriel Ferrer y Somodevilla, alcalde municipal de este término y presidente de su Excmo. Ayuntamiento.

Alumbrado

El 19 D. Luis González, contratista del alumbrado de gas, anuncia, que del 20 al 25 del actual mes cesará de suministrar dicho servicio por falta de materia prima (petróleo crudo) para elaborar el fluido. Como también escasea la luz brillante, y están caras las velas, la ciudad está amenazada de quedar pronto en tinieblas.

Nombramientos mambises

(Día 19).—El Consejo de Gobierno de la República en armas, en sesión de este día, aceptó la renuncia al Dr. Fermín Valdés Domínguez de la Subsecretaría de Relaciones Exteriores, y nombró para la misma al Dr. Eusebio Hernández. Y también aceptó la que presentó el general Mario García Menocal de la Subsecretaría de la Guerra, y nombró para la misma al coronel Rafael Manduley y del Río.

La Escuadra de Cervera

(Día 20).—El almirante Cervera dijo por cable al Comandante General del Apostadero lo siguiente:

«Estos buques necesitan recorrer la máquina. Desconozco composición de las escuadras enemigas y distribución de sus demás fuerzas navales cuyas noticias agradecerá a V. E.—También suplico a V. E. que me diga si ha recibido municiones de 14 u otros pertrechos para esta escuadra y si Cienfuegos tiene recursos y comunicación por tierra con esa capital. Me parece que hace falta enviar enseguida aquí carbón y muchos víveres. Agradecemos mucho la felicitación de V. E. y personal de ese Apostadero.»

Al comandante del *Terror* que le cablegrafiaron desde Fort de France participándole haber concluido la composición de las calderas, le contestó que cuando pudiera salir con relativa seguridad, lo hiciera para Puerto Rico, pero advirtiéndole que en Saint Thomas había buques enemigos apostados para perseguir al *Terror* y al trasatlántico *Alicante* que también estaba en Fort de France.

Manifestación a la Escuadra

(Día 20).—Desde las seis y media de la tarde todos los comercios se cerraron, y a las siete, reunidos todos los elementos españoles, sin distinción de categorías, en la Plaza de Armas, partió del frente del «Círculo Español» la gran manifestación patriótica es honor de los marinos de la escuadra de Cervera. Recorrió las calles de Santo Tomás, Marina, Cristina, Enramadas y Santo Tomás hasta frente al «Círculo Español» donde se disolvió. Hubo derroche de entusiasmo, vítores, aplausos y brindis. Son muchos los que se extrañan de que la escuadra no salga a levantar el bloqueo de la Habana y otros puertos de la Isla.

Fallecimientos

El 20 murieron en esta ciudad: D.ª Petronila Sosa y Plana, D.ª Juana Acosta Martín, D.ª Juana Alvarez y D. Eusebio Pérez.

El bloqueo

(Día 21).—Se presenta a la vista un buque que traía rumbo del Sur, según señaló el vigía del Morro, desapareciendo luego en dirección Oeste. A las diez y media de la noche, un telefonema del Morro avisó que dos barcos rompieron fuego sobre Punta Cabrera por espacio de quince minutos. Los disparos fueron diez. En ese punto se hallan fuerzas del primer Batallón del Regimiento de Asia núm. 55, al mando de su coronel D. Federico de la Aldea y Gil de Aballe.

Banquete a la Escuadra

(Día 21, sábado).—Con el título del margen publicó *La Bandera Española,* del lunes 23, lo siguiente:

«El sábado a las ocho de la noche tuvo efecto un espléndido banquete en el Círculo Español en obsequio del Excmo. Sr. Almirante de la Escuadra, segundo Jefe de la misma y comandantes y oficiales de los buques que la componen.

El aspecto que presentaban los salones del Círculo, iluminado a *giorno* era sorprendente por la feliz disposición de un ornato severo nada profuso, adecuado a las circunstancias y al objeto a que se destinaba, destacándose de todos los adornos el hermoso escudo nacional aureolado de banderas.

A las ocho en punto la banda del Regimiento de Cuba situada en la Plaza de Armas frente al Círculo, hacía los honores a los excelentísimos señores General Jefe de la División y Arzobispo Metropolitano que entraron a los salones siendo recibidos por la Comisión. Pocos momentos después la música hacía iguales honores al Excmo. Sr. D. Pascual Cervera y Topete a su llegada.

El Almirante ocupaba el centro de la mesa teniendo a su derecha al Presidente del Círculo Español y a su izquierda al excelentísimo Sr. Gobernador Civil. El otro centro lo ocupaba el excelentísimo Sr. Arzobispo, teniendo a su derecha al Excmo. Sr. Teniente General D. Arsenio Linares y a su izquierda al excelentísimo Sr. General de División y Gobernador de la Plaza D. José Toral. Seguían por ambos centros su orden de preferencia el excelentísimo Sr. D. José Paredes, el jefe de la escuadrilla de torpederos D. Fernando Villaamil, los comandantes de los cuatro acorazados, y los oficiales de los mismos.

La mesa dispuesta con gusto, con elegancia, con verdadero deseo de que fuese digna de los obsequiados, porque en ello tuvieron singular empeño los capitanes de los vapores *México,* de la Trasatlántica, *Mortera,* de la Compañía de los Sres. Sobrinos de Herrera, y *Reina de los Angeles,* de la de Menéndez y Cía., que no queriendo ser menos tratándose de la Marina Española han contribuido generosamente poniendo a disposición de la Comisión sus mayordomos, sus camareros, sus cocineros y todos los elementos de que disponían, resultando de esta feliz conjunción de voluntades un servicio inmejorable y un orden digno de elogio.

El menú fue el siguiente:

Potage.—Printaniére.—Jerez.

Hors d'oeuvre.—Jambon glacé, Saucisson de Lyon, Olives farcies, Beurre glacé, Galantine truffée, Radis.—Jerez y Madére.

Poisson.—Pargo au gratin.—Rioja blanco.

Entrees.—Filet au madére, Poulet Marengo, Patés d'huitres. Rioja clarete.

Roti.—Roast-beef aux petit-pois, Salade russe.—Medoc, Español.

Dessert.—Flans vainille, Gélatine de fruits, Gáteaux genoise, Sorbets, Café, Liqueurs.—Dry, Champagne.

Durante la comida, la música del Regimiento de Cuba ejecutó lo más escogido de su repertorio.

Al servir el champagne inició los brindis el Excmo. Sr. Gobernador D. Leonardo Ros, haciéndolo por la Marina Española, por España, por el Rey y la Reina y por el éxito de la campaña.

Este brindis fue contestado por el almirante Cervera con frases llenas de entusiasmo y agradecimiento, por las demostraciones de afecto que recibía y brindó por el valiente y sufrido Ejército y sus dignos jefes que estando dando al mundo un ejemplo de abnegación y patriotismo sin límites.

El Excmo. Sr. general Linares correspondió a este brindis con otro enérgico, fogoso, entusiasta, inspirado en la fe que le anima de que con jefes tan ilustres como los que se hallan al frente de la Escuadra el triunfo no es dudoso, sino seguro, terminando el General en medio de aplausos estrepitosos.

El Sr. Aguirrezábal en nombre de la prensa de esta Capital cuya representación tenía como decano, en nombre de los Voluntarios y Bomberos y en nombre de la Comisión organizadora del obsequio y de las personas que a él contribuyeron pronunció un patriótico brindis.

El joven doctor, nuestro querido compañero Director de *La Integridad Nacional* D. Fernando Barrueco, brindó con frases elocuentes y abundante erudición, recordando las glorias nacionales, ensalzando las virtudes de S. M. la Reina y brindando por la Marina Española, por el Ejército, por todos los defensores de la Patria y terminando por un ¡viva España! que fue contestado por todos entre nutridos aplausos.

El Presidente del Círculo, D. José Cuevas, pronunció un expresivo brindis, manifestando lo mucho en que estimaba la honra que recibía la sociedad con la presencia de los ilustres marinos y reseñando la participación que había tomado la sociedad en todos los actos patrióticos que se han realizado moral y materialmente.

Con corona de brillantes puso término a los brindis el excelentísimo Sr. Arzobispo, pronunciando uno tan sentido, tan levantado, tan patriótico, que cada párrafo fue saludado con estrepitosos aplausos y con frenéticas aclamaciones al final.

Al levantarse de la mesa el Excmo. Sr. General Paredes expresó la seguridad, la convicción firmísima que abrigaban los tripulantes de la Escuadra en que su digno jefe Sr. Cervera había de conducirlos a la victoria.

Después de un momento de descanso se retiraron SS. EE. con los mismos honores que a su llegada y no quedó ya más que el recuerdo de las gratas horas que allí se pasaron embargados todos los corazones por el sentimiento dulcísimo de la patria.

A las numerosas señoras que asistieron a presenciar el banquete se les obsequió por la comisión con dulces, helados y vinos.

La Plaza de Armas estaba llena de curiosos espectadores y por todas partes se notaba gran animación y concurrencia.»

Nota oficial

El E. M. de esta División suministra a la prensa la nota siguiente:

«Día 21.—Ayer mañana se presentó enemigo de alguna consideración frente a Palma Soriano, orilla opuesta del Cauto, haciendo uso de un cañón de tiro rápido de cuatro centímetros y 31 disparos, acompañado de fuego de fusilería durante todo el día, causando un herido grave, voluntario de la localidad.—Guarnición desde trincheras le obligó a retirar a los altos de Cuchillas.»

Ahogado

El día 21, como a las siete y media de la noche, se arrojó al agua desde el muelle de San José un moreno como de 90 años de edad, habiendo aparecido en la madrugada de hoy su cadáver a flor de agua.

No ha sido posible averiguar su nombre ni familia, habiéndose hecho cargo la Comandancia de Marina de la formación de las correspondientes diligencias.

Supresión de las regiones

El día 21 dispuso el Gobernador General, de acuerdo con el parecer del Consejo de Secretarios, el cese de la división del territorio de esta Isla, en tres regiones y la supresión del Consejo General de Administración y de los Consejos Regionales.

En lo sucesivo no habrá más gobernadores que los de provincia, todos con idénticas facultades.

Manterola a Cervera

El comandante general del Apostadero, contralmirante Manterola, contesta al contralmirante Cervera lo siguiente:

«Habana, 21 mayo 1898.—Guantánamo, La Mulata, Cárdenas, Matanzas, Mariel y Nipe tienen torpedos Bustamante, el último dudoso. Cienfuegos y Habana torpedos eléctricos.»

«Cienfuegos tiene recursos y comunicaciones por tierra con esta capital. Anticipo esto y mañana satisfaré demás preguntas.»

«Las fuerzas enemigas se componen de siete cruceros, y son: *Brooklyn, Massachusetts, Minneapolis, Columbia, New York, Indiana, Iowa* y *Oregón.* Próximo a llegar dos de 6.000 toneladas que son *Texas* y *Puritan,* cinco de tres a cuatro mil, siete de una a dos mil, seis torpederos de 127 a 180 y algún más crucero que se han visto sobre Habana y Cienfuegos. Además crecido número de remolcadores y transportes, mejor o peor armados, pero de buena marcha, número que se hace pasar de 60, sin que me sea posible negar o afirmar.—Ahora tenemos frente al puerto, crucero *New York* e *Indiana, Puritan* y otros cinco cruceros, seis cañoneros y dos avisos.—Sólo hay depósito 150 cargas cañones 14 centímetros, 25 medias cargas de 28. Tres cajas estopines para el *Vizcaya.* En 1.º de abril dije al Ministro con clave A B 0553: "De los 55 buques que componen esta escuadra, 32 son lanchas de auxilio, poco útiles aún para la policía de la costa, referida solo a las expediciones filibusteras; los dos cruceros están completamente inútiles, *Alfonso XII* sin movimientos propios. *Reina Mercedes,* de sus 10 calderas, siete inútiles y tres poco menos. *Marqués de la Ensenada, Isabel II* y *Venadito,* sólo este último navega, los otros no pueden moverse en un mes. *Magallanes* tampoco puede encender los fuegos, los cañoneros convertidos en cruceros, para lo que no fueron construidos, han perdido su marcha, que constituye su primordial defensa. Transporte *Legazpi* andar máximo siete millas. De los cañoneritos de Inglaterra, creo excusado decir nada a V. E."—Visto *Reina Mercedes,* dará idea de mis fuerzas. *Infanta Isabel* y *Marqués de la Ensenada,* quadarán listos breves días; los cañoneros-torpederos *Martín A. Pinzón, Nueva*

España, Marqués de Molins y *Vicente Y. Pinzón,* pueden utilizarse, mejor dicho, moverse. Víveres para dos meses esta escuadra y la del digno mando de V. E.—Carbón nuestro 9.000 toneladas y embargado el de particulares que llegará a 20.000.—Confiado en su llegada con toda la escuadra y numeroso convoy de víveres, pertrechos de todas clases y escuadrilla de torpederos, su arribo tal como es, me obliga a expresarle la necesidad de saber y poner en conocimiento del Capitán General si vienen más buques y convoyes, para caso de no poder contar con nada más que lo que tenemos, combinar un plan con V. E. y dicha autoridad para unir lo que poseemos del modo más eficaz que aconsejen las circunstancias; no se dispone para ello de un solo buque de marcha, ni nuestro, ni particular, y el de más andar el *Santo Domingo,* por rumbo en sus fondos está en dique.—Espero su contestación.»

Fallecimientos

En los días 21 y 22 ocurrieron los fallecimientos siguientes: D. Olayo Ferrer y Lazo, D.ª Josefa Cabrera y Méndez, D. Luis Calás y Calás, D. Francisco Gala, D.ª Concepción Mena, D.ª María Luisa Castillo y Castillo, D.ª Dominga Sierra y Pérez, y doña Caridad Boucul Rodríguez.

El bloqueo

(Día 22).—El semáforo señaló a las siete a. m. un buque que venía del Este. Media hora después señaló otro. Los dos reconocían la costa andando lentamente, y a las cuatro y media de la tarde avisó el vigía que habían desaparecido por el Oeste.

Retreta doble

(Día 22, domingo).—A petición de varias señoras y señoritas de nuestra buena sociedad, la música del *Infanta María Teresa* tocó en la Plaza de Armas desde las ocho a las diez de la noche, alternando con la del Regimiento de Cuba escogidas piezas entre ellas el *Guernicaco Arbola* y una acompañada de coro que hizo muy buen efecto, siendo aplaudidas todas por la numerosa concurrencia que llenaba la plaza y el atrio de la Catedral.

Después pasaron los músicos al Círculo Español donde fueron obsequiados con dulces, cerveza y vinos, tocando algunas piezas que fueron recibidas con grandes aplausos.

Entrada libre de buques

(Día 21).—El Consejo Colonial acordó permitir la entrada en la Isla de buques que traigan materias alimenticias y carbón, sin trámites de ninguna especie y libres de derechos.

No piensan lo mismo los barcos bloqueadores.

El bloqueo

(Día 23).—A las cinco y cuarenta minutos de la mañana se presentó un buque al Sur. Pasada una hora aparecieron dos por el Este, uno de ellos, según dijo el Morro por teléfono, es acorazado. A las once y media vino otro barco por el Oeste. El Morro dijo, a las cuatro y diez minutos p. m., que un barco se había perdido de vista por el Sur y que los tres que quedaban se acercaban más a la entrada del puerto. A las siete de la noche se marchan dos por el Sur y uno por el Este.

De Jamaica

La Bandera Española del 23 publicó:

«Con el concurso de un conocido compositor y músico (entre paréntesis), hijo de Cuba, y muchas de las señoras y señoritas recién salidas de esta ciudad, que hasta hace poco nos mostraban cara amiga y que no por eso nos engañaban, se ha celebrado en Jamaica una velada en memoria de un *célebre difunto,* poniéndose en escena un drama español (esto sí es descaro y poca vergüenza) y piezas de canto y música.

Se repartieron pomposos anuncios, llamando a las kingstonianas a que contribuyeran a la obra, pero éstas dijeron *que no daban pan a perro ajeno.* Laureados (digo, chasqueados) que quedaron *los infelices del Remus.* Donde quiera que vayáis os conocerán y dirán lo que nosotros, «provocáis al español, pero a gran distancia, dejando la vergüenza en la boca del Morro».

Nota oficial

El E. M. de la División facilita hoy a la prensa la nota siguiente:

(Día 23).—El general Vara de Rey, dejando fuerza disponible guarnición Palma Soriano reforzada con una Compañía y una pieza de su columna, amagó ataque por Paso Real donde el enemigo hallábase atrincherado en Cuchillas. Con el resto de la fuerza cruzó rápidamente el Cauto por Paso Correo media legua abajo, se posesionó de loma Catalán, realizando vigoroso ataque de flanco a fuerte partida al mando del titulado general Cebreco que batió y persiguió hasta San José.

En precipitada retirada abandonó el enemigo armas de fuego, mulos y multitud de efectos de cuatro campamentos que fueron ocupados por nuestras tropas.

Bajas causadas al enemigo supone el general Vara de Rey hayan sido muchas, pues se retiró dicho general a Palma después de practicar reconocimientos sin ser molestado.

De nuestra parte un herido mortal, seis graves, siete leves y dos contusos graves todos de tropa.»

Hoja clandestina

Circula una hoja suelta clandestinamente, en la que se ridiculiza la manifestación celebrada en honor de los marinos de la escuadra de Cervera. Con este motivo *La Bandera Española* dijo:

«LAS HOJITAS DE MARRAS

Como viene sucediendo de algún tiempo a esta parte en cada manifestación del sentimiento patrio, apareció hoy por la mañana una hoja impresa de origen misterioso y de procedencia no insurrecta, sino parricida, en que se hace mofa de estos actos realizados con tanto esplendor.

Por más que todo anónimo es despreciable e indigno, consignamos el hecho recordando a los autores aquello de

Busca don Rufo
tres pies al gato,
tres pies le busca
teniendo cuatro.»

Obsequio a Cervera

La Bandera Española del día 23 publicó la siguiente:

«UN PEQUEÑO PATRIOTA.

Coincidiendo con nuestra visita al *Infanta María Teresa,* giró la suya el despejado e inteligente niño D. Fernando Penabaz y Fernández, luciendo un flamante uniforme de coronel del Ejército y que por el número representa al Batallón de Cuba, pues lleva el 65.

Portaba éste un galón del mejor ron de Bacardí —marca Alfonso XIII— cubriendo el envase una magnífica cinta con los colores nacionales, artísticamente tejida y terminando en el cuello con un hermoso lazo símbolo de la unión que reina entre el Ejército y la Marina.

Entre la cinta y al centro del galón se leía una expresiva dedicatoria que sentimos no recordar, pero que daba a entender que el valioso regalo iba dedicado al Excmo. Sr. Almirante de la Escuadra.

Acto conmovedor fue el que presenciamos a bordo cuando este precoz niño presentó al Excmo. Sr. Cervera el regalo, pronunciando con voz clara y semblante severo las frases siguientes:

"A la orden de V. E. Excmo. Sr. (llevándose la mano al ros) reciba este presente de manos de este humilde coronel, en nombre de mi patria, de mi familia y de los españoles todos."

Acto seguido se dignó contestarle el Sr. Almirante, pero no nos fue posible recoger su corta oración.

Dios bendiga a este pequeño patriota y le conserve para que sus amorosos padres vean realizadas sus justas esperanzas, la patria tenga un corazón más que la defienda y su nombre sea pronunciado con orgullo por sus conciudadanos.

Reciba el amiguito Fernando mi más cariñoso aplauso y sirva su conducta de norma a los que a tontas y a locas piden nuestra retirada de Cuba, acto que se realizará cuando un solo español no exista y no haya niños como Fernando Penabaz y Fernández.» (1).

El bloqueo

(Día 24).—El destructor *Plutón* salió del puerto a las once y cuarenta y cinco minutos de la mañana. A las doce y media p. m. pudieron distinguirse cuatro buques al Este de la boca de este puerto. A la salida del *Plutón,* se pusieron en movimiento los barcos americanos en dirección al Oeste con objeto de perseguirlo, pero el *Plutón* lo evitó regresando al puerto. Los barcos americanos se marcharon por el Oeste. A las cinco y media de la tarde se presentan dos barcos por el Sur, y por el mismo rumbo desaparecen al anochecer. Hoy, desde las dos p. m. el *Infanta María Teresa* está atracado al muelle de Las Cruces haciendo agua.

(1) Consignado por nosotros.—*Barrera.*

La Escuadra de Cervera

El día 24 de mayo se reunieron en la cámara del buque insignia todos los capitanes de navío de la escuadra, citados y presididos por el almirante Cervera, quien les expuso la situación del bloqueo y escuadra, que le habían impedido salir de este puerto al amanecer con rumbo a Puerto Rico. La opinión unánime de la Junta fue de que la situación en que se encuentra hoy la escuadra, debía permanecer en este puerto.

El bloqueo

(Día 25).—El vigía izó, a las seis de la mañana, la señal de haber avistado dos buques uno al Oeste, y el otro al Sur. Dijo el Morro, a las siete y media, que el buque del Oeste se dirigía en demanda de este puerto a toda máquina y que el del Sur le daba caza. Transcurridos tres cuartos de hora, comunicó el Morro que el barco grande había apresado al más pequeño, a mucha distancia de la boca de este puerto, y que se retiró por el Sur con su presa. El buque capturado era el vapor inglés *Restamel,* que venía de Curazao con 3.000 toneladas de carbón Cardiff para la escuadra de Cervera, y el apresador el *Saint Paul,* crucero auxiliar. El *Infanta María Teresa,* a la una de la tarde desatraca del muelle de Las Cruces, volviendo al fondeadero general, y entonces el *Almirante Oquendo* atracó al citado muelle para hacer agua también. A las dos de dicha tarde fondea el *Vizcaya* al S. de Cayo Ratones, próximo a la ensenada de Cajuma, y el *Cristóbal Colón* fondea y se acodera al S. de Punta Gorda.

San Miguel de Parada

El Boletín Oficial publicó el siguiente edicto:

«Don Francisco Oliveros Jiménez, Coronel Subinspector del décimo noveno Tercio de la Guardia Civil, Juez Instructor del procedimiento previo que instruyo en averiguación de supuestos abusos cometidos el día ocho del actual en vecinos del poblado de Dos Caminos del Cobre, en una recogida de ganado en San Miguel de Parada, para el Escuadrón de Voluntarios de esta ciudad.

Por la presente requisitoria, cito, llamo y emplazo a los paisanos vecinos de Dos Caminos del Cobre, José de la Rosa, un tal Carlos y otro cuyo nombre se ignora, pero que los tres fueron como peones a recoger ganado para el Escuadrón de Voluntarios el día ocho del actual a San Miguel de Parada y a las órdenes como Jefe de la fuerza del comandante de Milicias D. Guillermo Castellví, para que dentro del término de veinte días, a contar desde el en que se publique ésta en el Boletín Oficial de la Provincia, comparezcan en este Juzgado, sito Santo Tomás alta, número 14, altos, o se presenten a las autoridades más próximas del punto en que se hallen, en la inteligencia que de no hacerlo así, se procederá a lo que haya lugar contra ellos sin más citarlos ni emplazarlos.

A la vez, encargo a todas las autoridades civiles y militares, y agentes de Policía, procuren la busca y captura de dichos individuos, y caso de obtenerla, los remitan presos a mi disposición. Cuba, 26 de mayo de 1898.—Francisco Oliveros.»

El comandante Castellví fue suspendido en el mando y arrestado en el Morro y a los pocos días se le puso en libertad y se le restituyó el mando.

El bloqueo

(Día 26).—El vigía ha anunciado hoy la presencia de tres buques, aparecidos por el Sur, que se retiran por el mismo punto. Los movimientos que realiza hoy la escuadra de Cervera, y que se reducen a variar de fondeadero, son los siguientes: el *Almirante Oquendo* desatracó del muelle de Las Cruces y fondeó al Sur de Cayo Ratones, cerca del *Infanta María Teresa,* para defender la pasa de Punta Gorda y el fondeadero general. El *Cristóbal Colón* al S. de Punta Gorda, acoderado y presentando un costado a la boca del puerto enfilando la canal, y el *Vizcaya* cerca de la ensenada de Cajuma, acoderado también, de modo que pudiera unir sus fuegos al crucero anterior, si los barcos americanos forzaban el paso y rebasaban Punta Soldado.

La Escuadra de Cervera

El día 26 se reunieron de nuevo en el *Infanta María Teresa,* convocados por el almirante Cervera y bajo su presidencia, los capitanes de navío de la escuadra, y pidiéndoles el almirante su opinión sobre si debía o no salir hoy la escuadra, por unanimidad se convino en que debía salir hoy la misma para Puerto Rico, aprovechando el mal tiempo reinante, a las cinco de la tarde. Y como a las dos de la tarde aclarara el tiempo y se presentaran tres buques enemigos, se suscitó la duda de si la marejada reinante permitiría la salida de la escuadra, por lo cual se celebró nueva junta y se envió a la boca del puerto al práctico D. Miguel López Rosabal, por hallarse enfermo el práctico mayor D. Apolonio Núñez, para que examinara el estado de la mar y diera su opinión a la junta. Después de regresar de la boca dijo que no encontraba ninguna dificultad para sacar de día o de noche a los buques, excepto al *Cristóbal Colón,* que cala 7,60. Hecha la pregunta por el almirante a sus capitanes de si convenía arrostrar los riesgos de avería de dicho barco, o no efectuar la salida en espera de mejores circunstancias, votaron por la salida los Sres. Concas y Bustamante, y porque no se saliera los demás. El almirante se reservó su opinión.

Fallecimientos

El 26 fallecieron en esta ciudad: D. Servando Blanco Alvarez, D.ª Josefa Fulgueira y Aguilera, D.ª Dolores Soto, y D. Narciso Vigó.

Expedición del «Florida»

(Día 26).—Desembarca en el puerto de Banes la gran expedición de guerra traída por el vapor *Florida,* al mando del general José Lacret Morlot.

El bloqueo

(Día 27).—A las seis de la mañana dos buques se presentan viniendo del Sur, y a las diez y media aparecieron cinco más. El general Linares se dirigió al Morro, a las doce y quince minutos, en la lancha de vapor de la Capitanía del Cuerpo. El vigía señaló cuatro barcos más a las doce y media. A las dos y media señaló otro. Al anochecer desaparecen los doce buques y el general Linares regresa a la plaza.

Fallecimientos

Fallecieron el día 27: D. Juan Jiménez Rizo, D. Zenón Borde y Román, D.ª Rosa Santana Rodríguez, D.ª Guadalupe Ramos y Santana y D.ª Rita Bombalé, morena, de 100 años.

El bloqueo

(Día 28).—En el semáforo se enarbola, a las seis y quince minutos, la señal de un buque que se coloca a cinco millas del Morro. Se marchó por el S. a las doce A las cuatro y media p. m. se hizo señal de divisarse seis buques grandes. Desaparecen al anochecer por el Sur.

Rubín

(Día 28).—El coronel D. Antero Rubín, primer jefe del Regimiento Infantería de Cuba núm. 65, es ascendido a general de brigada, y ha sido nombrado segundo gobernador militar de esta plaza.

Presos y libertados

El día 28 ingresaron en la Cárcel por la jurisdicción de Guerra Sebastián Massó, Miguel Ríos y Timoteo Carrera y fueron puestos en libertad por la misma jurisdicción Carmelo Durán, Juan Ruiz y Buenaventura Vera.

Telegramas

La prensa del 28 trae el telegrama siguiente:

«En Cayo Hueso se han visto las causas de los buques españoles apresados y han sido condenadas siete goletas.

Telegrafían de Puerto Rico que ha llegado sin novedad el destructor *Terror,* que estaba bloqueado en la Martinica por buques americanos.

Cerca de Jaruco fue hecho prisionero un reporter del *Times* y conducido a la Cabaña.

Un buque americano de bandera blanca trajo a los capturados del *Argonauta,* coronel Cortijo, médico señor González y asistentes, y en el acto fueron entregados los corresponsales del *World* de Nueva York.

Solá

Interinamente se hace cargo de la Alcaldía Municipal, por enfermedad del propietario, D. Gabriel Ferrer y Somodevilla, y excusas de todos los tenientes de alcalde, el concejal decano don Gabriel Solá y Colón.

Fallecimientos

En los días 28 y 29 fallecen en esta ciudad: D. Cruz Pomar Villalón, D.ª Florentina Abad, D.ª Bernardina Muñoz, D. Nicolás Bravo Palacios,D. Francisco Valverde, D. José Iglesias Quintana, D. Ceferino Torres, D. Manuel Ibáñez García, D. Martín López Vázquez, D. Manuel Castillo, D.ª Sofía Tamayo y D.ª María de los Santos González.

La Socapa

Los cañones del crucero *Reina Mercedes,* que no puede navegar por el mal estado de sus calderas, han sido desmontados, y dos de ellos, de 16 centímetros, sistema González Hontoria, han sido emplazados en la meseta de la Socapa, operación que dirigió el teniente de navío de primera D. José Miller y Tejeiro, segundo comandante de Marina, y que realizaron 50 marineros de dicho crucero y 40 hombres de la compañía movilizada del capitán D. Juan Mateos Boya. Esta operación se realizó desde el 7 hasta el 28 del presente mayo.

El bloqueo

(Día 29).—Al amanecer de este día, salió de este puerto la flotilla compuesta de los dos destructores, mandada por el capitán de navío D. Fernando Villaamil, para hacer una descubierta. Regresó a las ocho a. m. El general Linares embarcó para el Morro en el remolcador *Alcyon.* Poco después aparecen siete barcos que recorren y reconocen la costa, a ocho millas de la misma. Antes de la puesta del sol se van por el Sur.

Muerto de repente

El 29 por la noche muere repentinamente José Dolores Garbey, moreno, de 60 años, en la calle del Toro esquina a la del Matadero Viejo.

El bloqueo

(Día 30).—El vigía señaló, a las cinco y media de la mañana, que una escuadra enemiga, compuesta de siete buques, estaba a la vista. Se aproximó a nueve millas de este puerto. Llegaron tres buques más al mediodía, que se incorporaron a la escuadra.

Instrucción Pública

El día 30 fue elegido habilitado del Magisterio el maestro superior D. Luis Magín Portuondo y Miyares. El acto se verificó en la Sala Capitular bajo la presidencia del Alcalde Municipal.

Diputación Provincial

En la sesión que celebró el 30 la Excma. Diputación Provincial, tomaron posesión del cargo de presidente interino D. Román Martínez y González y de los de diputados D. José Rosell y Durán y D. Prisciliano Espinosa y Julivet, siendo designado este último vocal de la Junta de Obras del Puerto.

Fallecimientos

El día 30 fallecieron en esta ciudad: D. Lorenzo Santiago Fernández, D. Manuel Carrera Gros, D. Antonio Sánchez Arena, D.ª Irene Petiton, D. Manuel Moreno Santiago y D. Juan Silva Sangroni.

Bloqueo y bombardeo

(Día 31).—El vigía señaló una escuadra compuesta de once buques que venía del Sur, a las cinco y cuarenta y cinco minutos de la mañana. A las dos de la tarde dicha escuadra rompió un fuego violento sobre la Socapa, el Morro, Punta Gorda y Cabañas, que fue contestado por las baterías indicadas. El fuego alcanzó su mayor intensidad a las dos y media y fue decreciendo hasta cerca de las tres y media. No ocurrió novedad alguna, y el público se divertía viendo desde la Loma del Intendente, el Mercado de Concha, los Desamparados y otros lugares a propósito, las bombas que caían dentro de la rada, levantando grandes surtidores de agua, cerca de la escuadra de Cervera, y contemplando el humo que levantaban los disparos de Punta Gorda. Tan pronto como principió el bombardeo, los barcos de la escuadra de Cervera izaron sus grandes banderas de combate y avivaron los fuegos de sus hornos. La escuadra americana desapareció al oscurecer hacia el Sur. La mandaba el comodoro Schliey.

El almirante Cervera dijo al Ministro de Marina: «Los buques enemigos han disparado unos sesenta tiros, pareciendo hacer reconocimientos. Hicieron fuego *Brooklyn, Iowa, Massachusetts, Texas, Amazonas,* y crucero auxiliar; contestaron baterías y *Cristóbal Colón.* El crucero auxiliar se retiró, probablemente con avería. Desde tierra viose, al parecer, caer dos proyectiles en *Iowa.* Nosotros sin novedad.»

JUNIO 1898

«El Heraldo»

(Día 1).—Sale el primer número del periódico local *El Heraldo,* órgano oficial del Comité Provincial del Partido Autonomista.

El bloqueo

(Día 1).—El vigía del castillo del Morro señaló, a las seis de la mañana, la presencia de una escuadra compuesta de trece buques, de ellos cinco acorazados, ocho mercantes y de guerra, de estos últimos un torpedero. A las siete hizo dicha escuadra dos disparos de cañón. A las doce y media, estando distante del puerto seis millas, se alejó más, y a la una de la tarde se acercó otra vez.

En la tarde de este día cambió de fondeadero la flota de Cervera, quedando así situada: el *Infanta María Teresa* y el *Vizcaya,* fondeados y acoderados al Sur de Cayo-Ratones, y el *Almirante Oquendo* y el *Cristóbal Colón,* al Norte del mismo cayo.

La escuadra de Cervera

Cervera cablegrafió al Ministro de Marina: «Santiago de Cuba, 1 junio 1898.—A la escuadra de bloqueo han llegado grandes refuerzos—Para tener probabilidades éxito al forzar el bloqueo, será conveniente procurar que se alejen los cruceros acorazados *Brooklyn* y *New York,* llamándoles la atención hacia otra parte.»

El bloqueo

(Día 2).—Señaló el vigía del Morro diecinueve barcos a la vista, a las cinco y media de la mañana y a cinco millas de distancia. A las siete dio aviso la fortaleza del Morro de que iba a descargar varias piezas, a fin de evitar alarmas.

Punta Gorda

(Día 2).—Se emplaza en este paraje un cañón de 16 centímetros, sistema Hontoria, del *Reina Mercedes.*

El «Merrimac»

(Día 3).—Por el Gobierno Militar de esta plaza se facilitó a la prensa la siguiente nota:

«Entre tres y cuatro de la mañana un barco enemigo, mercante, de 4.000 toneladas, protegido desde cerca por un acorazado, intentó forzar el canal de entrada de la bahía.

Exploradoras que se hallaban fuera de la boca rompieron el fuego y también el crucero *Reina Mercedes* y baterías de la Socapa y Punta Gorda.

Las líneas de torpedos y el *Reina Mercedes* funcionaron convenientemente, dando por resultado echar a pique el barco mercante, contener el avance del acorazado y hacer prisioneros un oficial de la armada y siete marineros del barco sumergido.

Del barco echado a pique frente al fondeadero del *Reina Mercedes* quedan sobre la superficie del agua parte de los palos y chimeneas. Sin novedad por nuestra parte.»

El fuego hecho por la escuadra americana y las baterías españolas fue horroroso y cesó a las cuatro y media, y pasada media hora se repitió muy lentamente hasta las seis, en que cesó. Tan pronto como se inició el ataque, el general Linares se trasladó al Morro por tierra, y más tarde bajó al plan de la Marina el general Toral con fuerzas del Ejército y Voluntarios. Al aclarar se dirigió a la boca del puerto el general Cervera, en un bote de vapor del *Infanta María Teresa,* y al llegar frente a Punta Soldado recogió de una balsa a ocho hombres del buque americano hundido y los trasladó al *Reina Mercedes.* De este barco lo fueron al Morro el mismo día. El comandante de Marina Pedemonte se dirigió también a la boca en la lancha de la Capitanía del Puerto.

Luego se supo que el buque sumergido era el vapor *Merrimac,* de dos palos y una chimenea, de 4.000 toneladas, cargado con 2.000 toneladas de carbón y artillado, mandado por el teniente de navío de Ingenieros Navales Mr. Richmond Pearson Hobson y tripulado por George Charrette, Daniel Montague, George F. Phillips, maquinista, Francis Kelly, Claus K. R. Clausen, Osborn Deignan y J. E. Murphy, todos los cuales fueron los recogidos por el almirante Cervera y quedaron prisioneros, como se ha dicho ya. Esos hombres habían realizado una acción en alto grado heroica, pues se prestaron voluntariamente a ejecutar la arriesgada empresa de hundir al *Merrimac* en el canal para impedir que pudiera salir la escuadra española. No sucedió así porque el *Merrimac*, acribillado por el fuego de los españoles, no pudo ser sumergido donde Hobson quiso y quedó a un lado de la canal, sin estorbar el paso, entre Cayo Smith y Punta Soldado. Los disparos sobre el *Merrimac* fueron hechos por los cañones del *Reina Mercedes*, que también le lanzó dos torpedos, por los de la batería baja de la Socapa y por el *Plutón,* que también le disparó otros dos torpedos. De la primera línea de torpedos fijos se dispararon dos y de la segunda uno. El *Merrimac* no disparó sus torpedos.

De once a doce y media de la noche del mismo día, la escuadra del bloqueo estuvo haciendo fuego lentamente fuera del puerto y en dirección al Sureste, sin que pudiera conocerse su objetivo.

Ese día el general Paredes, segundo jefe de la escuadra, trasladó su insignia del *Cristóbal Colón* al *Reina Mercedes* con carácter provisional, y asumió el mando de todas las defensas de la boca del puerto.

El Morro y la Socapa fueron reforzados hoy por mitad con una compañía del Ejército.

El bloqueo

(Día 4).—A las cinco y media de la mañana hizo el vigía del Morro señal de escuadra enemiga a la vista, compuesta de diecisiete buques, de ellos seis acorazados, otros cinco de guerra y seis mercantes.

Hobson y sus compañeros

El mismo día, el Comandante de Marina nombró al teniente de navío de primera clase D. José Müller y Tejeiro juez instructor de la sumaria mandada instruir contra el teniente de navío Hobson y sus compañeros, y secretario al alférez de fragata don Darío Laguna, los que en unión del intérprete de Gobierno don Isidoro P. Agostini y Cortés, pasaron a la fortaleza del Morro para interrogar a los prisioneros. Hobson dijo ser natural del estado de Alabama, tener 27 años de edad y ser teniente de navío del Cuerpo de Ingenieros Navales, y enterado del objeto de la diligencia preguntó por qué el Cónsul Británico, encargado de los asuntos de los E. U., no presenciaba su declaración, y por qué habiendo sido hecho prisionero por el mismo general Cervera en su propio bote, no era dicho general o un delegado suyo quien le interrogaba. Le hizo notar el juez instructor que su deber era contestar las preguntas que se le hicieran y no preguntar él, y que dijera si estaba dispuesto o no a declarar. Manifestó entonces Hobson que lo haría a las preguntas que él creyera deber contestar, pero no a las que juzgara inoportunas. Preguntado para que dijera de orden de quién y con qué objeto penetró en el puerto dijo: que de orden del almirante Sampson y que no podía responder a lo segundo. Entonces el juez hizo constar el hecho y dio por terminada la diligencia. Hobson se expresó en las mejores formas y no se salió de los límites de la más exquisita corrección.

El bloqueo

(Día 5).—Anunció el vigía del Morro que habían amanecido a la vista del puerto los mismos barcos que el día anterior. A las ocho de la noche, el general Linares regresó del Morro y ordenó que se prepararan lanchones y un remolcador para conducir fuerzas a la boca del puerto. En un lanchón remolcado por el *Colón* y el *Alcyon* embarcaron un jefe, dos oficiales y 120 hombres de tropa, a las diez y media de esa noche.

Incendio

(Da 6).—A las dos de la madrugada, por descuido de un carbonero que hacía carbón cerca de la caseta del Cable Inglés, en Las Cruces, se quemó dicha caseta. El hecho fue estimado casual.

Bloqueo y bombardeo

(Día 6).—El vigía del Morro anunció, a las cinco y media de la mañana, que había a la vista una escuadra enemiga de 18 buques. A las siete y media hizo señal de que los buques se aproximaban, y a las ocho y media de que rompían el fuego sobre la costa y fortificaciones. Efectivamente, un cañoneo horrísono y los proyectiles que empezaron a llover en la rada, alarmó esta vez al vecindario, que ya no juzgó como diversión el furioso bombardeo. Tan luego se inició éste la escuadra española enarboló bandera de combate y levantó vapor, y como si las nubes quisieran tomar parte también en la función, oscurecióce el cielo y comenzó a llover fuertemente. El fuego era cada vez más vivo y sostenido por parte de los americanos. Las baterías de la boca disparaban pausadamente, y la de Punta Gorda sólo disparó siete veces. La escuadra americana, al mando del almirante Sampson, formó dos columnas paralelas, en línea de fila, describiendo los barcos una elipse, y al llegar sucesivamente al polo más cercano a las defensas españolas, disparaban sus piezas con precisión matemática, continuando los buques su marcha para volver luego a hacer lo propio. La columna de la derecha hacía fuego sobre el Morro y Aguadores, y la de la izquierda sobre la Socapa, y un buque de ésta sobre Mazamorra y otros puntos cercanos, ocupados por fuerzas del primer Batallón del Regimiento Infantería de Asia, mandadas por el coronel Aldea. A partir de las nueve disminuyó el fuego, volvió a recrudecerse a las diez y media y cesó a las once y dos minutos de la mañana. A las doce y quince minutos de la tarde, la escuadra americana volvió a hacer fuego al Este, que terminó a la una y cuarenta y cinco minutos. A las cinco y cuarenta y cinco minutos la escuadra del bloqueo hizo fuego al Este otra vez, muy lejos, que cesó a las seis y veinte minutos de la tarde.

Dura fue la jornada de este día para las fuerzas de España. El crucero *Reina Mercedes* fue alcanzado en su casco y arboladura por 35 proyectiles o fragmentos de ellos, que produjeron dos incendios a bordo. Se hallaba en el puente dando órdenes para la extinción de los mismos el capitán de fragata D. Emilio Acosta y Eyerman, segundo comandante de dicho buque, cuando fue destrozado por una granada que le llevó la pierna derecha desde la cintura y la mano del propio lado. Trasladado a la Socapa, falleció a la media hora.

En la misma playa de la Socapa fueron colocados también los cadáveres de cinco marineros del mismo crucero, junto al de dicho jefe y envueltos todos en la bandera española, hasta que la cesación del combate permitiera transportarlos a esta plaza, lo mismo que a los heridos.

Los vecinos de Cayo-Smith, presa del mayor pánico, tuvieron que refugiarse en la vertiente Norte del mismo, en tanto duró el fuego, y al siguiente día se trasladaron todos a esta ciudad.

Las bajas oficialmente confesadas por los españoles fueron:

Castillo del Morro: dos de tropa muertos, un jefe, cuatro oficiales y veinticinco de tropa heridos.

Batería de la Estrella: uno de tropa muerto.

Cayo-Smith: dos de tropa heridos.

La Socapa: ocho de tropa heridos.

Mazamorra: once de tropa heridos.

Crucero Reina Mercedes: un jefe y cinco de tropa muertos, un jefe, un oficial y diez de tropa heridos.

Total: nueve muertos y sesenta y tres heridos.

Entre los heridos figuraron: en el Morro, el coronel de Artillería D. Salvador Díaz Ordóñez, el comandante de Infantería D. Antonio Ros, gobernador de dicho castillo; el capitán de Artillería D. José Sánchez Seijas, primer teniente de dicha Arma D. Pedro Irízar y segundo teniente de la misma D. Juan Artal Navarro. En la Socapa: alférez de navío D. Venancio Nardiz, ídem D. Ricardo Bruquetas y el señor Fernández Pina. Y en el *Reina Mercedes,* su primer comandante, el capitán de navío don Rafael Micón, y el alférez de navío D. Alejandro Molins.

La columna de la derecha de la escuadra de Sampson estaba integrada por el *Iowa, Oregón, New Orleans* y *New York,* y la de la izquierda por el *Massachusetts, Texas, Marblehead y Brooklyn.* Aquélla disparó a las distancias sucesivas de 5.400, 2.700 y 1.700 metros de las baterías españolas y ésta a 2.700 metros.

La escuadra americana disparó durante ese bombardeo 2.000 proyectiles de grueso y mediano calibre.

Las obras de defensa de la boca del puerto sufrieron desperfectos.

El *Vizcaya* recibió un proyectil y el *Furor* otro en la carbonera, pero sus averías no tuvieron importancia.

El «Reina Mercedes»

El mismo día 6 fue nombrado segundo comandante del crucero *Reina Mercedes* el teniente de navío de primera clase don Julián García Durán.

Preso y desaparecido

El día 6 fue encarcelado y puesto a disposición de la Comandancia General en honrado y laborioso vecino D. Valentín Aleo, natural de esta ciudad, de 53 años de edad, soltero, mestizo y zapatero. Se le acusó de haberse expresado de modo injurioso contra las autoridades. Se hallaba el señor Aleo en el Campo de Marte presenciando el paso de las heridos durante el bombardeo de esa mañana, y dejó escapar la frase de: ¡Pobrecitos, los envían al matadero! Le oyó la mujer de un vigilante gubernativo y lo dijo a éste, quien a su vez lo denunció a su jefe Gutiérrez Rodas, que lo mandó detener y dio cuenta al general Toral. A los tres o cuatro días, cuando sus familiares fueron a llevarle el desayuno, se les informó que Aleo había sido entregado a una guerrilla para ser conducido a San Luis por la vía férrea. Nada más se ha sabido de él. Es una página de sangre más en la siniestra historia de Toral.

El bloqueo

(Día 7).—A las cinco y cuarenta y cinco de la mañana, el semáforo iza la señal de «escuadra enemiga a la vista», compuesta de 19 barcos, como viene haciéndolo desde que la escuadra norteamericana bloquea este puerto. Consiste dicha señal en un gallardete azul al tope del mástil, debajo de aquél una bandera amarilla, debajo de ésta otro gallardete rojo y debajo de éste otro blanco. La anterior señal permaneció izada hasta las seis de la tarde, en que fue arriada, siendo sustituida por un gallardete azul al tope, significando «los barcos enemigos se alejan». Esta señal fue mantenida hasta la puesta del Sol. Los americanos han cortado hoy el cable que nos une con Caimanera.

El entierro de Acosta

La mañana de hoy, 7, como la anterior, ofrece un cielo mal

encarado y todo hace presumir que la lluvia no tardará en caer. A pesar de esto había algunos grupos de personas en los muelles, tinglados, Alameda, en la calle de la Marina, Plaza de Armas, corredor de la casa de huéspedes del señor Granda y atrio de la Basílica.

Se esperaba la llegada del cadáver del capitán de fragata don Emilio Acosta y Eyermán, segundo comandante del crucero *Reina Mercedes,* muerto el día anterior combatiendo en su buque, para hacerle los honores fúnebres.

A las nueve a. m. llegó el cadáver a la Comandancia de Marina, y desde allí fue conducido, en una carroza fúnebre, seguida de coches de alquiler, por la calle de la Marina, hasta la capilla de la Santa Basílica, donde el clero parroquial aguardaba para celebrar las exequias. No bien hubo partido el convoy de la Comandancia de Marina, cuando las nubes desprendieron un fuerte aguacero que duró más de quince minutos.

Terminado el servicio fúnebre y habiendo abonanzado el tiempo, se organizó la triste comitiva en este orden: el féretro envuelto en los pliegues de la gran bandera de combate del *Reina Mercedes,* el duelo presidido por el contralmirante Cervera, general de división Toral, gobernador civil señor Ros, arzobispo señor Saenz de Urturi, general de brigada D. Antero Rubín, todos los jefes y oficiales del ejército, armada, voluntarios y bomberos francos de servicio, regular número de personas de distinción, la banda musical del Regimiento de Cuba y fuerzas de voluntarios.

En este orden continuó el entierro por las calles de San Pedro, Heredia y Sto. Tomás, hasta la parroquia de este último nombre, donde fue despedido el duelo. El cadáver fue sepultado en un nicho gratuitamente y a perpetuidad cedido por el Ayuntamiento.

El bloqueo

(Día 8).—El vigía señala hoy 19 buques a la vista, a seis millas de la entrada del puerto.

Durante la noche la flota bloqueadora mantuvo sus proyectores eléctricos iluminando la costa.

La escuadra de Cervera

El día 8 reúne el almirante Cervera en su cámara a los Jefes de la Escuadra con objeto de oír sus opiniones respecto a la situación. El Segundo Jefe y Comandantes del *Colón, Oquendo, Vizcaya* y división de destructores, opinaron que no debía salirse por la superioridad de la escuadra de bloqueo; el Comandante del *Teresa* opinó que, en el caso de separación o retirada del *Brooklyn* y del *New York,* debía salirse inmediatamente y, de todos modos, en el novilunio, aunque continúe reunida la Escuadra. El Jefe de Estado Mayor opinó que debía verificarse la salida inmediatamente dispersando la Escuadra Española. Al notificar el almirante Cervera al Ministro de Marina el resultado de dicha junta, concluía diciendo: «Los buques están con la máquina encendida para aprovechar la primera oportunidad, pero siendo demasiado estrecho el bloqueo y la escuadra enemiga cuatro veces superior, dudo mucho que se presente».

El bloqueo

(Día 9).—El semáforo señala 18 buques, a siete millas de distancia.

En este día el vapor *Tomás Brooks* condujo 25 perchas a la boca del puerto, que fueron amadrinadas a un cable metálico, tendido desde Cayo-Smith hasta Punta Soldado, a fin de que dichas perchas lo mantuvieran a flor de agua. Tiene por objeto dicho cable así colocado evitar el paso de los torpedos que los bloqueadores puedan lanzar, aprovechando la marea.

Corpus Christi

(Día 9).—Después de la solemne fiesta en la Basílica, a las diez y media de la mañana, sale la procesión del *Corpus* que toma solamente por las calles de San Pedro, Heredia y Santo Tomás. No se usó la carroza triunfal, llevando al Sacramento, bajo palio, el arzobispo Saenz de Urturi. Asisten las corporaciones y la oficialidad del Ejército y la Armada. No se hacen salvas de artillería ni las tropas cubren la carrera. Solamente una compañía de Voluntarios con la música del Regimiento de Cuba da escolta a la procesión. *¡Quantum mutatut ab illo!* El clero y los militares que van en la procesión no pueden ocultar cierto aire de preocupación.

Noticia falsa

Hoy 9 circula entre los elementos españoles con gran cuerpo

y apariencias de verdad la falsa noticia de que una división naval española ha sostenido combate con una escuadra kankee, echándola al fondo del mar. Su efecto no duró mucho. Pronto se desvaneció como una pompa de jabón insuflada por la boca de un niño.

EL BLOQUEO

(Día 10).—Señala hoy el Morro 18 buques a diez millas de distancia, y a las siete un vapor mercante que vino del Sur. A las once de la mañana la escuadra americana cañoneó a Punta Verracos, pero el fuego cesó prontamente. Los proyectores de la misma, por la noche, siguen alumbrando la costa.

LINARES

El general de división D. Arsenio Linares Pombo, que manda la de Santiago de Cuba, ha sido ascendido a teniente general, y se ha dispuesto que continúe, en comisión, en el mando de esta división.

EL BLOQUEO

(Día 11).—A la vista hay, según dice el Morro, 17 barcos, entre seis y diez millas de distancia de la boca del puerto.

LA ESCUADRA DE CERVERA

El día 11 el almirante Cervera envió al general Linares la siguiente comunicación:

«Excmo. Sr.: En la noche última he observado por mí mismo desde la batería alta de la Socapa, la posición de la Escuadra enemiga, y me he convencido de que es absolutamente imposible el que ésta de mi mando pueda salir desapercibida, a favor de la oscuridad de la noche, mientras la artillería de la costa no consiga alejar a los buques que con sus proyectores eléctricos iluminan constante y completamente la boca del puerto.—Dios guarde a V. E. muchos años.—Santiago de Cuba, 11 de junio de 1898.—Excmo. Sr.—*Pascual Cervera.*»

«Excmo. Sr.: Toda vez que V. E. en persona ha observado en la noche de ayer la posición de la escuadra enemiga, y adquirido el convencimiento de la imposibilidad de salir de este puerto la nuestra, desapercibida para el contrario, mientras la artillería de la costa no consiga alejar a los buques que con sus proyectoers iluminan constantemente y por completo la boca; le ruego me manifieste si considera eficaz al expresado objeto el fuego de los cañones Hontoria de 16 centímetros, que son los de mayor alcance entre los emplazados en las baterías de la costa, para poder, en su consecuencia, dar las correspondientes órdenes al Comandante de la Batería Alta de la Socapa; pero como no conviene producir alarmas infundadas en el vecindario, hacer consumo inútil de municiones ni menos evidencias ante nuestros enemigos lo limitado de nuestros elementos de defensa y ataque, si no ha de lograrse favorecer la salida de la Escuadra, me permito hacer a V. E. presente, por si estimara oportuno tenerlo en cuenta, que sobre la población se divisan claramente los haces de luz, y por lo tanto, a la distancia a que de ordinario se sitúan de noche los barcos americanos, habría que agregar cuando menos los 7 u 8 kilómetros que separan a Cuba de la costa, distancia total a la cual podría colocarse la escuadra enemiga, sin dejar de iluminar con sus focos eléctricos la entrada de la bahía.—Dios guarde a V. E. muchos años.—Santiago de Cuba, 11 de junio de 1898. *Arsenio Linares.*»

EL BLOQUEO

(Día 12).—La escuadra americana que está a la vista del Morro se compone de 17 barcos, que están situados de cinco a seis millas de dicha fortaleza.

SAN ANTONIO

El día 12 fue montado, en el fuerte de este nombre, un cañón de bronce, rayado, de 16 centímetros y a cargar por la boca, y otros dos también de bronce y rayados, de 8 centímetros y de avancarga.

SANTA INÉS

El mismo día 12 fue emplazado también, en el fuerte de Santa Inés, un cañón de bronce, de 12 centímetros, rayado y de antecarga.

La Escuadra de Cervera

El general Linares ofició lo siguiente al almirante Cervera: «Excmo. Sr.: El General en Jefe en cablegrama de las 11 h. 25 m. de la mañana de hoy, me dice: "Recuerdo a V. E. que en el caso de verse atacado por tierra, pueden ser un poderoso auxiliar para rechazar enemigo las compañías de desembarco de la Escuadra, con sus excelentes cañones de campaña que no dudo facilitará el C. A. Cervera, para el mejor éxito de la defensa, que estoy seguro ha de ser gloriosa, y que unidos elementos División y Escuadra, triunfarán de los americanos."—Lo que tengo el honor de trasladar a V. E. para su conocimiento; significándole que contesto al Excmo. Sr. General en Jefe en el sentido de que ya V. E. me había ofrecido sus elementos de desembarco.—A la vez ruego a V. E. que si llegara el caso, una compañía de desembarco puede establecerse en la Socapa, otra en Punta Gorda, otra en el muelle de Las Cruces y la restante en Punta Blanca; todas ellas con el número de piezas apropiadas al objeto de que V. E. juzgue conveniente.—Dios guarde a V. E. muchos años.—Santiago de Cuba, 12 de junio de 1898.—*Arnesio Linares.*»

El bloqueo

(Día 13).—Hoy sólo están a la vista quince barcos, que se hallan a seis millas de distancia de este puerto.

El bloqueo se hace más riguroso. La ciudad se ve privada de todo recurso que recibía de su zona de cultivo, recrudeciéndose el hambre. Las fuerzas cubanas dominan todas las alturas, avenidas y comunicaciones.

La situación de los españoles es desesperada, faltos de artillería y de hombres en buenas condiciones para combatir.

La Socapa

(Día 13).—Es emplazado en la batería alta de la Socapa un obús, de 21 centímetros, de hierro y de antecarga sistema Elorza. Su fundición es de época prehistórica.

El Níspero

El día 13 es montado en el lugar conocido por «El Níspero»,

terrenos del demolido ingenio «San Nicolás de Espanta Sueño», a la izquierda de la salida al Caney, un cañón de bronce, rayado, de 16 centímetros y de antecarga, y otro también de bronce, rayado y de antecarga, de 12 centímetros.

La Escuadra de Cervera

Cervera a Linares:

«Excmo. Sr.: He recibido la comunicación de V. E. fecha de ayer, referente a las columnas de desembarco de esta Escuadra, y tengo el gusto de reiterar a V. E. mi aquiescencia previa y completa, a prestar cuantos auxilios sean necesarios para la defensa de la plaza.—Dios guarde a V. E. muchos años.—Santiago de Cuba, 13 de junio de 1898.—*Pascual Cervera.*»

Bloqueo y bombardeo

(Día 14).—Al dar las cinco y cuarto de la mañana, un barco de la escuadra americana se destacó y rompió el fuego sobre el castillo del Morro y las baterías de la Socapa, que fue respondido por ambas. A las siete cesó el ataque. El general Linares visitó a las diez el Morro y la Socapa y regresó a las doce y media. En la batería de la Socapa resultaron heridos el alférez de navío don Ricardo Bruquetas y seis individuos de tropa.

«Espanta Sueño»

En este demolido ingenio son emplazados, el día 14, cuatro cañones todos de bronce y de antecarga, rayados, uno de 16 centímetros, uno de 12 y dos de 8.

El bloqueo

(Día 15).—Según el vigía, amanecen diecisiete buques bloqueando el puerto. Por primera vez figura entre la escuadra del bloqueo el crucero *Vesubius.* Es peculiar y tal vez único en su clase, en el mundo entero. Sus características son éstas: desplaza 900 toneladas, es largo, estrecho y bajo. Su oficio es lanzar bombas de dinamita y torpedos, provistos éstos de una hélice, a dos millas de distancia aproximadamente. A corta distancia tiene un poder ofensivo muy grande, pero carece de poder defensivo.

Al campo

Son muchas las familias que abandonan la ciudad y van a los poblados de la línea férrea, huyendo a los bombardeos y con la mira de poder alimentarse con frutos del país, que ya casi faltan por completo, pues aquí cada día se hace más difícil poder resolver satisfactoriamente el problema de la alimentación que constituye una incógnita pavorosa.

Bloqueo y bombardeo

(Día 16).—Las cinco y cuarenta y cinco minutos de la mañana eran cuando de la escuadra que estaba a la vista, compuesta de dieciocho barcos, se aproximaron varios y rompieron el fuego sobre las baterías de la boca del puerto. Parece que los bloqueadores han obtenido la locación exacta de la escuadra española, pues hoy caen los proyectiles frecuentemente muy cerca de sus barcos. Como otras veces, grandes grupos de gentes contemplan la lluvia de proyectiles, desde los puntos altos de la ciudad. A las seis y quince minutos empieza a disparar la batería de Punta Gorda y el fuego es intensísimo. A las seis y treinta y cinco se ve salir bastante humo del *Infanta María Teresa.* Un casco de granada caído en él había causado averías de poca monta en el jardín de estribor. El bombardeo terminó a las siete de la mañana. Hicieron fuego ocho buques divididos en dos columnas. Las bajas españolas fueron: en el Morro, un oficial y cinco artilleros heridos y otro de éstos muerto; en la Socapa, el alférez de navío don Ricardo Bruquetas herido, por segunda vez, y cuatro marineros. Uno de los cañones de 16 centímetros, sistema Hontoria, de la batería alta, quedó sepultado dentro de un montón de escombros.

La Socapa

(Día 16).—Otro obús de hierro, de 21 centímetros, a cargar por la boca, es instalado hoy en la Socapa. Su edad es venerable.

Santa Ursula

El día 16 fue artillado este fuerte con tres cañones, de bronce y de antecarga, uno de 16 centímetros y dos de 9.

El octavario del Corpus

(Día 16).—A las cinco de la tarde salió de la Basílica la procesión de la octava del Corpus, por la puerta de San Pedro, recorriendo el atrio y penetrando por la de Santo Tomás. Asisten únicamente comisiones de oficiales de los cuerpos de Voluntarios y el Excmo. Ayuntamiento. La música del Regimiento de Cuba, sin fuerza armada, hizo los honores. Esto se acaba.

Bloqueo y bombardeo

(Día 17).—Hoy amanecen, según las señales del vigía, trece buques a la vista. Un buque del bloqueo, a las cinco y media, rompe fuego sobre Punta Cabrera y Mazamorra, y pocos instantes después lo hace otro sobre la Socapa, hasta las siete de la mañana, en que cesa el fuego.

Punta Gorda

(Día 17).—Queda emplaazdo otro cañón de 16 centímetros, sistema Hontoria, en este lugar. Procede del crucero *Reina Mercedes* también.

La Socapa

(Día 17).—Emplazan hoy los españoles un tercer obús, de hierro, de 21 centímetros y de antecarga, en la batería alta de la Socapa, contemporáneo de los anteriores.

Cañadas

El 17 fue emplazado en el fuerte de Las Cañadas, sobre el camino a Las Lagunas, un cañón de bronce, rayado, de 16 centímetros y de avancarga.

Maíz

El alcalde municipal, D. Gabriel Ferrer Somodevilla, publica un bando, el día 17, dispositivo de que se reserve el maíz para la alimentación de las personas, en vista de la escasez de subsistencias; prohibiendo que dicho grano se dé a los animales y castigando con multa a los contraventores.

El bloqueo

(Día 18).—El semáforo del Morro inicia hoy su tarea a las cinco y media de la mañana, como de costumbre, anunciando la presencia de una escuadra enemiga compuesta de catorce unidades. Luego dijo que se había marchado el *Iowa* y que había llegado el *Massachusetts.* A las diez y cuarenta y cinco minutos de la noche, la batería alta de la Socapa hizo fuego sobre un barco que pasó muy cerca y que contestó, cruzándose entre ellos veinte disparos.

Los víveres

(Día 18).—Por un decreto del Gobierno Civil, se ponen en vigor dos tarifas para la venta de víveres, la primera para observancia de los importadores y la segunda para los detallistas. A los infractores se les señala las penas de 50 a 100 pesos de multa, por primera vez, y el comiso de las mercancías que serán remitidas a la Real Casa de Beneficencia y al Asilo de San José, y en caso de reincidencia el cierre del establecimiento, sin perjuicio de poner los infractores a disposición de la autoridad militar como auxiliares de la rebelión.

El comercio, que es español en su casi totalidad, y que sus miembros pertenecen al instituto de Voluntarios, lo primero que hizo fue transportar y ocultar sus mercancías, para luego venderlas a precios elevados, sin que el decreto del gobernador beneficiara al público en lo más mínimo y sin que se diera el caso de que ningún comerciante infractor fuera castigado.

El bloqueo

(Día 19).—A las cinco y media de la mañana señala el vigía quince buques a la vista. A las siete dijo que llegaron dos acorazados por el Sur. El general Linares se trasladó a la boca del puerto, a las dos y media de la tarde, y permaneció allí hasta las siete de la noche. Durante ésta continuó la iluminación eléctrica de la entrada del puerto y costa cercana por los barcos bloqueadores.

La prensa

Los periódicos locales, reducidos a *La Bandera Española* y *La Integridad Nacional,* desde fines del mes pasado han tenido que ir reduciendo sus dimensiones por la falta de papel. Actualmente sólo tiran una hoja en papel de color, que tienen que llenar con inserciones fiambres o anodinas, y no porque falten noticias precisamente, pues hoy abundan más que nunca.

El bloqueo y la expedición de desembarco

(Día 20).—La señal del vigía, a las cinco y media de la mañana de hoy, dice que hay a la vista una escuadra enemiga de 21 buques y que de ellos siete son acorazados. Al mediodía el vigía fue señalando sucesimamente cuarenta y dos buques que iban llegando. Sumados con los veintiuno del bloqueo hacen sesenta y tres. Con temores de que la escuadra americana intente otra vez forzar el canal de entrada, se tendió otro cable entre la Socapa y Cayo-Smith y se fondearon seis torpedos Bustamante entre Cayo-Smith y el *Merrimac* y otros seis entre el *Merrimac* y Punta Soldado.

Los buques llegados hoy a incorporarse con la escuadra del bloqueo traen un ejército de desembarco, que había salido el 14 de varios puntos de la Florida. Está integrado por 819 generales, jefes y oficiales, 15.058 soldados, 30 secretarios, 272 conductores, 107 armeros y 89 corresponsales de la prensa. El ganado consitía en 390 mulas de carga, 946 de tiro, 571 caballos de tropa, 381 caballos de oficiales, 114 furgones para seis mulas, 81 carros ligeros y siete ambulancias. Los transportes que trajeron esta expedicinó fueron 35, y vinieron además dos buques algibes, una plataforma y dos pontones a remolque, perdiéndose en el camino uno de estos últimos. Entre todas las embarcaciones mayores y menores sumaban 153. La composición de las tropas era la siguiente.

V Cuerpo de Ejército

Comandante en jefe: Mayor general William R. Shafter.

1.ª División.—Comandante general: Brigadier general Kent.

1.ª Brigada.—General Hawkins.—Cuerpos: Regimientos 6.º, 16 y 71 de New York. Vol.

2.ª Brigada.—Coronel Pearson.—Cuerpos: Regimientos 2.º, 10 y 21. Reg.

3.ª Brigada.—Teniente coronel Worth.—Cuerpos: Regimientos 9.º, 13 y 24. Reg.

2.ª División.—Comandante general: Brigadier general Lawton.

1.ª Brigada.—Coronel Van Horn.—Cuerpos: Regimientos 8.º, 22 y 2.º de Massachusetts. Vol.

2.ª Brigada.—Coronel Evans Miles.—Cuerpos: Regimientos 1.º, 4.º y 25. Reg.

3.ª Brigada.—Brigadier general Chaffee.—Cuerpos: Regimientos 7.°, 12 y 17. Reg.

División de Caballería.—Comandante general: Mayor general Joseph Wheeler.

1.ª Brigada.—Brigadier general Summer.—Cuerpos: Regimientos 3.°, 6.° y 9.°. Reg.

2.ª Brigada.—Brigadier general Young.—Cuerpos: Regimientos 1.° y 10 Reg. y 10 Vol.

Brigada Independiente.—General Bates.—Cuerpos: Regimientos 3.° y 10 de Massachusetts. Vol.

Artillería.—Cuatro baterías de campaña de cuatro cañones cada una.

Un cañón Hotchkiss, otro neumático de dinamita, cuatro Gatlings, cuatro de sitio de 125 mm., cuatro obuses de 175 mm., ocho morteros de 80 mm.

Ingenieros.—Un batallón y un globo cautivo.

El Cuarto Cuerpo

El día 20 se recibió por cable una Orden General del Ejército por la que dividió el territorio de la Isla en cuatro cuerpos de Ejército, a saber: primer Cuerpo, Habana, Matanzas y Pinar del Río; segundo Cuerpo, Santa Clara; tercer Cuerpo, Puerto Príncipe y Holguín, y cuarto Cuerpo, Santiago de Cuba. Este último constará de dos divisiones: la primera, Santiago de Cuba, subdividida en dos brigadas, la primera San Luis y la segunda Guantánamo. La segunda División, Manzanillo, está mandada por el coronel D. Federico Escario, primer jefe del Regimiento Infantería de Isabel la Católica núm. 75, pues allí no ha quedado ningún general por haber sido llamados todos a la Habana antes del bloqueo. En cuanto a la comandancia en jefe del cuarto Cuerpo, se le ha conferido al teniente general D. Arsenio Linares Pombo, la primera División al de esta clase D. José Toral y Velázquez, sin perjuicio del cargo que desempeña de gobernador militar de esta plaza. Los generales Vara de Rey y Pareja quedan confirmados en el mando de las brigadas primera y segunda, San Luis y Guantánamo, respectivamente.

Tropas a la Plaza

(Día 20).—Obedeciendo órdenes del General en Jefe, el general Linares ordena por cable al coronel Escario, comandante general interino de la segunda División de este Cuerpo de Ejército (Manzanillo), que venga a marchas forzadas con una brigada de dicha división y dos piezas de campaña. Con anterioridad había ordenado al general Pareja, jefe de la segunda Brigada de esta primera División (Guantánamo) que le enviara un batallón, media sección de Artillería y otra media de Ingenieros, pero por estar cortado el cable Pareja no recibió la orden. Entonces le envió dos propios por tierra, mas los cubanos capturaron y ahorcaron a los correos despachados. Al general Vara de Rey, jefe de la primera Brigada de esta primera División (San Luis) se le ordenó que viniera a esta plaza con tres compañías del primer Batallón del Regimiento Infantería de la Constitución núm. 29, una movilizada y dos cañones Krupp de 7,5; después de dejar guarnecidos con el resto de sus fuerzas los poblados que ocupa su brigada, orden que fue cumplida.

«Trafalgar»

(Día 20).—A las doce y cinco minutos pasado meridiano se sintió una fuerte detonación que retumbó por toda la ciudad y se vio mucho humo en los muelles de Luz y San José. En aquellos momentos se estaba descargando, en la goleta *Trafalgar,* de los señores Gallego, Messa y C.ª, atracada al muelle de San José, un proyectil de los lanzados, en días anteriores, por la escuadra americana y que cayó sin explotar. Parece ser que no guardaron las debidas precauciones los que tal operación ejecutaban y se produjo la explosión del proyectil, matando al marinero José Basoa, del vapor *San Juan,* e hiriendo a tres más del vapor *Mortera,* de los cuales uno falleció después. Son muchos los que se dedican a recoger proyectiles que no han explotado para descargarlos y venderlos, pues se pagan hasta veinte pesos por ellos, según su calibre. Es una nueva industria hija del bloqueo y del bombardeo, pero que tiene sus quiebros.

El proyectil que explotó causó averías en el muelle y perforó la goleta de una a otra banda, habiendo necesidad de vararla para que no se fuera a pique.

Conferencias de generales

(Día 20).—El general Shafter pasa a bordo del vapor *Seguranca* y conferencia con el almirante Sampson, con objeto de marchar de acuerdo para el desembarco de la expedición y las operaciones sobre esta plaza. Luego se trasladan ambos al Aserradero, donde conferencian con el mayor general Calixto García Iñiguez, lugarteniente general del Ejército Cubano y jefe del Departamento Militar de Oriente y Camagüey, que se encontraba con 3.000 cubanos en dicho punto. El general García les indicó que el mejor punto de desembarco era Daiquirí, para luego marchar sobre esta plaza y atacarla por tierra, en contra de la opinión de Sampson, que quería que el ejército de Shafter atacara el Morro y la Socapa por tierra para él con la escuadra forzar el paso del canal y penetrar en la rada.

Se aceptó la proposición del general García

Embarque y desembarque de fuerzas

(Día 20).—Al oscurecer de hoy pasaron a la vista del Morro 42 transportes que se dirigieron al Oeste, desapareciendo por Punta Cabrera y quedando el bloqueo guardado por los 21 buques de la escuadra.

Bomberos

En previsión de que esta plaza pueda ser atacada en breve y que como consecuencia de ello se originen incendios en ella, se divide en cinco sectores el recinto de la misma, y se dispone que el Batallón de Bomberos se fraccione con el material contra incendios, y al ser atacada la plaza ocupe la iglesia de Santa Ana, la esquina de las calles de Santa Lucía y Clarín, el Alto del Intendente, el final de la calle del Rastro y el Cuartel del Cuerpo, situado en Enramadas, entre Gallo y Factoría, para que así, en caso de siniestro, sea más rápido y eficaz su servicio.

Embarque y desembarque

(Día 21).—Avisó el Morro, a las dos y media de la tarde, que los 42 transportes llegados el día anterior regresaban por el Sur y se dirigían al Este. El crucero *Reina Mercedes* dejó su fondeadero de la Socapa y fondeó al Oeste de la Comandancia de Marina.

Los transportes de la escuadra americana embarcaron en el Aserradero 500 hombres, mandados por el coronel Demetrio Castillo Duany, y los desembarcaron en Cajobabo, a 2.000 metros al Este de Daiquirí.

El Morro

(Día 21).—En la explanada de la fortaleza del Morro es montado hoy un obús, de 21 centímetros y de antecarga.

Escasez de artículos

Escasean de modo alarmante en esta ciudad el carbón, la leña, el petróleo y los fósforos. El tabaco, la picadura y los cigarrillos son carísimos, cuando se encuentran. Y en el Mercado de Concha nada se encuentra, pues lo poco que llega lo acapara la Escuadra de Cervera, que lo paga bien y al contado. Ya las panaderías no elaboran pan ni galleta por falta de harina. A la tropa se le suministra pan de arroz, duro como la piedra, que no hay estómago que pueda digerirlo. Sólo puede conseguirse para la alimentación arroz, harina de maíz, sardinas saladas y en conserva, chocolate, café y ron. Los fumadores emplean pipas que llenan con una picadura de tabaco, floja e inodora, semejante al serrín de madera, y en vez de cerillas usan encendedores de piedra, eslabón y yesca. El número de víctimas causadas por el hambre o por la ingestión de sustancias inadecuadas para la alimentación es enorme.

Fuerzas de la Marina desembarcan

(Día 22).—En la mañana de hoy desembarcan fuerzas de la Escuadra de Cervera, a petición del general Linares, para cooperar a la defensa de esta plaza próxima a ser atacada. Las desembarcadas son cuatro compañías. A medianoche desembarcan otras cuatro. Cada dos de ellas van mandadas por un teniente de navío de primera clase —los terceros comandantes de cada crucero— y toda la fuerza desembarcada, que asciende a mil hombres, está mandada por el capitán de navío D. Joaquín Bustamante y Quevedo, jefe de E. M. de la Escuadra de Operaciones, quien ha sido sustituido en este último cargo por el de igual categoría don Víctor M. Concas y Palau. Dichas fuerzas han ocupado las trincheras de los fuertes del Horno y del Gasómetro, San José y San Miguel de Parada, la Socapa, Mazamorra, Plaza de Toros, San Pedrito, Jesús María y José y Dos Caminos del Cobre.

Desembarco del Ejército americano

(Día 22).—Avisó el vigía, a las seis y media de la mañana, que frente a la boca del puerto había 21 barcos guardando el bloqueo; que en Aguadores se veían un monitor y dos yates y que en Punta Verracos se hallaban los 42 transportes con el *Indiana* y el *Saint Louis.* Se divisaba también desde el Morro un vapor con botes a remolque. Y luego el incendio de la casa de los ingleses en el río San Juan. A las ocho de la mañana los barcos de la escuadra rompieron fuego de este modo: el *Scorpion,* el *Vixen* y el *Texas,* contra Cabañas; el *Eagle* y el *Gloucester,* contra Aguadores; el *Hornet,* el *Helena* y el *Bancroft,* contra Siboney; el *Detroit,* el *Castine,* el *Wasp* y el *New Orleans,* contra Daiquirí. Frente a la boca de este puerto vigilaban el bloqueo los barcos siguientes: *Brooklyn, Massachusetts, Iowa, Oregon, Indiana* y *New York.* El *Swuance,* el *Osceola* y el *Wompatuck* dieron remolque a 50 botes de la escuadra, donde empezó el desembarco del V Cuerpo de Ejército.

Tan pronto como los españoles observaron las maniobras de la escuadra americana, obedeciendo las órdenes que tenían, incendiaron a Daiquirí y lo evacuaron, y en el acto fue ocupado por las fuerzas del coronel Demetrio Castillo Duany, mas no habiéndolo advertido la escuadra, durante media hora continuó su fuego sobre Daiquirí, causando a los cubanos dos muertos hasta que se deshizo el error. Parece que los españoles no tuvieron tiempo de destruir el muelle de hierro de Daiquirí, que no pudo ser utilizado para el desembarco del Ejército Americano por su gran elevación. Sólo dieron fuego a otro más pequeño de madera, que ardió en parte, pero los ingenieros americanos lo repararon y construyeron otro. Los españoles, que habían evacuado a Vinent y Daiquirí para no ser envueltos, se retiraron a Firmeza, sufriendo el ataque de flanco que le hacían las fuerzas del coronel Castillo. Lo mismo hicieron las fuerzas españolas que ocupaban a Siboney, que marcharon también a Firmeza, habiendo perecido durante el bombardeo su comandante militar, el comandante graduado, capitán de Milicias D. Luis Billini, natural de la Isla de Santo Domingo.

Desembarcaron los americanos durante el día de hoy 6.000 hombres.

A las once de la noche, el *Vesubius* lanzó dos torpedos sobre el puerto, que no causaron daño, pero que produjeron dos detonaciones espantosas.

La columna Escario

El mismo día 22, a las cinco de la tarde, salió de Manzanillo la columna al mando del coronel D. Federico Escario, en socorro de esta plaza. Pernoctó en Palmas Altas.

Blanco y Pando

En la Habana ocurre un serio incidente entre el general en jefe Blanco y su jefe de Estado Mayor general Pando. Con motivo del desembarco de la expedición americana en estas costas, el general Pando propuso al general Blanco el envío de un cuerpo de ejército, no menor de 10.000 hombres, a cuyo frente vendría el mismo Pando para socorrer a esta plaza, cuyo cuerpo de ejército se tomaría de los 26.000 hombres concentrados para la defensa de la Habana, que irían de allí en varios trenes militares hasta Sta. Clara, de esta ciudad hasta Sancti Spíritus, donde quedarían y serían reemplazados por otros 10.000 hombres de allí y así sucesivamente se haría en Ciego de Avila, Camagüey y Holguín, siendo las fuerzas de este último distrito las que llegarían a esta plaza. No aceptó el general en jefe la propuesta de su jefe de E. M., limitándose a disponer que de Manzanillo viniera aquí la columna del coronel Escario. Entonces Pando le manifestó que él no estaba dispuesto a presenciar cruzado de brazos en la capital cómo sería sacrificado el ejército de Santiago de Cuba, cuando en la Isla había más de 200.000 hombres inactivos, y que lo que Gómez y Maceo hicieron con menos recursos y más audacia, él podía hacerlo con recursos mayores y contando con el valor y el patriotismo del soldado español. Mediaron algunas frases agrias, y entonces Pando pidió se le pasaportara para fuera de esta Isla. Para arreglar este sunto, el general Blanco dio aparentemente al general Pando una «comisión oficial y reservada del servicio» que debía desempeñar en Méjico. Pando salió de la Habana por ferrocarril hasta Batabanó y allí embarcó en una goleta que lo llevó a un puerto de la República Mejicana, corriendo todos los riesgos del bloqueo.

Bombardeo y parlamento

(Día 23).—La señal que hace el Morro, a las cinco y media de la mañana, avisa que a seis millas de distancia de la boca del puerto la bloquean ocho acorazados, dos destructores, el *Vesubius* y ocho barcos mercantes. Los demás continúan haciendo desembarcos protegidos por otros buques de guerra, que cañonean la costa. Un yate con bandera de parlamento se destacó de la escuadra, a las dos y media de la tarde, y se acercó al Morro. Salió en el remolcador *Colón* el capitán de navío D. Víctor M. Concas, a quien le expuso el parlamentario americano que su objeto era saber, por orden del almirante Sampson, si el teniente de navío Hobson y sus compañeros estaban guardando prisión en el Morro. El señor Concas se limitó a contestar que estaban en lugar seguro. Lo cierto es que están en dicha fortaleza y que eso contraviene las leyes de la humanidad, pues se hallan expuestos al fuego de los suyos.

«Las Guasimas»

El mismo día 23 salieron del campamento del Pozo para Firmeza, muy de madrugada, dos compañías del primer Batallón del Regimiento Infantería de San Fernando núm. 11. Allí se encontraban dos compañías del Batallón Peninsular de Talavera núm. 4, una de Ingenieros de Ferrocarriles y otra de movilizados, mandadas por el coronel D. Domingo Borry Saenz de Tejada, primer jefe del Regimiento del Rey, primero de Caballería. El general de brigada D. Antero Rubín llegó con otras tres compañías del Batallón Provisional de Puerto Rico núm. 1, y asumió el mando de todas esas fuerzas. Obedeciendo órdenes del general Linares, Rubín dispuso que en un tren de las minas, manejado por la compañía de Ferrocarriles de ingenieros militares, se retirasen los enfermos a esta plaza, pero antes se recogieron los destacamentos de Justicí y el Sardinero, y pasado el puente de Aguadores fue volado éste por los ingenieros militares. Verificado esto, el general Rubín con todas las fuerzas a sus órdenes se retiró a Sevilla, donde aguardó la llegada del general Linares.

El general Vara de Rey, con la fuerza disponible de su brigada, recibió orden de dirigirse al campamento del Pozo, dejó allí su columna y dos piezas de artillería y retornó luego a esta plaza, donde quedó a las órdenes del general Toral, que, con tres compañías del Ejército, una de desembarco del crucero *Reina Mercedes,* la Guardia Civil, los voluntarios y los bomberos debía resguardar la plaza de cualquier ataque interior o exterior.

Hechos estos preparativos, el general Linares salió de esta plaza al amanecer, escoltado por sesenta hombres de las guerrillas montadas de los batallones de Puerto Rico y San Fernando y se dirigió al campamento del Pozo, donde dejó la mitad de su escolta para que le llevara los partes que llegaran allí por teléfono, y con 50 guerrilleros de a pie y los 30 montados que le restaban de su escolta, se dirigió a Sevilla. Allí encontró una compañía del Batallón de San Fernando que el general Rubín había enviado con la impedimenta.

Los americanos desembarcados, fuertes de 6.000 hombres, avanzaron por el camino de Sevilla, a las órdenes del general Wheeler, que según instrucciones del general Shafter no debía pasar del camino de Siboney; mas continuó hasta este poblado, donde encontró a los generales Castillo y Lawton, que le notificaron la presencia de fuerzas españolas en Sevilla. Entonces Wheeler, sin hacer caso de las instrucciones de su general en jefe y de las advertencias de los generales Castillo y Lawton, avanzó, en dos columnas y con su artillería a vanguardia, por dos senderos que más adelante se unían, pero que se hallaban separados por la manigua, encontrando en una de las sendas el cadáver de un soldado cubano.

Los americanos dieron sobre las posiciones españolas, que eran buenas por la topografía del terreno, y se trabó el combate, pero una de las dos columnas americanas al llegar al punto de bifurcación de los dos senderos, tomó equivocadamente por enemiga a la otra columna y ambas se tirotearon, causándose bajas. A las dos horas de fuego con los españoles, los americanos lo suspendieron y retrocedieron, volviendo al ataque por la tarde. Entonces el general Rubín se retiró con sus fuerzas al asiento de Sevilla. Las instrucciones recibidas por el general Rubín del general Linares fueron éstas: «Pozo 23 junio 98.—Me entregaron los paisanos el papel que me escribió y hemos estado oyendo el fuego desde las cinco menos cuarto y después el disparo de cañón. Encargue al coronel Borry que cuide bien de la vereda o camino de La Redonda, donde está acampado, pues los de la línea al encontrarse ocupado Sardinero, pueden tomar dicho camino de La Redonda.—He pedido a Cuba todas las acémilas de transporte y diez carretillas que estarán en ese campamento de siete y media a ocho. Tenga Ud. preparados los enfermos y las municiones para que marchen en seguida a Cuba con la misma escolta que llevará las acémilas.—Disponga V. que se coma ahí el primer rancho de mañana, y después recibirá V. órdenes.—*Linares*.—Sr. General D. Antero Rubín.»—Instrucciones que se citan: «Después de comer el primer rancho marchará usted con toda la columna a Cuba, efectuando la retirada de ese punto por escalones con las debidas precauciones y lentitud necesaria para rechazar en buenas condiciones cualquier agresión del enemigo.—El batallón de Talavera se dirigirá al Sueño y allí encontrará un jefe de la plaza que le indicará los puntos que ha de ocupar.—El batallón de Puerto Rico con las dos compañías movilizadas de la zona minera se dirigirá a Cañadas y allí recibirá órdenes respecto a los puntos que ha de ocupar, y el batallón de San Fernando se dirigirá al Centro Benéfico, e igualmente recibirá instrucciones. La sección de Artillería al Cuartel de Dolores. La sección de Ingenieros irá a Cruces, alojándose en las oficinas de la empresa minera.—*Linares.*»—Nota: al capitán de Ingenieros que regrese a Cuba con el convoy de enfermos, que se presente al Sr. coronel Caula.»

La columna de Escario

El día 23 la columna del coronel Escario hizo la jornada de Palmas Altas al paso del río Yara, por entre el monte, evitando pasar por lugares donde pudiera haber fuerzas cubanas; mas en la sabana de Don Pedro tuvo fuego nutrido con ellas, que venían hostilizando a la columna durante toda la marcha. Las bajas confesadas por este jefe español fueron un muerto y tres heridos de tropa.

Bloqueo, bombardeo y desembarco

(Día 24).—La alegre fiesta de San Juan de otros años en nada se parece a la fiesta bélica de hoy. Deesde el amanecer se oye el lejano estruendo del cañón en esta ciudad. Por su parte, a las cinco y media de la mañana, el semáforo enarbola la señal de hallarse a la vista ocho acorazados, dos destructores, el *Vesubius* y doce barcos mercantes, en línea desde Aguadores hasta Punta Cabrera. Los demás barcos, hasta completar el número de sesenta y tres, entre ellos seis de guerra, prosiguen su tarea de desembarcar tropas en Daiquirí. A las once y cincuenta y cinco minutos de esta mañana, rompe fuego el *Brooklyn* sobre la costa de Daiquirí, con un intervalo de la una y treinta a la una y cincuenta y cinco, cesando a las dos y media.

Sevilla

(Día 24).—Al amanecer de hoy, las fuerzas americanas desembarcadas atacaron las posiciones españolas de Sevilla durante tres horas. Iniciaron los españoles su retirada, a las órdenes del general Rubín, mientras el general Linares se situó en el campamento del Pozo con la artillería, hasta que entraron en esta plaza las fuerzas del general Rubín. La orden de retirada estaba concebida en los siguientes términos:

«Pozo, 24 de junio de 1898.—Ya tiene V. S. orden de retirarse y le prevengo que lo efectúe una hora después de haberlo verificado el convoy de enfermos, con escolta de dos compañías movilizadas y una de Talavera. Retire en primer término toda la impedimenta y que al llegar a Cuba vayan a los puntos designados; con los tres batallones, Puerto Rico, San Fernando y Talavera, haga V. S. retirada alternada por escalones, en forma que al abandonar posiciones el escalón avanzado, estén en posición los otros dos, hasta llegar a Cuba.—Aquí esperaré yo.—*Linares*. Señor General Rubín.»

La Escuadra de Cervera

«Acta.—El día 24 de junio, reunidos en la Cámara del señor Almirante, el General Segundo Jefe y los capitanes de navío que firman, no asistiendo el Jefe de E. M. por estar en tierra con fuerzas de marinería, dio lectura dicho señor Almirante de un telegrama del Ministro de Marina fecha de ayer, recibido hoy, en el que dice que el Gobierno aplaude el propósito de salida en primera ocasión; y después de exponer cada uno su opinión sobre la situación presente, acordaron de la más completa unanimidad declarar que desde el día 8 ha sido y continúa siendo absolutamente imposible dicha salida.—Y dada lectura por el señor Almirante del telegrama puesto ayer al señor Ministro exponiéndole esta circunstancia y la posibilidad de que en muy breves días sea preciso destruir los buques, acordaron con la antedicha unanimidad hacer suyo cuanto se expresa en dicho telegrama, como manifestación exacta de las penosas circunstancias en que se encuentran estas fuerzas.—Firmando esta acta, a los efectos correspondientes, a bordo del crucero *Infanta María Teresa*.—Santiago de Cuba, a 24 de junio de 1898.—*José de Paredes*.—*Juan B. Lazaga*. *Fernando Villaamil*.—*Emilio Díaz Moreu*.—*Antonio Eulate*.—*Víctor M. Correas,* Secretario, Jefe de E. M. interino.»

El Ministro de Marina dijo por cable al almirante Cervera: «Madrid, 24 de junio de 1898.—Para dar completa unidad a la dirección de la guerra en esa isla, considérese vuecencia mientras opere en aguas de ella, como Comandante General de Escuadra de Operaciones y proceda en sus relaciones con el General en Jefe conforme Real Orden de 13 de noviembre de 1872, dictada por este Ministerio, y artículos Ordenanza que menciona; pudiendo desde luego ponerse en comunicación directa con dicha autoridad y cooperar con la escuadra a la realización de sus planes.»

La columna de Escario

El día 24 la columna del coronel Escario marchó hasta orillas del río Canabacoa, sosteniendo ligero tiroteo con los cubanos, y que, según él, hicieron un muerto y un herido de tropa a su fuerza.

Caney

El mismo día 24, el general Vara de Rey, que estaba alojado en la casa particular del rico comerciante D. Eligio Ros y Rodríguez, después de haber almorzado allí, recibió la orden de partir a reforzar la posición del Caney, para donde salió por la tarde llevando tres compañías del primer Batallón del Regimiento Infantería de la Constitución núm. 29 y una movilizada. Al oscurecer llegó a dicho pueblo, donde encontró 40 hombres del Regimiento Infantería de Cuba núm. 65, de guarnición en el fuerte del Viso, mandados por el segundo teniente abanderado D. José Marquínez, y 50 movilizados que ocupaban los fortines *Río, Cementerio, Izquierdo, Matadero* y *Asia,* únicas defensas del pueblo. Le entregó el mando del mismo al general Vara de Rey el comandante militar, capitán de la Guardia Civil don Casildo Moral Viñolas. Las fuerzas de la guarnición aumentaron a 500 hombres con la llegada de la columna de Vara de Rey.

Bloqueo y desembarcos

(Día 25).—A las cuatro de la madrugada se sintieron desde la boca del puerto catorce cañonazos por el lado de Daiquirí, hechos por barcos americanos. A las cinco y media dijo el vigía que estaban en la boca ocho acorazados y doce barcos mercantes. Continúa el desembarco de fuerzas americanas y los transportes vacíos se marchan y vienen otros. Desde las doce y media hasta las dos de la tarde, varios buques cañonean la costa lentamente de Aguadores a Daiquirí.

Disparó el *Vesubius* durante la noche dos bombas de dinamita, una de las cuales destruyó enteramente la casa de los torreros del Morro y la otra causó grandes desperfectos en el castillo, matando a un soldado e hiriendo a tres marineros de la dotación del crucero *Reina Mercedes.*

Horno

El 25 recibió el fuerte del Horno un cañón de bronce, rayado, de 12 centímetros y de antecarga.

El Morro

(Día 25).—Hoy queda emplazado también en la explanada del castillo del Morro otro obús, de 21 centímetros y de antecarga.

Fuerte Nuevo

Este fuerte, llamado también del Centro Benéfico, por hallarse en sus terrenos, ha sido artillado, hoy 25, con una pieza de bronce, rayada, de 12 centímetros y de antecarga.

Todos los cañones emplazados en la parte de tierra, sobre el recinto de esta plaza, han sido transportados por yuntas de bueyes y peones, bajo la contrata de D. Nicasio Gata, dueño de un tren de carretillas.

La construcción de dichas baterías y las de la boca del puerto, así como el emplazamiento de los cañones, estuvo bajo la dirección técnica de los coroneles D. Florencio Caula y Villar, de Ingenieros, y D. Salvador Díaz Ordóñez, de Artillería, respectivamente.

La Escuadra de Cervera

El contralmirante Cervera dijo al general en jefe Blanco lo siguiente:

«Santiago de Cuba, 25 de junio de 1898.—Ministro de Marina ordena me ponga a las órdenes de V. E. según lo mandado en Real Orden 13 noviembre 1872, lo que hago con el mayor gusto.—Creo de mi deber exponer el estado de la Escuadra. De 3.000 cargas para cañón Hontoria de 14, sólo 620 son de confianza, las demás han sido clasificadas inútiles, no habiéndose reemplazado por faltar existencias a la salida; dos cañones Hontoria de 14 del *Vizcaya* y uno del *Oquendo* no ofrecen confianza, habiéndose mandado cambiar por otros; el mayor número de los estopines ofrece poca confianza, carecemos de torpedos Bustamante; al *Colón* le falta su artillería gruesa; *Vizcaya* está muy sucio y ha perdido su velocidad; *Teresa* no tiene cañones de desembarco y los del *Vizcaya* y *Oquendo* son inútiles; tenemos poco carbón y víveres para todo julio. Escuadra de bloqueo es cuatro veces superior, por lo que la salida sería nuestra destrucción absolutamente segura. Tengo mucha gente en tierra para reforzar la guarnición, de la que me considero solidario. Creo deber decir a V. E. que el 23 dirigía al Gobierno el siguiente telegrama: «El enemigo se ha apoderado ayer de Daiquirí; hoy, seguramente, ocupará Siboney, a pesar de brillante defensa. El curso de estos sucesos es muy doloroso, aunque previsto. Han desembarcado tripulaciones Escuadra para ayudar Ejército. Ayer salieron cinco batallones de Manzanillo; si llegan a tiempo prolongarán agonía, pero dudo mucho que salven la plaza. Como es absolutamente imposible que la Escuadra escape en estas condiciones, pienso resistir cuanto pueda y destruir los buques en último extremo.—Esto expresa mi opinión de conformidad con los comandantes de los buques. Espero instrucciones de Vuecencia.»

También cursó el almirante Cervera al general en jefe Blanco este otro telegrama:

«Santiago de Cuba, 25 de junio de 1898.—Después de puesto mi anterior telegrama, recibo carta general Linares, trasmitiendo telegrama de V. E. deseando conocer mi opinión. Ya va indicada en mi anterior, y la amplío ahora.—No es exacto que la escuadra de bloqueo haya estado nunca reducida a siete buques; sólo los seis principales representan más de triple fuerza que los cuatro míos. La falta de baterías que mantengan a distancia la escuadra enemiga, hace que esté siempre cerca de la boca del puerto, que iluminan, imposibilitando toda salida que no sea a viva fuerza. En mi juicio la salida implica seguramente la pérdida de la Escuadra y del mayor número de sus tripulantes, determinación que yo no tomaría nunca por mí, pero si V. E. me lo ordena lo ejecutaré.—La pérdida de la Escuadra se decretó, en mi juicio, al hacerla venir para aquí, de modo que no me ha sorprendido esta dolorosa situación. V. E. ordenará si marchamos a este sacrificio que creo estéril.»

El almirante Cervera contestó al Ministro de Marina: «Santiago de Cuba, 25 junio 1898.—Aunque siempre me he considerado subordinado del General en Jefe, doy a vuecencia las gracias por esta disposición que da fuerza legal a las relaciones ya establecidas y dando unidad a las operaciones me relevará de tomar por mí mismo resoluciones extremas de la mayor gravedad.»

El general Linares comunicó al almirante Cervera la retirada de la zona minera y el repliegue a esta plaza del Ejército, en los términos siguientes:

«Excmo. Sr.: He regresado a la plaza. Columna a mis órdenes fue atacada por tropas americanas de consideración, combinadas con partidas rebeldes, dos veces ayer y otra esta mañana, con artillería, siendo rechazadas con muchas bajas vistas, pues se presentan al descubierto. Las nuestras, siete muertos, 20 heridos graves, entre ellos tres oficiales, y varios leves y contusos. Se ocuparon municiones y una esclavina de paño con botón de metal con águila. Hoy en la marcha efectuada no nos han hostilizado, sin embargo de las buenas posiciones que pudieron haber ocupado. La circunstancia de las lluvias, tener las tropas todas al descubierto produciéndose enfermos y la de no poder tomar la ofensiva hasta la llegada de refuerzos, me han resuelto a replegar la defensa a las exteriores del recinto de la plaza. Dios guarde a V. E. muchos años. Santiago de Cuba, 24 de junio de 1898.—*Arsenio Linares.*»

Linares a Cervera

«Santiago de Cuba, 25 de junio de 1898.—Excmo. Sr. don Pascual Cervera.—Mi querido general y amigo: En cable cifrado que recibí anoche, me dice el General en Jefe, entre otras cosas, lo siguiente: «Ruego a V. E. diga al almirante Cervera que desearía conocer su opinión y sus propósitos, opinando yo que debería salir de ahí cuanto antes para donde juzgara conveniente, pues situación en ese puerto es a mi juicio la más peligrosa de todas. Anoche sólo había ahí siete barcos de guerra, y en Cienfuegos tres y aquí nueve, a pesar de lo cual forzaron con facilidad la línea del bloqueo el *Santo Domingo* y el *Montevideo,* que salieron a las dos de la madrugada. Si perdiéramos la escuadra sin combatir, el efecto moral será horrible dentro y fuera de España.» Y sin otra cosa, etc.—*Arsenio Linares.*»

CERVERA A LINARES

«Santiago de Cuba, 25 de junio 1898.—Excmo. Sr. D. Arsenio Linares.—Mi querido general y amigo: Recibo su interesante carta de hoy, que me apresuro a contestar.—El General en Jefe tiene la bondad de desear conocer mi opinión, y voy a darla tan explícita como debo, pero concretándome a la Escuadra, que creo es lo que me pide.—Creo a la Escuadra perdida desde que salió de Cabo Verde, porque me parece insensato pensar otra cosa, dada la desproporción enorme que hay entre nuestras fuerzas y las enemigas.—Por esa razón me opuse enérgicamente a la salida, y aun creí sería relevado por alguno de los que opinaban en contra mía.—No pedí mi relevo, porque me parece que eso no lo puede hacer ningún militar que reciba orden de marchar al enemigo.—Desde que llegué aquí usted sabe la historia.—Si yo hubiese salido para Puerto Rico, cuando un telegrama del Gobierno me hizo cambiar, mi situación sería la misma, sólo que habría variado el teatro que sería Puerto Rico, sobre cuya isla habría caído la avalancha que ha venido a ésta.—Yo creo que el error ha consistido en enviarla aquí.—Dice el General en Jefe que se ha forzado el bloqueo, y añadiré a usted que yo, con un barco de siete millas, entré en Escombreras, y permanecí allí hora y media, estando ocupado por la escuadra cantonal; pero ¿hay paridad en esto y las circunstancias actuales? Sin duda no. La salida de aquí ha de hacerse uno a uno; no cabe ardid ni disfraz, y la consecuencia de ello, absolutamente segura, es la ruina de todos y cada uno de los barcos con la muerte de la mayor parte de sus tripulantes.—Si yo creyera que hay probabilidades de éxito, aunque fueran remotas, lo hubiera intentado a pesar de que, como digo antes, sólo hubiera cambiado el teatro de la acción a menos de haber ido a la Habana, donde tal vez la cosa hubiera cambiado. Por estas razones, para que fuera en algún modo útil mi fuerza, ofrecí a usted desembarcarlas al mismo tiempo que el General en Jefe hacía a usted idéntica indicación. Hoy, como antes, considero la Escuadra perdida y el dilema es perderla destruyéndola si Cuba no resiste, contribuyendo a su defensa, o perdarla sacrificando a la vanidad la mayor parte de su gente, privando a Cuba de ese refuerzo, lo que precipitará su caída. ¿Qué debe hacerse? Yo, que soy hombre sin ambición ni pasiones locas, creo que lo que sea más conveniente, y declaro, del modo más categórico, que la horrible y estéril hecatombre que significa la salida de aquí a viva fuerza, porque de otro modo es imposible, NUNCA sería yo quien la decretara, porque me creería responsable ante Dios y la Historia, de esas vidas sacrificadas en aras del amor propio, pero no en la verdadera defensa de la Patria.—Hoy las circunstancias mías han variado en el orden moral, porque he recibido esta mañana un telegrama que me pone a las órdenes del General en Jefe en cuanto se refiere a las operaciones de la guerra; por tanto a él toca decidir si desembarco las dotaciones o marcho al suicidio, arrastrando al mismo tiempoa estos dos mil hijos de España o se emplean del modo que lo están.—Creo dejar contestada su carta, y me alegraré de que en esta contestación no se vea más que la noble y leal expresión del parecer de un viejo honrado que lleva 46 años de servicio a su País como ha podido.—Quedo suyo, etc.—*Pascual Cervera.*»

EL CLERO, ARMADO

El Gobierno Militar de la Plaza envía a cada uno de los individuos del Clero un fusil Remington y 100 cartuchos, para que cooperen a defender la ciudad si es atacada.

LA COLUMNA

El día 25 la columna del coronel Escario marchó hasta Babatuaba, bajo recios aguaceros y siempre hostilizada por los cubanos, que según él le causaron un muerto.

EL EJÉRCITO CUBANO

El 25 desembarcó en el Aserradero el Ejército Cubano, fuerte de 3.000 hombres, a las órdenes del mayor general Calixto García, en la forma siguiente:

El general Francisco Sánchez Hechavarría con su brigada, en el transporte *Leona.*

El general José Manuel Capote con sus fuerzas, en el *Séneca.*

El general Agustín Cebreco y Sánchez con las suyas en el *Orizaba.*

Y los generales Calixto García, Jesús Rabí, Saturnino Lora Torres y Rafael Portuondo Tamayo, con sus Estados Mayores, acompañados del general Ludlow, en el *Alamo.*

El mismo día por la tarde desembarcó en Siboney el general Sánchez Hechavarría con su brigada. Las demás fuerzas lo hicieron en el mismo punto al siguiente día por la mañana.

El coronel José Candelario Cebreco con sus fuerzas, quedó encargado de vigilar las tropas españolas situadas al Oeste de esta ciudad.

Bloqueo, bombardeo y desembarco

(Día 26).—Como de costumbre, a las cinco y media de la mañana, hizo señal el vigía del Morro que repitieron los del Centro y Aduana, que la escuadra enemiga estaba a la vista, diciendo después por teléfono el del Morro, que los buques que la componían eran: *New York, Brooklyn, Indiana, Oregón, Massachusetts, Texas, Vesubius,* un monitor y seis barcos mercantes, y que dentro de la bahía de Daiquirí hay ocho de estos últimos y más al Este hacia Verracos once más.

Arrojó el *Vessubius* durante la noche tres bombas o torpedos que, por haber caído en el mar no causaron daño. Probablemente los lanzó contra la escuadra de Cervera.

La Cruz Roja

El día 26 amanece la bandera de la Cruz Roja enarbolada en el cuartel «Reina Mercedes», que hoy es sanatorio de convalecientes, en el de Concha,que también sirve de hospital, en el del «Príncipe Alfonso», que tiene colocada una bandera en cada pararrayos, en el Hospital Civil, en la Real Casa de Beneficencia, en el Asilo de San José y en Cementerio General.

La Escuadra de Cervera

El general en jefe Blanco dijo al contralmirante Cervera lo siguiente:

«Habana, 26 junio de 1898.—Recibidos sus dos telegramas. Agradezco mucho satisfacción que expresa quedar a mis órdenes; yo me considero con ello muy honrado y deseo vea en mí el compañero más que el jefe.—Me parece exagera V. E. algo dificultades salida; no se trata de combatir, sino de escapar de ese encierro en que fatalmente se encuentra la Escuadra, y no creo imposible, aprovechando circunstancias oportunas, en noche oscura y con mal tiempo, poder burlar vigilancia enemigo y huir en el rumbo que crea V. E. más a propósito; pues, aun en el caso se apercibiera, de noche el tiro es incierto, y aunque sacara averías, nada representaría comparada con salvación barcos, y esta es razón demás para aventurarse a salir, pues siempre es preferible al honor de las armas, sucumbir en un combate donde puede haber muchas probabilidades de salvarse; además, no es segura tampoco la destrucción de los barcos, pues podría suceder como en la Habana el siglo pasado, en que los ingleses nos pusieron por condición en la capitulación la entrega de la escuadra que estaba encerrada en el puerto. Por mi parte, repito, que creo muy difícil, por fuerte que sea escuadra enemiga, que saliendo en noche oscura y escogiendo oportunidad, reducción o alejamiento parcial de buques enemigos y forzando máquina en dirección preconcebida, puedan ellos, aunque se aperciban, causar tanto daño. Prueba de ello la salida del *Santo Domingo* y el *Montevideo* de este puerto con nueve en la línea del bloqueo, la del *Purísima,* de Casilda, con tres, y la entrada del *Reina Cristina* en Cienfuegos con otros tres. Bien sé que el caso de esa escuadra es más arduo, pero esos precedentes guardan proporción. Si esos cruceros llegan a ser apresados en cualquier forma dentro del puerto de Cuba, el efecto en el mundo entero será desastroso, y la guerra podrá darse por terminada en favor del enemigo. Hoy todas las naciones tienen la vista fija en esa escuadra, y en ella se cifra la honra de la Patria, como estoy seguro lo comprende V. E. El Gobierno opina del mismo modo, y el dilema no ofrece duda a mi juicio, tanto más cuanto que abrigo gran confianza en el éxito dejando completamente a discreción de V. E., cuyas dotes rayan a tanta altura, la derrota que ha de seguir, y si algún barco ha de quedar por poca marcha. Como dato favorable, diré a V. E. que comandante crucero alemán *Geier,* ha expresado la opinión de que puede efectuarse salida escuadra sin exponerse a grandes riesgos.»

La columna de Escario

El día 26 la columna del coronel Escario realizó la marcha desde Babatuaba hasta el ingenio «Almirante», donde acampó, siempre tiroteado por los cubanos. Dispuso que el coronel D. Manuel Ruig Rañoy, segundo jefe de la columna, con toda la caballería y 600 infantes, en dos columnas, penetrara en Bayamo. A las tres de la tarde se efectuó la operación ordenada, con la variante de que se formaron tres columnas de ataque, la primera a las órdenes del coronel Ruiz, la segunda mandada por el teniente coronel D. Baldomero Barbón, del Batallón de Alcántara, y la tercera montada a las órdenes del comandante D. Luis Torrecillas del Puerto, del primer Batallón del Regimiento Infantería de Isabel la Católica. Las pocas fuerzas cubanas que ocupan la histórica ciudad, por estar el grueso de ellas con el Ejército Americano, hicieron la defensa en cuanto pudieron y luego evacuaron la plaza. En posesión de ella los españoles, destruyeron el archivo de la Comandancia Militar (del Ejército Libertador) y parte de una línea telegráfica que los cubanos habían establecido con Jiguaní y Santa Rita. Dijo Escario que no tuvo bajas, que le hizo a los cubanos 19, y que las fuerzas volvieron al campamento del Almirante.

El parte oficial de estos combates librados en los dos últimos días fue publicado el 26 por *La Bandera Española,* y dice así:

La columna del general Rubín a las órdenes del Comandante en Jefe del cuarto Cuerpo de Ejército, fue atacada al mediodía y en la tarde de ayer.—Esta mañana, fuerzas enemigas de consideración, con artillería, atacaron de nuevo con decisión, siendo rechazadas con numerosas bajas vistas.—Por nuestra parte en ambas jornadas siete muertos de tropa, capitán del Provisional de Puerto Rico, D. José Lances y segundo teniente del mismo don Zenón Borregón, heridos graves, primer teniente del Regimiento Caballería del Rey D. Francisco Las Tortas herido leve, dos de tropa heridos graves, dos leves y varios contusos.»

Proclama de Linares

«Orden General del cuarto Cuerpo de Ejército en Santiago de Cuba del 26 de junio de 1898.—Soldados: Abandonamos la zona minera, por que no he querido sacrificar vuestras vidas estérilmente sobre la playa en combate desigual, con fuegos de fusil, contra el aparatoso alarde del enemigo que nos combatía a cubierto de la coraza de sus buques, artillados con los cañones más modernos y poderosos.—Desembarazados de nuestra presencia en los referidos puntos, ya han desembarcado sus tropas y se proponen tomar la plaza de Cuba. El choque se acerca y la lucha se entablará en iguales condiciones.—Vuestras virtudes militares y vuestro valor son las mejores garantías del éxito.—Defendemos el derecho desconocido y hollado por los americanos, unidos a los rebeldes cubanos.—La nación y el ejército se hallan pendientes de nosotros.—Más de mil marinos de guerra desembarcados de la escuadra nos ayudan: voluntarios y bomberos tomarán parte en la empresa de rechazar y vencer a los enemigos de España.—La otra división de este Cuerpo de Ejército viene presurosa a reforzarnos.—Nada recomiendo, porque tengo la seguridad de que rivalizarán en la defensa de sus puestos, con firmeza y resolución; pero sí advierto, que los ya señalados a cada unidad, así sobre el recinto de la plaza como en los puntos avanzados, se conservarán a toda costa sin vacilar, ni pensar en el replieue, y sí únicamente el dejar a salvo el honor de las armas.—Yo os ofrezco cumplir con mis deberes y termino diciendo con todos ¡Viva España!—*Linares.*—Lo que de orden de S. E. se publica en la general de este día para conocimiento de todos.—El Teniente Coronel, Jefe de E. M.—*Ventura Fontán.*»

FALLECIMIENTOS

Han fallecido en los días 23, 24, 25 y 26: D.ª Rosa Betancourt, D.ª Tomasa Griñán, D. Rufino Garbey, D. Dominador Figueredo y Alvarez, D. Pedro Fernández Bueno, D. Carmelo Gómez y Gómez, D. José Arias González, D. Cipriano Cabrera, doña Columna O'Gabán, D.ª Isabel Cheroy, D.ª Perfecta Kindelán, doña Agripina Rodríguez, D.ª Mercedes Juztiz, D.ª Lucila Cuevas, D. Pablo Francisco, D.ª Agustina Valiente y D. Cristóbal Poirier.

LA ESCUADRA DE CERVERA

El Ministro de Marina dijo al contraalmirante Cervera:

Madrid, 26 de junio de 1898.—Gobierno estima que en caso extremo a que se refiere en cablegrama del 23, antes de destruir nosotros mismos nuestra escuadra en puerto, debe intentarse salvación total o parcial, por salida nocturna, como opinaron algunos jefes de esa escuadra en juntas 26 de mayo y 10 junio y anuncio V. E. en 28 mayo.—Dígame si desembarcó tripulaciones a petición autoridad militar, y si cumplido auxilio reembarcaron.—El objeto de mi cablegrama del 24 que agradece, no es el bien personal, sino el mejor servicio de la Nación.—Evite comentarios que se le atribuyen interpretaciones desfavorables.»

LA ESCUADRA DE CERVERA

El contralmirante Cervera dijo al Ministro de Marina, capitán de navío de primera clase D. Ramón Auñón y Villalón, lo siguiente:

«Santiago de Cuba, 27 junio 1898.—*Recibo CD 4097* (*telegrama anterior*).—Siento mucho incurrir en el desagrado del Gobierno por opinión dicha hace mucho tiempo, y a V. E. desde telegrama cifrado fecha 21 mayo.—Tal cual está bloqueada boca del puerto, es la salida durante la noche más peligrosa que de día, porque están más cerca de tierra.—Desembarco tripulaciones ha sido petición autoridad militar por indicación del General en Jefe. Pido su reembarco, pero dudo mucho que se pueda efectuar antes de que lleguen refuerzos.—Su *AD 0491* (telegrama del 24) así como todos los actos de V. E. tienen por objeto el mejor servicio, pero no quita resulte en mi beneficio, porque no soy yo quien decide la inútil hecatombe que se prepara.»

El contralmirante Cervera dijo también al general en jefe Blanco, lo siguiente:

«Santiago de Cuba, 27 de junio 1898.—Recibo su cable y doy muchas gracias a V. E. por las benévolas frases que me dedica.—Debo acatar los juicios de V. E. sin discutirlos, mucho más habiéndole dado mi opinión, formada después de madura reflexión.—Siempre he creído que hay muchos marinos más hábiles que yo y es muy sensible que no pueda venir alguno de ellos a tomar el mando de Escuadra, quedándome yo subordinado suyo. Considero el telegrama de V. E. como la orden de salida y en su consecuencia pido al general Linares el reembarco de las fuerzas que por indicación de V. E. han desembarcado.—Suplico a V. E. que confirme la orden de salida, porque no está explícito y sentiría mucho no interpretar bien las órdenes de V. E.»

Más desembarcos

El día 27 desembarcó en Daiquirí una brigada del Ejército Americano, a las órdenes del general Duffield. Con la llegada de estas fuerzas y la unión del Ejército Cubano al Americano, se han reunido contra los españoles, en los alrededores de esta plaza, 20.000 hombres aproximadamente.

Comisiones de vecinos

La Alcaldía Municipal, de acuerdo con el Gobierno Militar, ha expedido un bando dispositivo de que se organicen comisiones de vecinos en todos los barrios de esta ciudad, para que, en caso de ataque, presten servicios auxiliares al ejército así como a los heridos de las fuerzas defensores. Como distintivo deberán llevar dichos vecinos un brazal blanco en la manga izquierda con la cruz de Santiago.

El bloqueo

(Día 27).—Según el vigía del Morro, a las cinco y media de la mañana están a la vista los mismos buques que había ayer.

Fallecimientos

(Día 27).—Fallecen D. José Romeu y Pécora, profesor de idiomas, y la niña Zilia Arroyo y Ramos, hija del músico mayor del Regimiento de Infantería de Cuba, D. José Arroyo Coca.

El Excmo. Ayuntamiento, en su última sesión, acordó: «Declarar hijo adoptivo de esta ciudad al Sr. D. Garmán Michaelsen, y que se solicite la formación del oportuno expediente para la Cruz de Beneficencia y recabar del Gobierno Supremo la concesión de una gran cruz por los servicios humanitarios prestados, y el interés conque ha marcado todo cuanto se roza en beneficio de la prosperidad y el engrandecimiento de la población».

Este acuerdo es digno de aplauso por ser el Sr. Michaelsen muy acreedor a esas distinciones, como benefactor incansable de la humanidad desvalida y celoso entusiasta por la cultura social y el progreso urbano.

Ayuntamiento

Por el Gobierno Civil han sido nombrados concejales del excelentísimo Ayuntamiento: Lic. D. Luis Vilá y Font, D. José Fortín, D. Cayetano Tarrida y Agüero, D. Ramón Ibarra y García, Lic. D. Osvaldo Morales y Fulleda y D. Antonio Gutiérrez y Hernández.

La columna Escario

El día 27 la columna Escario continuó su marcha desde El Almirante hasta Santa Rita, donde dijo haber acampado sin novedad.

Fallecimiento

(Día 27).—En la noche de hoy fallece en la posada de Granda, el coronel D. Domingo Borry Sáenz de Tejada, primer jefe del Regimiento del Rey primero de Caballería, víctima de una congestión. Al siguiente día 28, por la tarde se verificaron sus funerales en la parroquia castrense de Dolores. Presidió el duelo el general Toral y otras autoridades e hizo los honores militares el primer Batallón de Voluntarios con la música del Regimiento de Cuba, al mando del teniente coronel de dicho batallón D. José Marimón y Juliach.

El bloqueo

(Día 28).—La eterna señal de la escuadra enemiga a la vista, ondea en el semáforo de la Aduana a las cinco y media de la mañana. A las siete comunicó el Morro, por teléfono, que un transporte americano embarca enfermos, que aprecia con el anteojo en 50, y que al Este varios barcos hacen fuego con mucho lentitud.

San Francisco

Cuantas veces es bombardeada la boca del puerto y la escuadra española por la americana, los Padres Paúles de San Francisco izan la bandera española en la torre de dicha iglesia.

La columna Escario

El día 28 la columna del coronel Escario hizo la marcha de Santa Rita a Baire. En el paso del río Jiguaní que le fue disputado desde las alturas por fuerzas cubanas, tuvo Escario que hacer uso de la artillería y continuó su camino incesantemente hostilizado hasta Baire, donde libró otro combate, acampando en las ruinas de dicho poblado. Allí dio descanso a su columna todo el día 29.

La Escuadra de Cervera

El almirante Cervera dirige al general Blanco el cablegrama siguiente:

«Santiago de Cuba, 28 junio 1898.—El general Linares me contesta que no es posible reembarcar mis fuerzas hasta llegada tropas Manzanillo.»

El general Blanco cablegrafió al contralmirante Cervera lo que sigue:

«Habana, 28 junio 1898.—(Personal y reservado).—Recibido telegrama V. E. anoche. Deseoso de mejorar todo posible situación Cuba, me ocupo con afán en remitirle raciones; si lo consigo podré enviarle más refuerzos, prolongando así defensa, quizá levantamiento sitio, salvación escuadra; de no conseguirlo, se impone, como V. E. comprende bien, que ésta abandone ese puerto a pesar dificultades que reconozco. Mi resolución, por tanto, que desearé satisfaga a V. E., es la siguiente: La escuadra permanecerá ahí y sin apurarse ni precipitarse, puesto que aún tiene raciones, acechará la ocasión oportuna para salir, dirigiéndose a donde V. E. juzgue conveniente; pero en el caso de que los acontecimientos se agravaran hasta el punto de creerse próxima la caída de Santiago de Cuba, la Escuadra saldrá resueltamente, lo mejor que pueda, confiando su destino al valor y pericia de V. E. y de los distinguidos jefes que la mandan, que indudablemente, confirmarán con sus hechos la reputación de que gozan.—Acuse recibo.»

Bloqueo y bombardeo

(Día 29).—Anuncia también el vigía hoy, a las cinco y media de la mañana, escuadra enemiga a la vista, y luego telefonea que ha regresado el *Iowa*. Por la tarde dijo que se sentía cañoneo en dirección a Daiquiri.

Convoy al Caney

El 29, al mediodía, salió de esta plaza con dirección al pueblo del Caney un convoy de víveres, conducido en 45 acémilas de la Brigada de Transportes, escoltado por fuerzas de la Guardia Civil al mando de un capitán. La columna tomó por el camino de San Miguel y al llegar a la mitad, encontró otra formada por fuerzas del primer Batallón de la Constitución, procedente del Caney, que le aguardaba, mandada por el comandante D. Rodrigo Agüero y Mármol, la que continuó con las fuerzas salidas de esta plaza, dando escolta al citado convoy, que llegó por la tarde al Caney sin novedad. Como se ve, los españoles consideran arriesgado ya el tránsito de fuerzas por el camino directo que une esta ciudad con el pueblo del Caney.

Quintana

Entre dos y cuatro de la tarde del propio día 29, salieron del Caney con dirección a una finca cercana de la familia del primero, D. Rafael Quintana y Rodríguez, D.ª Irene Rodríguez, viuda de Quintana, D.ª Josefa Geli y otras personas de la familia. La señora Rodríguez es madre del joven Rafael y de Estanislao (*Lao*) y José, estos dos últimos en las filas libertadoras. No obstante ir todos provistos de sus cédulas personales y de los correspondientes pases expedidos por la Comandancia Militar, fueron detenidos al llegar al fuerte Jagüey y llevados al pueblo, siendo presentados al general Vara de Rey en la Comandancia Militar. Como éste dispuso continuara preso Rafael, la Sra. Rodríguez le interesó la libertad de su hijo, robusteciendo su petición con la circunstancia de ser un hecho notorio que Rafael no podía ser útil a la insurrección por padecer de trastornos mentales; pero Vara de Rey le dijo que a su hijo se le habían encontrado *dos tabacos* que llevaba para los mambises; y dispuso que la infeliz madre fuera expulsada del pueblo para que se fuera con los mambises; no haciéndolo así con la Sra. Geli por haber acreditado ésta documentalmente que era viuda de un militar español. Al siguiente día 30, de cinco a seis de la mañana, la guerrilla afecta al primer Batallón de la Constitución, mandada por el teniente Casadeval y Müller, condujo a Rafael Quintana por el camino de Escandell al punto conocido por Alto del Coronel, tomando por la vereda del Bonete, y en dicho alto le dispararon dos tiros de mauser, dejándole cadáver e insepulto.

Veinticuatro horas después el general Vara de Rey y el teniente Casadeval comparecieron ante el Juez Supremo a rendir cuentas de sus acciones: los dos cayeron para no levantarse más en ese mismo pueblo, que fue testigo de una página sangrienta que manchó la historia militar del valeroso general ibiceño, para quien el autor de estas líneas sólo elogios hubiera querido tener.

José Quintana Rodríguez, hermano de Rafael, al saber la inicua muerte de éste, solicitó y obtuvo del jefe de su brigada, coronel Demetrio Castillo Duany, permiso para tomar parte activa en el asalto al Caney, y recomendado por su jefe al general Lawton, fue de los primeros en asaltar con las tropas americanas el fuerte del Viso.

La Escuadra de Cervera

El contralmirante Cervera dice al general en jefe Blanco:

Santiago de Cuba, 29 junio 1898.—Recibido telegrama de V. E. Suplico repetición desde la palabra «agravaran» hasta el punto que le sigue, que está ininteligible. Todo lo demás se ejecutará en cuanto sea posible, porque la escasez de carbón lo dificulta. Estos buques necesitan doce horas para encender, y si están encendidos y listos para aprovechar cualquier ocasión, gasta cada uno 15 toneladas por día. Pero creo entender la síntesis de su orden. Si se puede aprovechar una ocasión favorable, hacerlo, y si no, a última hora, salir, aun cuando sea segura la pérdida de la escuadra. También pueden venir dificultades de que se apoderen de la boca del puerto.»

Voluntarios y Bomberos

Se previene a los individuos pertenecientes a los cuerpos de Voluntarios y Bomberos, que al disparar el fuerte del Horno el cañonazo de alarma, deberán ocupar sus puestos respectivos dentro de diez minutos, y que de no verificarlo así sufrirán quince días de arresto en el Morro.

Bloqueo y caza de un barco

(Día 30).—A las cinco y media de la mañana, anunció el vigía del Morro, y repitieron la señal los del Medio y de la Aduana, que estaban a la vista los mismos buques del día anterior. A las tres de la tarde señalaron un vapor por el Sur, que huyó a toda máquina en dirección Este al avistar la escuadra del bloqueo; que de ésta se destacaron un acorazado y un yate en su persecución, y que el primero le dio caza y lo condujo apresado, con bandera americana, a Daiquirí.

Tiroteos en las trincheras

El 30 abandonaron esta ciudad con rumbo al campo cubano, los conocidos vecinos y conspiradores Lic. D. Francisco Brioso y Bustillos, abogado, D. Luis Orestes Gómez, comerciante, D. Silvestre Vaillant, dueño de una acreditada sastrería, y D. Agustín Feria, de Holguín, al atardecer. Son muchos los que han abandonado la ciudad en estos días anteriores. Como a las ocho de la noche se sintieron por la parte Este varios disparos de fusil, hechos sin duda a los que escapaban por ese lado. A los Sres. Brioso, Gómez, Vaillant y Feria les hicieron fuego también, las fuerzas de la Escuadra de Cervera atrincheradas en el camino del Cobre, al tratar aquéllos de rebasar los límites prohibidos, teniendo que retroceder. A las nueve de la noche intentaron pasar por otro rumbo y recibieron fuego también, pero esta vez lograron pasar.

La columna Escario

El día 30 la columna del coronel Escario marchó desde las ruinas de Baire hasta la «Ma Antonia» donde pernoctó; habiendo sostenido combate en el camino de La Ratonera y viéndose obligado a variar de rumbo, y combatiendo otra vez en la Loma de la Doncella y luego en el paso del río Contramaestre. También en la finca y campamento de «Ma Antonia» libró nueva acción; confesando haber tenido en la jornada de este día cinco de tropa muertos y el capitán de Alcántara D. Jenaro Ramiro y nueve de tropa heridos.

Santa Ana

La iglesia de Santa Ana ha sido desocupada de santos y tarecos y ocupada por el Gobierno Militar.

Globo cautivo

En la tarde del 30, hacia la parte de la finca «La Redonda», el Ejército Americano, que ya está a una legua de esta plaza, ha elevado un globo cautivo y hace reconocimientos de las posiciones de esta plaza y el Caney.

Consejo de generales

En la noche del 30 se celebra consejo de generales, en el Cuartel General del Ejército Americano, establecido en «La Redonda, y se decidió atacar simultáneamente, al día siguiente, a esta plaza, Caney y Aguadores. Interrogado el general Lawton, que había reconocido las posiciones del Caney, por el general Shafter, en qué tiempo podría tomarlo, dijo que en un par de horas.

Manzanillo

El día 30 se recibió del Ayuntamiento de Marina de Manzanillo el cablegrama siguiente:

«Comandancia Marina.—Cuba.—Ayer tarde, y por intervalo de una hora, sostuvimos en aguas de este puerto combate contra tres buques enemigos de mediano porte, que a poca fuerza de máquina desfilaron con rumbo N. E. como a poco más de una milla de la cabeza de los muelles. Tomaron parte los cañoneros *Guantánamo, Estrella, Delgado-Parejo,* conmigo y grupo de buques sin movimientos propios, compuestos del pontón *María* y cañoneros *Cuba Española* y *Guardián.* Con los tres primeros giramos a un tiempo en ala sobre el otro grupo, a medida que desfilaba el enemigo, quien al verse tan hostilizado, no llegó a detener su marcha sino por breve tiempo, con motivo de una gran avería hecha al segundo de ellos por nuestros buques, obligando al último a remolcarlo a barlovento, desde cuyo momento, y con poca velocidad, bien que haciendo nutrido fuego en la retirada, doblaron la punta N. E. de los cayos de Manzanillo y con rumbo N. desaparecieron pronto de nuestra vista. Plaza cooperó eficazmente con las pocas piezas de que dispone; hemos tenido dos muertos, dos heridos leves y un contuso en el *Delgado-Parejo;* dos heridos leves y tres contusos en los demás buques, en la población algunos heridos, averías en todos los buques, pero no importantes.—*Barreda.*»

La escuadrilla del bombardeo la componía el *Hornet,* el *Hist* y el *Wompatuck.*

Caney

El 30 salió del Caney, a las cuatro de la madrugada, un convoy con víveres para racionar las fuerzas destacadas en los fuertes Escandell núm. 1, Escandell núm. 2 y Ermitaño, escoltado por fuerzas del primer Batallón de la Constitución, mandadas por el comandante D. Rafael Aragón. Iban las raciones en doce acémilas y los destacamentos racionados en los tres fuertes indicados pertenecían al Regimiento Infantería de Cuba y se componían, en su totalidad, de setenta hombres. La columna regresó al Caney en la tarde del mismo día.

La Escuadra de Cervera

Cervera oficia a Linares lo siguiente: «Excmo. Sr.: Tengo el honor de trasladar a V. E. un cable que he recibido del E. S. General en Jefe que dice así: (*Sigue el telegrama del día* 28). Le suplico en consecuencia que si cree alguna vez que puede llegar el desgraciado caso que prevee el telegrama, se sirva avisarme con anticipación suficiente para que pueda embarcar la gente que tengo en tierra, y hacerme a la mar en cumplimiento de lo mandado. Dios guarde a V. E. muchos años. Santiago de Cuba, 30 de junio de 1898.—*Pascual Cervera.*»

DISTRIBUCIÓN Y SITUACIÓN DE FUERZAS

El 30 quedaron distribuidas y situadas las fuerzas de esta plaza del modo siguiente:

	Hombres
Trincheras de la ciudad.	
Línea de los Dos Caminos del Cobre hasta la Plaza de Toros, cuatro compañías de desembarco de la Escuadra mandada por el capitán de navío D. Joaquín Bustamante y Quevedo	450
Línea que comprende desde la Plaza de Toros hasta la bifurcación de los caminos del Caney y de San Juan, tres compañías del Batallón Provisional de Puerto Rico núm. 1 y cinco del Peninsular de Talavera número 4, mandada por el coronel de la Guardia Civil D. Francisco Oliveros y Jiménez	800
Línea que empieza en la intercesión de dichos caminos y sigue hasta el fuerte de Punta Blanca, el primer Batallón del Regimiento Infantería de San Fernando número 11 (6 compañías) y dos compañías de desembarco de la Escuadra, mandada por el teniente coronel D. Segundo Pérez, de dicho batallón	850
En los fuertes del recinto de la ciudad, tres compañías del tercer Tercio de Guerrillas	130
Total	2.230
Interior de la ciudad.	
Un escuadrón del Regimiento del Rey, primero de Caballería, y Guardia Civil de a pie y montada	150
Los batallones primero y segundo de Voluntarios, la compañía de Artillería, la de Guías y el escuadrón de Caballería todos del mismo instituto	1.500
El Batallón de Bomberos (4 compañías armadas y 4 desarmadas para extinguir incendios), las cuatro armadas	250

	Hombres
La Policía del Gobierno y la Municipal, armadas con fusiles	75
Total	1.975

Boca del puerto.

En el castillo del Morro, tres compañías del Regimiento Infantería del Cuba núm. 65, una sección de Artillería de Plaza y otra de Ingenieros, al mando del comandante D. Antonio Ros, gobernador de la fortaleza	450
Baterías alta y baja de la Socapa, tres compañías del Regimiento Infantería de Cuba núm. 65 y dos secciones de artillería del crucero *Reina Mercedes,* mandadas por los alféreces de navío D. Venancio Nardiz y D. Ricardo Bruquetas, respectivamente	400
Batería de Punta Gorda, una compañía del tercer Tercio de Guerrillas	120
Total	970

Interior del puerto.

Cuatro cruceros acorazados y dos destructores al mando del contralmirante D. Pascual Cervera y Topete.

El crucero *Reina Mercedes* y el cañonero *Alvarado,* al mando del capitán de navío D. Pelayo Pedemonte e Ibáñez, comandante de Marina de esta provincia y capitán de este puerto.

Línea del Oeste.

En las posiciones, a partir de la Socapa, del otro lado de la bahía, Mazamorra, Cabañas, San Miguel de Parada, y camino del Cobre, dos compañías de desembarco de la Escuadra y cuatro del primer Batallón del Regimiento Infantería de Asia núm. 55. Las dos

	Hombres
de Mazamorra al mando del comandante D. Ramón Escobar y toda esa línea al del coronel D. Federico de la Aldea y Gil de Aballe	650

Línea de Aguadores.

Desde el castillo de Aguadores por las alturas del camino y avenidas de la fortaleza del Morro hasta la estación del ferrocarril y muelle de Las Cruces, seis compañías del Regimiento Infantería de Cuba número 65, dos del tercer Tercio de Guerrillas y dos de Ingenieros de Ferrocarriles, al mando del general de Brigada D. Antero Rubín	900

Posición avanzada del Pozo.

En la finca «Amable Unión del Pozo», también conocida por «El Pozo de Giro», unida por teléfono con el Cuartel Reina Mercedes, una sección de a pie del tercer Tercio de Guerrillas y la guerrilla montada del Batallón Provisional de Puerto Rico núm. 1 ...	60

Posición avanzada de San Juan

A derecha e izquierda del camino, en la meseta, terrenos de la finca «San Juan de Miyares», una compañía del Batallón Provisional de Puerto Rico núm. 1, otra del Peninsular de Talavera núm. 4, y en el fuerte una sección del tercer Tercio de Guerrillas, al mando del coronel D. José Vaquero y Martínez Elizalde, primer jefe del Regimiento Infantería de Simancas núm. 64	240

Posición avanzada del Caney.

Tres compañías del primer Batallón del Regimiento Infantería de la Constitución núm. 29, una del tercer Tercio de Guerrillas y una sección de cuarenta hombres del Regimiento Infantería de Cuba núm. 65, al

	Hombres
mando del general de brigada D. Joaquín Vara de Rey y Rubio	500

Resumen.

Fuerzas regulares	4.590
Fuerzas irregulares	2.535
Total	7.125

ARTILLERIA EMPLAZADA

Boca del Puerto.

Castillo del Morro, número total de piezas		7
Batería de la Estrella		6
Batería alta de la Socapa		5
Batería baja de la Socapa	1 amet. y	5
Batería de Punta Gorda		4
Total		27

Frente Terrestre.

Fuerte de San Antonio, piezas	3
Fuerte de Santa Inés, piezas	2
Batería del Níspero, piezas	4
Batería de Espanta Sueño, piezas	4
Fuerte de Santa Ursula, piezas	5
Fuerte Nuevo o del Centro Benéfico, piezas	1
Fuerte de Cañadas, piezas	1
Fuerte del Horno, piezas	1
Fuerte de Punta Blanca, piezas	0 (1)
Total	21

(1) Los ocho cañones que tenía fueron distribuidos en los demás fuertes. Excepto 2 Hontoria de la Matería alta de la Socapa, todos los de la Batería baja de la misma, 2 Plasencia de la Estrella y los 2 Krupp de Punta Gorda, todas las demás piezas eran anticuadas y casi inservibles, tanto en el frente de mar como en el de tierra.

Los españoles conservan al Caney, a todos los poblados de la línea férrea, a Palma Soriano, al Cobre y a los fuertes que están en los pasos de las sierras del Este del Norte y del Oeste para obtener frutos del país, combustible y forraje para asegurar el Acueducto y para que la columna de Escario pueda tener entrada franca en esta plaza.

Movimientos del Ejército aliado

A las cuatro de la tarde del día 30, el general Shafter ordenó que la tercera Brigada mandada por el general Chaffee, se colocara sobre el camino del Caney a Ramón de las Yaguas; que la primera Brigada mandada por el general Ludlow, tomara posición detrás de ella, y que la batería del capitán Capron, fuerte de cuatro cañones, se situara a la izquierda, a 2 kilómetros al Norte de Marianaje, con escolta del primer Regimiento de la segunda Brigada (Miles). Todas estas fuerzas pertenecían a la División que mandaba el general Lawton, tenían un efectivo total de 5.379 hombres y debían iniciar el ataque contra el Caney al día siguiente, en unión de 200 hombres del Ejército Cubano. La División de Caballería (pie a tierra) a las órdenes del general Wheele, ocuparía las alturas más próximas a la meseta de San Juan, con dos regimientos de la otra división del río Aguadores y doscientos hombres del Ejército Cubano debían cooperar con esta división al ataque de las posiciones de San Juan. La Brigada Independiente del general Bates, debía hallarse en las cercanías de Sevilla. La Brigada al mando del general Duffield debía dar frente al castillo y posiciones españolas de la línea de Aguadores, para actuar contra ellas en combinación con la escuadra de Sampson. Y el Ejército Cubano, a las órdenes del general Calixto García Iñiguez, debía ocupar, al siguiente día por la mañana, al norte de esta plaza con la finalidad de cortar la retirada a los españoles e impedir que les llegran socorros. La División mandada por el general Kent se situaría en las proximidades del Pozo y «La Redonda», donde estaba el Cuartel General del V. Cuerpo de Ejército, en comunicación telefónica con Daiquirí. Los regimientos americanos de que disponía Shafter quedaron en los puestos señalados a las doce de la noche del indicado día 30.

Reina en esta ciudad espectación y ansiedad grandes con motivo de la aproximación del Ejército Aliado a una legua de la misma, por el Este y Sureste, y se cree inminente el ataque a las posiciones ocupadas por las tropas españolas que, según todas las probabilidades, ocurrirá de un momento a otro. El vecindario está sobrecogido por el temor a las futuras contingencias de un ataque que habrá de ser terrible para todos.

La Escuadra de Cámara

El día 30, el contralmirante D. Manuel de la Cámara y Libermoore, comandante general de la Escuadra de Reserva, cablegrafió desde Port-Said —a donde había llegado con su escuadra el 26— al Ministro de Marina lo siguiente:

«Después de cuatro días de estar esperando resolución del Gobierno Egipcio para trasbordar carbón al *Pelayo,* nos prohibe el trasbordo y nos intima abandonar inmediatamente todos sus puertos. En vista aspecto crítico de la cuestión, y de acuerdo con Ministro España que está en Port Said y Cónsul, procuro ganar tiempo hasta recibir intrucciones amplias telegráficas V. E., pues de aventurar hoy pasar Canal sin poder hacer carbón aquí ni en Suez, tendría que llevar a remolque a *Pelayo* todo Mar Rojo por no haber hasta Bad-el-Mandeb puerto a propósito para transbordarlo. Si para evitar conflictos internacionales me fuera imposible mantenerme aquí hasta recibir instrucciones V. E., saldría a Mediterráneo y aguardaría fuera aguas territoriales, sobre máquina en espera sus telegramas.»

El almirante Cámara había salido de Cádiz el 16 de este mes, con su escuadra compuesta de los acorazados *Pelayo* y *Carlos V,* los cruceros *Patriota* y *Rápido,* los destructores *Audaz, Osado* y *Proserpina,* los transportes de tropas *Buenos Aires* y *Panay,* los carboneros *Colón, Covadonga, San Agustín* y *San Francisco,* y los buques auxiliares *Alfonso XII, Giralda, Antonio López* y *Joaquín del Piélago.* De estos barcos un grupo debía ir a Filipinas, otro a las Antillas y otro realizar una diversión en las costas del Atlántico de los E. U., de Sur a Norte, para atraer a la Escuadra Americana en su seguimiento y proporcionar a Cervera la oportunidad de que pudiera salir de este puerto y trabar combate con la flota del bloqueo disminuida. Los tres torpederos de la de Cámara debían retornar a Cádiz, luego que dicha última escuadra hubiera pasado el estrecho de Gibraltar. Nada de lo proyectado sucedió, pues la división naval de Cámara, no pudiendo trasbordar carbón en ningún puerto egipcio, recibió orden de regresar a España.

INDICE ALFABETICO

de los nombres de personas o de los asuntos más importantes contenidos en este volumen

Nombres o asuntos *Páginas*

A

Páginas

Nombres o asuntos

Páginas

Nombres o asuntos

Nombres o asuntos | *Páginas*

Páginas

Nombres o asuntos

Páginas

Nombres o asuntos

Páginas

Nombres o asuntos

Q

Páginas

Nombres o asuntos

INDICE GENERAL

Páginas